Code du travail

Code du travail

(L.R.Q., c. C-27)

Édition à jour au 1er janvier 2004
Incluant les modifications à l'article 45

Version bilingue avec index

Wilson & Lafleur ltée
40, rue Notre-Dame Est
Montréal (Québec) H2Y 1B9

Nous reconnaissons l'aide financière du gouvernement du Canada
par l'entremise du Programme d'Aide au Développement de l'Industrie
de l'Édition (PADIÉ) pour nos activités d'édition.

«Gouvernement du Québec – Programme de crédit d'impôt
pour l'édition de livres – Gestion SODEC»

ISBN 2-89127-641-8
DÉPÔT LÉGAL 1er trimestre 2004
BIBLIOTHÈQUE NATIONALE DU QUÉBEC
BIBLIOTHÈQUE NATIONALE DU CANADA

IMPRIMÉ AU CANADA

CODE DU TRAVAIL (L.R.Q., c. C-27)

LABOUR CODE (R.S.Q., c. C-27)

TABLE DES MATIÈRES
CODE DU TRAVAIL

TABLE OF CONTENTS
LABOUR CODE

CODE DU TRAVAIL
L.R.Q., c. C-27

TITRE I

DES RELATIONS DU TRAVAIL

CHAPITRE I

DÉFINITIONS

1. **[Interprétation]** Dans le présent code, à moins que le contexte ne s'y oppose, les termes suivants signifient:

a) [«**association de salariés**»] «association de salariés» — un groupement de salariés constitué en syndicat professionnel, union, fraternité ou autrement et ayant pour buts l'étude, la sauvegarde et le développement des intérêts économiques, sociaux et éducatifs de ses membres et particulièrement la négociation et l'application de conventions collectives;

b) [«**association accréditée**»] «association accréditée» — l'association reconnue par décision de la Commission comme représentant de l'ensemble ou d'un groupe des salariés d'un employeur;

c) [«**association d'employeurs**»] «association d'employeurs» — un groupement d'employeurs ayant pour buts l'étude et la sauvegarde des intérêts économiques de ses membres et particulièrement l'assistance dans la négociation et l'application de conventions collectives;

d) [«**convention collective**»] «convention collective» — une entente écrite relative aux conditions de travail conclue entre une ou plusieurs associations accréditées et un ou plusieurs employeurs ou associations d'employeurs;

e) [«**différend**»] «différend» — une mésentente relative à la négociation ou au renouvellement d'une convention collective ou à sa révision par les parties en vertu d'une clause la permettant expressément;

f) [«**grief**»] «grief» — toute mésentente relative à l'interprétation ou à l'application d'une convention collective;

g) [«**grève**»] «grève» — la cessation concertée de travail par un groupe de salariés;

LABOUR CODE
R.S.Q., c. C-27

TITLE I

LABOUR RELATIONS

CHAPTER I

DEFINITIONS

1. **[Interpretation]** In this code, unless the context requires otherwise, the following expressions mean:

(a) [**"association of employees"**] "association of employees" — a group of employees constitued as a professional syndicate, union, brotherhood or otherwise, having as its objects the study, safeguarding and development of the economic, social and educational interests of its members and particularly the negotiation and application of collective agreements;

(b) [**"certified association"**] "certified association" — the association recognized by decision of the Commission as the representative of all or some of the employees of an employer;

(c) [**"employers' association"**] "employers' association" — a group organization of employers having as its objects the study and safeguarding of the economic interests of its members, and particularly assistance in the negotiation and application of collective agreements;

(d) [**"collective agreement"**] "collective agreement" — an agreement in writing respecting conditions of employment made between one or more certified associations and one or more employers or employers' associations;

(e) [**"dispute"**] "dispute" — a disagreement respecting the negotiation or renewal of a collective agreement or its revision by the parties under a clause expressly permitting the same;

(f) [**"grievance"**] "grievance" — any disagreement respecting the interpretation or application of a collective agreement;

(g) [**"strike"**] "strike" — the concerted cessation of work by a group of employees;

h) [«**lock-out**»] «lock-out» — le refus par un employeur de fournir du travail à un groupe de salariés à son emploi en vue de les contraindre à accepter certaines conditions de travail ou de contraindre pareillement des salariés d'un autre employeur;

i) [«**Commission**»] «Commission» — la Commission des relations du travail instituée par le présent code;

j) [«**ministre**»] «ministre» — le ministre du Travail;

k) [«**employeur**»] «employeur» — quiconque, y compris l'État, fait exécuter un travail par un salarié;

l) [«**salarié**»] «salarié» — une personne qui travaille pour un employeur moyennant rémunération, cependant ce mot ne comprend pas:

1° une personne qui, au jugement de la Commission, est employée à titre de gérant, surintendant, contremaître ou représentant de l'employeur dans ses relations avec ses salariés;

2° un administrateur ou un dirigeant d'une personne morale, sauf si une personne agit à ce titre à l'égard de son employeur après avoir été désignée par les salariés ou une association accréditée;

3° un fonctionnaire du gouvernement dont l'emploi est d'un caractère confidentiel au jugement de la Commission ou aux termes d'une entente liant le gouvernement et les associations accréditées conformément au chapitre IV de la Loi sur la fonction publique (L.R.Q., chapitre F-3.1.1) qui sont parties à une convention collective qui autrement s'appliquerait à ce fonctionnaire; tel est l'emploi d'un conciliateur, d'un médiateur et d'un médiateur-arbitre du ministère du Travail, d'un médiateur du Conseil des services essentiels, du commissaire de l'industrie de la construction et de ses adjoints visés dans la Loi sur les relations du travail, la formation professionnelle et la gestion de la main-d'oeuvre dans l'industrie de la construction (L.R.Q., chapitre R-20), d'un fonctionnaire du Conseil exécutif, du vérificateur général, de la Commission de la fonction publique, du cabinet d'un ministre ou d'un sous-ministre ou d'un fonctionnaire qui, dans un ministère ou un organisme du gouvernement, fait partie du service du personnel ou d'une direction du personnel;

(h) [**"lock-out"**] "lock-out" — the refusal by an employer to give work to a group of his employees in order to compel them, or the employees of another employer, to accept certain conditions of employment;

(i) [**"Commission"**] "Commission" — the Commission des relations du travail established by this Code;

(j) [**"Minister"**] "Minister" — The Minister of Labour;

(k) [**"employer"**] "employer" — anyone, including the State, who has work done by an employee;

(l) [**"employee"**] "employee" — a person who works for an employer and for remuneration, but the word does not include:

(1) a person who, in the opinion of the Commission, is employed as manager, superintendent, foreman or representative of the employer in his relations with his employees;

(2) a director or officer of a legal person, unless a person acts as such with regard to his employer after having been designated by the employees or a certified association;

(3) a public servant of the Government whose position is of a confidential nature in the opinion of the Commission or under the terms of an agreement binding the Government and the associations certified in accordance with Chapter IV of the Public Service Act (R.S.Q., chapter F-3.1.1) which are parties to a collective agreement that otherwise would apply to such public servant; such is the position of a conciliation officer, a mediator or a mediator-arbitrator of the Ministère du Travail, a mediator of the Conseil des services essentiels, the construction industry commissioner and deputy-commissioners contemplated in the Act respecting labour relations, vocational training and manpower management in the construction industry (R.S.Q., chapter R-20), a member of the staff of the executive council, of the Auditor General, of the Commission de la Fonction publique or of the executive staff of a minister or of a deputy minister, or a public servant who, in a department or agency of the Government, is a member of the personnel service or of a personnel management division;

3.1° un fonctionnaire du ministère du Conseil exécutif sauf dans les cas que peut déterminer, par décret, le gouvernement;

*3.2° un fonctionnaire du Conseil du trésor sauf dans les cas que peut déterminer, par décret, le gouvernement;

3.3° un fonctionnaire de l'Institut de la statistique du Québec affecté aux fonctions visées à l'article 4 de la Loi sur l'Institut de la statistique du Québec (L.R.Q., chapitre I-13.011);

4° un substitut permanent du procureur général nommé en vertu de la Loi sur les substituts du procureur général (L.R.Q., chapitre S-35);

5° un membre de la Sûreté du Québec;

6° un membre du personnel du directeur général des élections;

7° un agent de relations du travail de la Commission;

m) abrogé;

n) [«**exploitation forestière**»] «exploitation forestière» — la coupe, le tronçonnement, l'écorçage en forêt, le charroyage, l'empilement, le flottage, le chargement et le transport routier du bois à l'exclusion de sa transformation en dehors de la forêt;

o) [«**exploitant forestier**»] «exploitant forestier»: un bénéficiaire d'un contrat d'ap-

(3.1) a public servant of the Ministère du Conseil exécutif, except in the cases that the Government may determine by order;

*(3.2) a public servant of the Conseil du trésor, except in the cases that the Government may determine by order;

(3.3) a public servant of the Institut de la statistique du Québec assigned to functions referred to in section 4 of the Act respecting the Institut de la statistique du Québec (R.S.Q., chapter I-13.011);

(4) a permanent Attorney General's prosecutor appointed under the Act respecting Attorney General's prosecutors (R.S.Q., chapter S-35);

(5) a member of the Sûreté du Québec;

(6) a member of the personnel of the director general of elections;

(7) a labour relations officer of the Commission;

(*m*) repealed;

(*n*) [«**logging operation**»] "logging operation" — the felling, cutting into logs, barking in the forest, cartage, piling, driving, loading and highway transportation of timber but not its processing outside the forest;

(*o*) [«**logging operator**»] "logging operator" — means the holder of a timber supply

---

* Sont compris dans la définition de «salarié» prévue au paragraphe *l* de l'article 1 du Code du travail (L.R.Q., c. C-27) les fonctionnaires du Conseil du trésor relevant de la Direction générale de l'administration, du Secrétariat de Centraide secteur public, du Service du fichier et les fonctionnaires mis à la disposition du ministre responsable de l'application de la Loi sur les services gouvernementaux aux ministères et organismes publics (L.R.Q., c. S-6.1), à l'exception des fonctionnaires relevant du cabinet du Secrétaire associé aux Services gouvernementaux, de la Direction des ressources humaines, de la Direction des communications, ainsi que ceux agissant à titre d'administratrice ou d'administrateur du collecticiel Lotus Notes et les fonctionnaires directement en soutien avec les bases de données reliées à la fonction de négociation.

* Are included in the definition of "employee" given by paragraph *l* of section 1 of the Labour Code (R.S.Q., c. C-27): the public servants of the Conseil du trésor in the Direction générale de l'administration, the Secrétariat de Centraide secteur public, the Service du fichier and those whose services have been made available to the Minister responsible for the administration of the Act respecting Government services to departments and public bodies (R.S.Q., c. S-6.1), except the public servants in the office of the associate secretary, Services gouvernementaux, the Direction des ressources humaines, the Direction des communications and those acting as the administrators of the Lotus Notes groupware, as well as those directly supporting the data banks related to the negotiation function.

D. 1294-99, (1999) 131 G.O. 2, 6032.

O.C. 1294-99, (1999) 131 G.O. 2, 4482.

provisionnement et d'aménagement forestier consenti en vertu de la Loi sur les forêts (L.R.Q., chapitre F-4.1), un titulaire d'un permis d'intervention pour l'approvisionnement d'une usine de transformation du bois délivré en vertu de cette loi ou un producteur forestier qui alimente une usine de transformation du bois à partir d'une forêt privée;

p-r) abrogés.

and forest management agreement entered into under the Forest Act (R.S.Q., chapter F-4.1), the holder of a forest management permit to supply a wood processing plant issued under the said Act, or a forest producer supplying a wood processing plant from a private woodlot;

(*p-r*) repealed.

S.R. 1964, c. 141, a. 1; 1965 (1re sess.), c. 14, a. 76; 1968, c. 17, a. 97; 1969, c. 20, a. 10; 1969, c. 47, a. 2; 1969, c. 48, a. 1; 1969, c. 14, a. 18; 1971, c. 20, a. 66; 1971, c. 48, a. 161; 1972, c. 55, a. 173; 1972, c. 60, a. 29; 1977, c. 5, a. 14; 1977, c. 41, a. 1, a. 2; 1978, c. 15, a. 124; 1981, c. 9, a. 34; 1982, c. 37, a. 1; 1982, c. 54, a. 52; 1982, c. 53, a. 56; 1983, c. 22, a. 1; 1983, c. 55, a. 138; 1984, c. 47, a. 26; 1984, c. 51, a. 561; 1985, c. 12, a. 82; 1986, c. 89, a. 50; 1986, c. 108, a. 242; 1988, c. 73, a. 72; 1990, c. 69, a. 1; 1993, c. 6, a. 1; 1994, c. 12, a. 66; 1994, c. 18, a. 33; 1996, c. 29, a. 43; 1996, c. 35, a. 18; 1998, c. 46. a. 58; 1998, c. 44, a. 46; 1999, c. 40, a. 59; 2001, c. 26, a. 1.

2. [Exploitant forestier réputé employeur] L'exploitant forestier est, pour les fins des chapitres II et III, réputé employeur de tous salariés employés à son exploitation forestière sauf ceux qui sont employés au transport routier.

[Association d'employeurs] La Commission peut cependant reconnaître une association d'employeurs comme représentant de tous les employeurs exécutant des travaux d'exploitation forestière sur le territoire d'un exploitant forestier; cette association est alors réputée employeur de la façon ci-dessus indiquée.

[Exception] Le présent article ne s'applique pas aux salariés membres d'une coopérative faisant des travaux d'exploitation forestière.

2. [Logging operator deemed employer] The logging operator shall be deemed, for the purposes of chapters II and III, to be the employer of all the employees engaged in his logging operations except those engaged in highway transportation.

[Employers' association] Nevertheless the Commission may recognize an employers' association as the representative of all the employers carrying on logging operations on the lands of a logging operator; such association shall then be regarded as the employer in the manner above mentioned.

[Exception] This section shall not apply to employees who are members of a cooperative carrying on logging operations.

S.R. 1964, c. 141, a. 2; 1969, c. 47, a. 3; 1969, c. 48, a. 2; 1977, c. 41, a. 1; 1986, c. 108, a. 243; 2001, c. 26, a. 2.

CHAPITRE II

DES ASSOCIATIONS

CHAPTER II

ASSOCIATIONS

SECTION I

DU DROIT D'ASSOCIATION

DIVISION I

RIGHT OF ASSOCIATION

3. [Droit d'association des salariés] Tout salarié a droit d'appartenir à une association de salariés de son choix et de participer à la formation de cette association, à ses activités et à son administration.

S.R. 1964, c. 141, a. 3; 1977, c. 41, a. 3.

3. [Employees' right of association] Every employee has the right to belong to the association of employees of his choice, and to participate in the formation, activities and management of such association.

4. [Policiers municipaux] Les policiers municipaux ne peuvent être membres d'une association de salariés qui n'est pas formée exclusivement de policiers municipaux ou qui est affiliée à une autre organisation.

S.R. 1964, c. 141, a. 4.

5. [Sollicitation] Personne ne peut, au nom ou pour le compte d'une association de salariés, solliciter, pendant les heures de travail, l'adhésion d'un salarié à une association.

S.R. 1964, c. 141, a. 5.

6. [Lieu de réunion] Une association de salariés ne doit tenir aucune réunion de ses membres au lieu du travail sauf si elle est accréditée et du consentement de l'employeur.

S.R. 1964, c. 141, a. 6.

7. [Exploitation forestière] Dans une exploitation forestière, les lieux affectés aux repas des salariés ne sont pas considérés comme lieux de travail et aucune réunion ne peut être tenue dans les lieux affectés au logement des salariés.

S.R. 1964, c. 141, a. 7.

8. [Droit d'accès du représentant] Sous réserve de la Loi sur les forêts, l'exploitant forestier ou le propriétaire du territoire où se fait une exploitation forestière est tenu de permettre le passage et de donner accès du campement des salariés à tout représentant d'une association de salariés muni d'un permis délivré par la Commission conformément aux règlements adoptés à cette fin en vertu de l'article 138.

[Gîte et couvert] L'exploitant est tenu de fournir à ce représentant le gîte et le couvert au prix fixé pour les salariés par règlement suivant la Loi sur les normes du travail (chapitre N-1.1).

[Avance, première cotisation] Il doit sur demande écrite d'un salarié lui avancer la somme requise à titre de première cotisation à une association de salariés pourvu que ce salarié ait cette somme à son crédit.

[Autorisation constitue paiement] L'autorisation écrite donnée par tout salarié de précompter sur son salaire la somme ci-dessus constitue un paiement au sens du pa-

4. [Municipal constables] Municipal constables shall not be members of an association of employees which does not consist solely of municipal constables or which is affiliated with another organization.

5. [Solicitation] No person, in the name or on behalf of an association of employees, shall, during working hours, solicit an employee to join an association.

6. [Place of meeting] No association of employees shall hold any meeting of its members at the place of employment unless it is certified and has obtained the consent of the employer.

7. [Logging operations] In logging operations, the premises set aside for employees' meals shall not be regarded as places of employment and no meeting shall be held in the premises set aside as employees' living quarters.

8. [Representative's right of access] Subject to the Forest Act, the logging operator or the owner of any land where logging operations are carried on must allow any representative of an association of employees holding a permit issued by the Commission in accordance with the regulations made for such purpose under section 138 to pass thereon and to have access to the living quarters of the employees.

[Food and shelter] The operator must supply such representative with food and shelter at the price fixed for the employees by regulation under the Act respecting labour standards (chapter N-1.1).

[Advance for first dues] On the written application of an employee, he shall advance him the sum required as first dues to an association of employees, provided that such employee has that amount to his credit.

[Authorization constitutes payment] The written authorization given by any employee to withhold from his salary the above amount constitutes a payment within the

ragraphe *c* de l'article 36.1; l'employeur est tenu de remettre dans le mois qui suit à l'association indiquée les montants ainsi précomptés avec un bordereau nominatif.

meaning of subparagraph *c* of section 36.1; the employer must remit to the association indicated, within the following month, the amounts so withheld accompanied with a memorandum of the list of names.

[Cultivateur, colon] Le présent article ne s'applique pas à l'exploitation forestière effectuée sur sa propriété par un cultivateur ou colon.

[Farmer settler] This section does not apply to the logging operation carried on by a farmer or a settler on his own property.

S.R. 1964, c. 141, a. 8; 1969, c. 47, a. 4; 1969, c. 48, a. 3; 1977, c. 41, a. 4; 1979, c. 45, a. 149; 1986, c. 108, a. 244; 2001, c. 26, a. 3.

9. [Entreprise minière] Sous réserve de la Loi sur les terres du domaine public (chapitre T-8.1), le propriétaire d'une entreprise minière où des salariés sont logés sur des terrains auxquels il est en mesure d'interdire l'accès doit accorder cet accès à tout représentant d'une association de salariés muni d'un permis délivré par la Commission conformément aux règlements adoptés à cette fin en vertu de l'article 138.

9. [Mining operation] Subject to the Act respecting the lands in the public domain (chapter T-8.1), the owner of a mining operation where employees are living on lands under his control must allow any representative of an association of employees holding a permit issued by the Commission in accordance with the regulations made for such purpose under section 138 to have access to such lands.

[Gîte et couvert] L'exploitant d'une telle entreprise est tenu de fournir à ce représentant le gîte et le couvert au prix courant pour les salariés.

[Food and shelter] The operator of such an operation must supply such representative with food and shelter at the current price for employees.

S.R. 1964, c. 141, a. 9; 1969, c. 47, a. 5; 1969, c. 48, a. 4; 1977, c. 41, a. 1; 1987, c. 23, a. 97; 2001, c. 26, a. 4.

10. [Droit d'association des employeurs] Tout employeur a droit d'appartenir à une association d'employeurs de son choix, et de participer à la formation de cette association, à ses activités et à son administration.

10. [Employers' right of association] Every employer has the right to belong to the employers' association of his choice, and to participate in the formation, activities and management of such association.

S.R. 1964, c. 141, a. 10; 1977, c. 41, a. 5.

11. [Mandat de commission scolaire] Une commission scolaire peut donner à une association de commissions scolaires un mandat exclusif pour les fins des articles 52 à 93.

11. [Mandate of school board] A school board may give an association of school boards an exclusive mandate for the purpose of sections 52 to 93.

[Révocabilité] Ce mandat n'est révocable qu'au temps fixé par l'article 22 pour une demande d'accréditation.

[Irrevocability] Such mandate shall not be revocable except at the time fixed by section 22 for making an application for certification.

[Validité] Il appartient à la Commission de statuer sur la validité de ce mandat.

[Validity] The Commission may decide as to the validity of such mandate.

[Obligations du mandataire] Tant qu'il est en vigueur, les obligations prévues aux articles 53 et 56 incombent exclusivement au mandataire.

[Obligations of mandatory] While it is in force, the obligations contemplated by sections 53 and 56 shall rest upon the mandatary only.

1965 (1ʳᵉ sess.), c. 50, a. 1; 1969, c. 47, a. 6; 1977, c. 41, a. 1; 1988, c. 84, a. 700; 1997, c. 47, a. 64; 2001, c. 26, a. 5.

12. [Ingérence dans une association de salariés] Aucun employeur, ni aucune personne agissant pour un employeur ou une association d'employeurs, ne cherchera d'aucune manière à dominer, entraver ou financer la formation ou les activités d'une association de salariés, ni à y participer.

[Ingérence dans une association d'employeurs] Aucune association de salariés, ni aucune personne agissant pour le compte d'une telle organisation n'adhérera à une association d'employeurs, ni ne cherchera à dominer, entraver ou financer la formation ou les activités d'une telle association ni à y participer.

S.R. 1964, c. 141, a. 11.

13. [Intimidation, menaces] Nul ne doit user d'intimidation ou de menaces pour amener quiconque à devenir membre, à s'abstenir de devenir membre ou à cesser d'être membre d'une association de salariés ou d'employeurs.

S.R. 1964, c. 141, a. 12; 1977, c. 41, a. 6.

14. [Contraintes prohibées] Aucun employeur, ni aucune personne agissant pour un employeur ou une association d'employeurs ne doit refuser d'employer une personne à cause de l'exercice par cette personne d'un droit qui lui résulte du présent code, ni chercher par intimidation, mesures discriminatoires ou de représailles, menace de renvoi ou autre menace, ou par l'imposition d'une sanction ou par quelque autre moyen à contraindre un salarié à s'abstenir ou à cesser d'exercer un droit qui lui résulte du présent code.

[Restriction] Le présent article n'a pas pour effet d'empêcher un employeur de suspendre, congédier ou déplacer un salarié pour une cause juste et suffisante dont la preuve lui incombe.

S.R. 1964, c. 141, a. 13; 1983, c. 22, a. 2.

15. [Pouvoir de la Commission] Lorsqu'un employeur ou une personne agissant pour un employeur ou une association d'employeurs congédie, suspend ou déplace un salarié, exerce à son endroit des mesures discriminatoires ou de représailles, ou lui impose toute autre sanction à cause de l'exercice par ce salarié d'un droit qui lui résulte du présent code, la Commission peut:

12. [Interfering with employees' association] No employer, or person acting for an employer or an association of employers, shall in any manner seek to dominate, hinder or finance the formation or the activities of any association of employees, or to participate therein.

[Interfering with employers' association] No association of employees, or person acting on behalf of any such organization, shall belong to an association of employers or seek to dominate, hinder or finance the formation or activities of any such association, or to participate therein.

13. [Intimidation, threats] No person shall use intimidation or threats to induce anyone to become, refrain from becoming or cease to be a member of an association of employees or an employers' association.

14. [Discrimination] No employer nor any person acting for an employer or an employers' association may refuse to employ any person because that person exercises a right arising from this Code, or endeavour by intimidation, discrimination or reprisals, threat of dismissal or other threat, or by the imposition of a sanction or by any other means, to compel an employee to refrain from or to cease exercising a right arising from this Code.

[Restriction] This section shall not have the effect of preventing an employer from suspending, dismissing or transferring an employee for a good and sufficient reason, proof whereof shall devolve upon the said employer.

15. [Reinstatement] Where an employer or a person acting for an employer or an employers' association dismisses, suspends or transfers an employee, practises discrimination or takes reprisals against him or imposes any other sanction upon him because the employee exercises a right arising from this Code, the Commission may

a) ordonner à l'employeur ou à une personne agissant pour un employeur ou une association d'employeurs de réintégrer ce salarié dans son emploi, avec tous ses droits et privilèges, dans les huit jours de la signification de la décision et de lui verser, à titre d'indemnité, l'équivalent du salaire et des autres avantages dont l'a privé le congédiement, la suspension ou le déplacement.

[Indemnité] Cette indemnité est due pour toute la période comprise entre le moment du congédiement, de la suspension ou du déplacement et celui de l'exécution de l'ordonnance ou du défaut du salarié de reprendre son emploi après avoir été dûment rappelé par l'employeur.

[Déduction] Si le salarié a travaillé ailleurs au cours de la période précitée, le salaire qu'il a ainsi gagné doit être déduit de cette indemnité;

b) ordonner à l'employeur ou à une personne agissant pour un employeur ou une association d'employeurs d'annuler une sanction ou de cesser d'exercer des mesures discriminatoires ou de représailles à l'endroit de ce salarié et de lui verser à titre d'indemnité l'équivalent du salaire et des autres avantages dont l'ont privé la sanction, les mesures discriminatoires ou de représailles.

(a) order the employer or a person acting for an employer or an employers' association to reinstate such employee in his employment, within eight days of the service of the decision, with all his rights and privileges, and to pay him as an indemnity the equivalent of the salary and other benefits of which he was deprived due to dismissal, suspension or transfer.

[Indemnity] That indemnity is due in respect of the whole period comprised between the time of dismissal, suspension or transfer and that of the carrying out of the order, or t3he default of the employee to resume his employment after having been duly recalled by his employer.

[Deduction] If the employee has worked elsewhere during the above mentioned period, the salary which he so earned shall be deducted from such indemnity;

(b) order the employer or the person acting for an employer or an employers' association to cancel the sanction or to cease practising discrimination or taking reprisals against the employee and to pay him as an indemnity the equivalent of the salary and other benefits of which he was deprived due to the sanction, discrimination or reprisals.

S.R. 1964, c. 141, a. 14; 1969, c. 47, a. 7; 1977, c. 41, a. 1, a. 7; 1983, c. 22, a. 3; 2001, c. 26, a. 6.

16. [Plainte] Le salarié qui croit avoir été l'objet d'une sanction ou d'une mesure visée à l'article 15 doit, s'il désire se prévaloir des dispositions de cet article, déposer sa plainte à l'un des bureaux de la Commission dans les 30 jours de la sanction ou mesure dont il se plaint.

16. [Complaint] The employees who believe that they have been the victim of a sanction or action referred to in section 15 must, if they wish to avail themselves of the provisions of that section, file a complaint at one of the offices of the Commission within thirty days of the sanction or action.

S.R. 1964, c. 141, a. 15; 1969, c. 47, a. 7; 1969, c. 48, a. 5; 1977, c. 41, a. 1; 1983, c. 22, a. 4; 2001, c. 26, a. 7.

17. [Preuve incombant à l'employeur] S'il est établi à la satisfaction de la Commission saisie de l'affaire que le salarié exerce un droit qui lui résulte du présent code, il y a présomption simple en sa faveur que la sanction lui a été imposée ou que la mesure a été prise contre lui à cause de l'exercice de ce droit et il incombe à l'employeur de prouver qu'il a pris cette sanction ou mesure à l'égard

17. [Burden of proof] If it is shown to the satisfaction of the Commission, on being referred the matter, that the employee exercises a right arising from this Code, there is a simple presumption in his favour that the sanction was imposed on him or the action was taken against him because he exercised such right, and the burden of proof is upon the employer that he resorted to the sanc-

du salarié pour une autre cause juste et suffisante.

tion or action against the employee for good and sufficient reason.

S.R. 1964, c. 141, a. 16; 1969, c. 47, a. 7; 1969, c. 48, a. 6; 1977, c. 41, a. 1; 1983, c. 22, a. 5; 1999, c. 40, a. 59; 2001, c. 26, a. 8.

18. Abrogé.

18. Repealed.

1983, c. 22, a. 6.

19. [Quantum de l'indemnité] Sur requête de l'employeur ou du salarié, la Commission peut fixer le quantum d'une indemnité et ordonner le paiement d'un intérêt au taux légal à compter du dépôt de la plainte sur les sommes dues en vertu de l'ordonnance.

19. [Indemnity] On the application of the employer or of the employee, the Commission may fix the quantum of an indemnity and order payment of interest at the legal rate from the date of filing of the complaint on the amount due pursuant to the order.

[Pourcentage ajouté] Il doit être ajouté à ce montant une indemnité calculée en appliquant à ce montant, à compter de la même date, un pourcentage égal à l'excédent du taux d'intérêt fixé suivant l'article 28 de la Loi sur le ministère du Revenu (L.R.Q., chapitre M-31) sur le taux légal d'intérêt.

[Interest] There must be added, to the amount fixed, an indemnity computed by applying to the amount, from such date, a percentage equal to the excess of the interest rate fixed according to section 28 of the Act respecting the Ministère du Revenu (R.S.Q., chapter M-31) over the legal interest rate.

S.R. 1964, c. 141, a. 18; 1969, c. 47, a. 8; 1969, c. 48, a. 7; 1977, c. 41, a. 1, a. 8; 1983, c. 22, a. 7; 2001, c. 26, a. 9.

19.1-20. Abrogés.

19.1-20. Repealed.

2001, c. 26, a. 10.

20.0.1 [Modification du statut de salarié] L'employeur qui a l'intention d'apporter, au mode d'exploitation de son entreprise, des changements ayant pour effet de modifier le statut d'un salarié, visé par une accréditation ou une requête en accréditation, en celui d'entrepreneur non salarié doit en prévenir l'association de salariés concernée au moyen d'un avis écrit comportant une description de ces changements.

20.0.1 [Written notice] Every employer who intends to make changes to the mode of operation of his undertaking entailing the conversion of the status of an employee to whom a certification or a petition for certification applies to that of contractor without employee status, must so inform the association of employees concerned by means of a written notice containing a description of the changes.

[Demande d'avis à la Commission] Lorsqu'elle ne partage pas l'avis de l'employeur sur les conséquences de ces changements sur le statut du salarié, l'association peut, dans les 30 jours qui suivent la réception de l'avis, demander à la Commission de se prononcer sur les conséquences de ces changements sur le statut du salarié. L'association doit transmettre sans délai une copie de cette demande à l'employeur.

[Application] Where the association does not share the opinion of the employer on the consequences of the changes on the status of the employee, the association may, within 30 days after receipt of the notice, apply to the Commission for a determination as to the consequences of such changes on the status of the employee. The association must, without delay, transmit a copy of the application to the employer.

[Gel des changements] L'employeur ne peut mettre en application les changements visés au premier alinéa avant l'expiration du délai prévu au deuxième alinéa ou, si l'asso-

[Implementation] The employer may not implement the changes referred to in the first paragraph before the expiry of the time fixed in the second paragraph or, if the association

ciation de salariés a alors demandé l'intervention de la Commission, avant de s'être entendu avec l'association sur les conséquences de ces changements sur le statut du salarié ou avant la décision de la Commission, selon la première de ces échéances.

[Délai] La Commission doit rendre sa décision dans les 60 jours de la réception de la demande de l'association.

2001, c. 26, a. 11.

SECTION II
DE CERTAINES OBLIGATIONS DES ASSOCIATIONS ACCRÉDITÉES

20.1 [Élection au scrutin secret] Lorsqu'il y a élection à une fonction à l'intérieur d'une association accréditée, elle doit se faire au scrutin secret conformément aux statuts ou règlements de l'association.

[Élection annuelle] À défaut de dispositions dans les statuts ou règlements de l'association prévoyant que l'élection doit se faire au scrutin secret, celle-ci doit avoir lieu au scrutin secret des membres de l'association aux intervalles prévus dans les statuts ou règlements ou, à défaut, tous les ans.

1977, c. 41, a. 9.

20.2 [Vote de grève au scrutin secret] Une grève ne peut être déclarée qu'après avoir été autorisée au scrutin secret par un vote majoritaire des membres de l'association accréditée qui sont compris dans l'unité de négociation et qui exercent leur droit de vote.

[Avis de scrutin] L'association doit prendre les moyens nécessaires, compte tenu des circonstances, pour informer ses membres, au moins quarante-huit heures à l'avance, de la tenue du scrutin.

1977, c. 41, a. 9; 1994, c. 6, a. 1.

20.3 [Signature d'une convention collective] La signature d'une convention collective ne peut avoir lieu qu'après avoir été autorisée au scrutin secret par un vote majoritaire des membres de l'association accréditée qui sont compris dans l'unité de négociation et qui exercent leur droit de vote.

1977, c. 41, a. 9.

of employees has, at that time, requested the intervention of the Commission, before an agreement is reached with the association as to the consequences of the changes on the status of the employee, or before the decision of the Commission is rendered, whichever occurs first.

[Decision] The Commission must render its decision within 60 days after receipt of the association's application.

DIVISION II
CERTAIN OBLIGATIONS OF CERTIFIED ASSOCIATIONS

20.1 [Election by secret ballot] Every election to an office within a certified association must be held by secret ballot in accordance with the constitution and by-laws of the association.

[Annual election] In the absence in the constitution and by-laws of the association of a provision that the election must be held by secret ballot, such election must be held by secret ballot at the intervals provided for in the constitution and by-laws or, failing such a provision, every year.

20.2 [Vote to strike by secret ballot] No strike may be declared unless it has been authorized by secret ballot decided by the majority vote of the members of the certified association who are comprised in the bargaining unit and who exercise their right to vote.

[Notification of vote] The association shall take the measures necessary, having regard to the circumstances, to inform its members, at least forty-eight hours in advance, that the ballot is to be held.

20.3 [Signing of a collective agreement] The signing of a collective agreement shall not take place unless it has been authorized by secret ballot decided by the majority vote of the members of the certified association who are comprised in the bargaining unit and who exercise their right to vote.

20.4 [Parties intéressées] L'inobservation des articles 20.2 ou 20.3 ne donne ouverture qu'à l'application du chapitre IX.

1977, c. 41, a. 9; 1992, c. 61, a. 174.

20.5 [Exigences supérieures des statuts] Les statuts ou règlements d'une association accréditée peuvent comporter des exigences supérieures à celles prévues aux articles 20.1 à 20.3.

1977, c. 41, a. 9.

20.4 [Interested parties] Failure to comply with section 20.2 or 20.3 shall give rise to the application of Chapter IX only.

20.5 [Superior requirements of constitution] The constitution and by-laws of a certified association may include requirements superior to those provided for in sections 20.1 to 20.3.

SECTION III

DE L'ACCRÉDITATION
DES ASSOCIATIONS DE SALARIÉS

DIVISION III

CERTIFICATION OF ASSOCIATIONS
OF EMPLOYEES

21. [Droit à l'accréditation] A droit à l'accréditation l'association de salariés groupant la majorité absolue des salariés d'un employeur ou, dans les cas prévus au paragraphe *b* de l'article 28 ou aux articles 32 et 37, celle qui obtient, à la suite du scrutin prévu aux dits articles, la majorité absolue des voix des salariés de l'employeur, qui ont droit de vote.

[Droit à l'accréditation] A également droit à l'accréditation l'association de salariés qui, dans le cas prévu à l'article 37.1, obtient le plus grand nombre de voix à la suite d'un scrutin.

[Groupe distinct] Le droit à l'accréditation existe à l'égard de la totalité des salariés de l'employeur ou de chaque groupe des dits salariés qui forme un groupe distinct aux fins du présent code, suivant l'accord intervenu entre l'employeur et l'association de salariés et constaté par l'agent de relations du travail, ou suivant la décision de la Commission.

[Un seul salarié] Un seul salarié peut former un groupe aux fins du présent article.

[Employés de fermes] Les personnes employées à l'exploitation d'une ferme ne sont pas réputées être des salariés aux fins de la présente section, à moins qu'elles n'y soient ordinairement et continuellement employées au nombre minimal de trois.

21. [Right to be certified] Any association of employees comprising the absolute majority of the employees of an employer or, in the case provided for in paragraph *b* of section 28 or in section 32 or 37, the association that obtains, following the ballot provided for in the said sections, the absolute majority of the votes of the employees of the employer having the right to vote, is entitled to be certified.

[Certification] An association of employees which, in the case provided for in section 37.1, obtains the greatest number of votes in a ballot is also entitled to be certified.

[Bargaining units] The right to be certified shall avail all the employees of the employer or each group of the said employees which constitutes a separate group for the purposes of this code, according to the agreement between the employer and the association of employees, ascertained by the labour relations officer or according to the decision of the Commission.

[Single employee] A single employee may form a group for the purposes of this section.

[Farm employees] Persons employed in the operation of a farm shall not be deemed to be employees for the purposes of this division unless at least three of such persons are ordinarily and continuously so employed.

S.R. 1964, c. 141, a. 20; 1965 (1re sess.), c. 50, a. 2; 1969, c. 47, a. 9; 1969, c. 48, a. 9; 1970, c. 33, a. 1; 1971, c. 44, a. 1; 1973, c. 43, a. 242; 1977, c. 5, a. 14, 229; 1977, c. 41, a. 1, a. 11; 1983, c. 22, a. 9; 2001, c. 26, a. 12.

22. [Époque de la demande d'accréditation] L'accréditation peut être demandée

a) en tout temps, à l'égard d'un groupe de salariés qui n'est pas représenté par une association accréditée et qui n'est pas déjà visé en totalité ou en partie par une requête en accréditation;

b) abrogé;

b.1) sous réserve du paragraphe *b*.2, après douze mois de la date d'une accréditation, à l'égard d'un groupe de salariés pour lesquels une convention collective n'a pas été conclue et pour lesquels un différend n'a pas été soumis à l'arbitrage ou ne fait pas l'objet d'une grève ou d'un lock-out permis par le présent code;

b.2) après 12 mois de la décision de la Commission sur la description de l'unité de négociation rendue en vertu du paragraphe *d*.1 de l'article 28, à l'égard d'un groupe de salariés pour lesquels une convention collective n'a pas été conclue et pour lesquels un différend n'a pas été soumis à l'arbitrage ou ne fait pas l'objet d'une grève ou d'un lock-out permis par le présent code;

c) après neuf mois de la date d'expiration d'une convention collective ou d'une sentence arbitrale en tenant lieu, à l'égard d'un groupe de salariés pour lesquels une convention collective n'a pas été conclue et pour lesquels un différend n'a pas été soumis à l'arbitrage ou ne fait pas l'objet d'une grève ou d'un lock-out permis par le présent code;

d) du quatre-vingt-dixième au soixantième jour précédant l'expiration d'une sentence arbitrale tenant lieu de convention collective ou la date d'expiration ou de renouvellement d'une convention collective dont la durée est de trois ans ou moins;

e) du cent quatre-vingtième au cent cinquantième jour précédant la date d'expiration ou de renouvellement d'une convention collective dont la durée est de plus de trois ans ainsi que, lorsque cette durée le permet, pendant la période s'étendant du cent quatre-vingtième au cent cinquantième jour précédant le sixième anniversaire de la signature ou du renouvellement de la convention et chaque deuxième anniversaire subséquent, sauf lorsqu'une telle période prendrait fin à douze mois ou moins du cent quatre-vingtième jour précédant la date

22. [Time of application for certification] Certification may be applied for

(a) at any time, in the case of a group of employees not represented by a certified association and not already contemplated, in whole or in part, in an application for certification;

(b) repealed;

(b.1) subject to paragraph *b*.2, twelve months after the date of a certification, in the case of a group of employees for whom a collective agreement has not been made and for whom a dispute has not been submitted for arbitration or is not the object of a strike or lock-out permitted by this Code;

(b.2) twelve months after the decision of the Commission on the description of the bargaining unit rendered under paragraph *d*.1 of section 28, in the case of a group of employees for whom a collective agreement has not been made and for whom a dispute has not been submitted for arbitration or is not the object of a strike or lock-out permitted by this Code;

(c) nine months after the date of expiration of a collective agreement or of an arbitration award in lieu thereof, in the case of a group of employees for whom a collective agreement has not been made and for whom a dispute has not been submitted for arbitration or is not the object of a strike or lock-out permitted by this Code;

(d) from the ninetieth to the sixtieth day prior to the date of expiration of an arbitration award in lieu of a collective agreement or the date of expiration of a collective agreement or of its renewal where the term of the collective agreement is three years or less;

(e) from the one hundred and eightieth to the one hundred and fiftieth day prior to the date of expiration of a collective agreement or of its renewal where the term of the collective agreement is more than three years and, where such term so allows, during the period extending from the one hundred and eightieth to the one hundred and fiftieth day prior to the sixth anniversary of the signing of the collective agreement or of its renewal and every other anniversary thereafter, except where such a period would end within twelve months or less of the one hundred and eighti-

d'expiration ou de renouvellement de la convention collective.

eth day prior to the date of expiration of the collective agreement or of its renewal.

S.R. 1964, c. 141, a. 21; 1977, c. 41, a. 12; 1979, c. 32, a. 3; 1983, c. 22, a. 10; 1994, c. 6, a. 2.; 2001, c. 26, a. 13; 2003, c. 26, a. 1.

23-24. Abrogés.

23-24. Repealed.

2001, c. 26, a. 14.

25. [**Requête en accréditation**] L'accréditation est demandée par une association de salariés au moyen d'une requête déposée à la Commission qui, sur réception, en transmet une copie à l'employeur avec toute information qu'elle juge appropriée.

25. [**Petition for certification**] Certification shall be applied for by an association of employees by means of a petition filed with the Commission which shall, upon receipt of the petition, send a copy to the employer together with any information it considers appropriate.

[**Formalités**] La requête doit être autorisée par résolution de l'association et signée par ses représentants mandatés, indiquer le groupe de salariés qu'elle veut représenter et être accompagnée des formules d'adhésion prévues au paragraphe *b* du premier alinéa de l'article 36.1 ou de copies de ces formules ainsi que de tout document ou information exigé par un règlement du gouvernement.

[**Authorization**] The petition must be authorized by a resolution of the association and signed by its authorized representatives, indicate which group of employees the association wishes to represent, and be accompanied with the applications for membership provided for in subparagraph *b* of the first paragraph of section 36.1 or with copies of those applications and of any document or information required by a regulation of the Government.

[**Affichage de la requête et de la liste des salariés**] L'employeur doit, au plus tard le jour ouvrable suivant celui de sa réception, afficher une copie de cette requête dans un endroit bien en vue. Il doit également, dans les 5 jours de la réception de la copie de la requête, afficher, dans un endroit bien en vue, la liste complète des salariés de l'entreprise visés par la requête avec la mention de la fonction de chacun d'eux. L'employeur doit transmettre sans délai une copie de cette liste à l'association requérante et en tenir une copie à la disposition de l'agent de relations du travail saisi de la requête.

[**List of employees**] The employer must, on or before the first working day following the day the petition is received, post a copy of the petition in a conspicuous place. The employer must also, within five days after copy of the petition is received, post, in a conspicuous place, the complete list of the employees of the undertaking concerned by the petition indicating the function of each. The employer must send forthwith a copy of the list to the petitioning association and place a copy thereof at the disposal of the labour relations officer seized of the petition.

S.R. 1964, c. 141, a. 22; 1969, c. 47, a. 11; 1969, c. 48, a. 12; 1977, c. 41, a. 14; 1983, c. 22, a. 12; 1986, c. 36, a. 1; 2001, c. 26, a. 15.

26. [**Pièces justificatives**] La Commission peut exiger de l'association requérante ou accréditée le dépôt de ses statuts et règlements.

26. [**Supporting documents**] The Commission may require the petitioning or certified association to file its constitution and by-laws.

S.R. 1964, c. 141, a. 23; 1977, c. 41, a. 15; 2001, c. 26, a. 16.

27. [Publicité] La Commission met une copie de la requête en accréditation à la disposition du public par tout moyen qu'elle juge approprié.

27. [Copy] The Commission shall, by any means it considers appropriate, make a copy of the petition for certification available to the public for consultation.

S.R. 1964, c. 141, a. 24; 1969, c. 47, a. 12; 1969, c. 48, a. 13; 1977, c. 5, a. 14; 1977, c. 41, a. 1; 1981, c. 9, a. 34; 1982, c. 53, a. 56; 1994, c. 12, a. 66; 1996, c. 29, a. 43; 2001, c. 26, a. 17.

27.1 [Requête irrecevable] Le dépôt d'une requête à l'égard d'un groupe de salariés qui n'est pas représenté par une association accréditée rend irrecevable une requête déposée à compter du jour qui suit le premier dépôt, à l'égard de la totalité ou d'une partie des salariés visés par la première requête.

[Date du dépôt] Aux fins du premier alinéa, une requête est réputée avoir été déposée le jour de sa réception à l'un des bureaux de la Commission.

1983, c. 22, a. 13; 2001, c. 26, a. 18.

27.1 [Petition inadmissible] The filing of a petition regarding a group of employees not represented by a certified association renders any petition filed from the day following the first filing, regarding all or some of the employees contemplated by the first petition inadmissible.

[Presumption] For the purposes of the first paragraph, a petition is deemed to have been filed on the day it is received in one of the offices of the Commission.

28. [Conditions pour obtenir l'accréditation] En outre, sur réception de la requête, il doit être procédé de la façon suivante:

a) **[Accréditation sur-le-champ]** La Commission doit dépêcher sans délai un agent de relations du travail qui doit s'assurer du caractère représentatif de l'association et de son droit à l'accréditation. À cette fin, l'agent de relations du travail procède à la vérification des livres et archives de l'association et de la liste des salariés de l'employeur; il peut, en tout temps, vérifier auprès de toute association, de tout employeur et de tout salarié l'observation du chapitre II et tout fait dont il lui appartient de s'enquérir. S'il vient à la conclusion que l'association jouit du caractère représentatif requis et s'il constate qu'il y a accord entre l'employeur et l'association sur l'unité de négociation et sur les personnes qu'elle vise, il doit l'accréditer sur-le-champ par écrit en indiquant le groupe de salariés qui constitue l'unité de négociation. S'il ne vient pas à la conclusion que l'association jouit du caractère représentatif requis, l'agent de relations du travail doit faire un rapport sommaire de sa vérification à la Commission et en transmettre une copie aux parties. Il doit, dans ce rapport, mentionner les raisons pour lesquelles il n'a pas accordé l'accréditation.

28. [Conditions for certification] In addition, upon receipt of the petition, the following procedure must be followed:

a) **[Immediate certification]** The Commission shall forthwith send a labour relations officer who shall assure himself of the representative character of the association and its right to be certified. For such purpose, the labour relations officer shall examine the books and records of the association and the list of the employer's employees; he may, at any time, examine any association, employer or employee to ascertain whether he or it is complying with Chapter II and examine any fact it is his duty to investigate. If he comes to the conclusion that the association has the representative character required, and if he ascertains that there is agreement between the employer and the association on the bargaining unit and the persons contemplated by it, he must certify it in writing immediately, and indicate which group of employees constitutes the bargaining unit. If he does not come to the conclusion that the association has the representative character required, the labour relations officer must present a summary report on his examination to the Commission and transmit a copy to the parties. The report must specify the reasons why the labour relations commissioner did not grant certification.

b) [**Pourcentage des salariés membres**] Si l'agent de relations du travail constate qu'il y a accord entre l'employeur et l'association sur l'unité de négociation et sur les personnes qu'elle vise et qu'il y a entre 35% et 50% des salariés dans cette unité qui sont membres de l'association de salariés, il procède au scrutin pour s'assurer du caractère représentatif de cette dernière. Il accrédite l'association si elle obtient la majorité absolue des voix des salariés compris dans l'unité de négociation. S'il ne vient pas à la conclusion que l'association jouit du caractère représentatif requis, l'agent de relations du travail doit faire un rapport sommaire de sa vérification à la Commission et en transmettre une copie aux parties. Il doit, dans ce rapport, mentionner les raisons pour lesquelles il n'a pas accordé l'accréditation.

c) [**Désaccord sur l'unité**] Si l'employeur refuse son accord sur l'unité de négociation demandée il doit, par écrit, en expliciter les raisons et proposer l'unité qu'il croit appropriée à l'agent de relations du travail. Celui-ci doit faire un rapport sommaire du désaccord à la Commission et en transmettre une copie aux parties. Ce rapport doit comporter les raisons explicitées par l'employeur, la description de l'unité que celui-ci croit appropriée et, le cas échéant, la mention qu'il y a entre 35% et 50% des salariés dans l'unité de négociation demandée qui sont membres de l'association de salariés. Si l'employeur néglige ou refuse de communiquer les raisons de son désaccord et de proposer l'unité qu'il croit appropriée dans les quinze jours de la réception d'une copie de la requête, il est présumé avoir donné son accord sur l'unité de négociation. L'agent de relations du travail procède alors suivant le paragraphe *a* ou le paragraphe *b*, selon le cas.

d) [**Accréditation malgré un désaccord**] Si l'agent de relations du travail constate qu'il y a accord entre l'employeur et l'association sur l'unité de négociation, mais non sur certaines personnes visées par la requête, il accrédite néanmoins l'association sur-le-champ si cette dernière jouit du caractère représentatif pour l'unité de négociation demandée, peu importe que les personnes sur lesquelles il n'y a pas accord soient éventuellement, selon la décision de la

(*b*) [**Percentage of employees who are members**] If the labour relations officer ascertains that there is agreement between the employer and the association on the bargaining unit and on the persons contemplated by it, and that 35% to 50% of the employees comprised in that unit are members of the association of employees, he shall hold a ballot to assure himself of the representative character of the association. He shall certify the association if it obtains the absolute majority vote of the employees. If he does not come to the conclusion that the association has the representative character required, the labour relations officer must present a summary report on his examination to the Commission and transmit a copy to the parties. The report must specify the reasons why the labour relations commissioner did not grant certification.

(*c*) [**Disagreement on unit**] If the employer refuses his agreement on the bargaining unit applied for, he must, in writing, set forth his reasons therefor and propose the unit he thinks suitable to the labour relations officer. The labour relations officer must present a summary report concerning the disagreement to the Commission and transmit a copy to the parties. The report must contain the reasons set forth by the employer, a description of the unit that the employer thinks suitable and, if applicable, the indication that 35% to 50% of the employees comprised in the bargaining unit are members of the association of employees. If the employer neglects or refuses to communicate the reasons for his disagreement and to propose the unit he thinks suitable within fifteen days of receipt of the petition, he is presumed to have given his agreement on the bargaining unit. The labour relations officer shall then follow the procedure provided under paragraph *a* or paragraph *b*, as the case may be.

(*d*) [**Certification notwithstanding disagreement**] If the labour relations officer ascertains that there is agreement between the employer and the association on the bargaining unit but not on certain persons contemplated in the petition, he shall nevertheless certify the association immediately if it has the required representative character for the bargaining unit applied for regardless of the fact that the persons in respect of whom there is no agreement are

Commission, incluses dans l'unité de négociation ou qu'elles en soient exclues. En même temps, l'agent de relations du travail fait un rapport du désaccord visé ci-dessus à la Commission et en transmet une copie aux parties. Ce désaccord ne peut avoir pour effet d'empêcher la conclusion d'une convention collective.

d.1) [**Accréditation sur-le-champ**] L'agent de relations du travail accrédite l'association sur-le-champ même si l'employeur refuse son accord sur une partie de l'unité de négociation, lorsqu'il constate que l'association jouit néanmoins du caractère représentatif et qu'il estime qu'elle conservera son caractère représentatif quelle que soit la décision éventuelle de la Commission sur la description de l'unité de négociation. En même temps, l'agent de relations du travail fait un rapport du désaccord à la Commission et en transmet une copie aux parties. Aucun avis de négociation ne peut être donné par l'association accréditée avant la décision de la Commission sur la description de l'unité de négociation.

e) [**Présence d'une association accréditée**] Lorsqu'il y a déjà une association accréditée, ou qu'il y a plus d'une association de salariés requérante, l'agent de relations du travail, s'il constate qu'il y a accord entre l'employeur et toute association en cause sur l'unité de négociation et sur les personnes qu'elle vise, accrédite l'association qui groupe la majorité absolue des salariés ou, à défaut, procède à un scrutin secret suivant les dispositions de l'article 37 et accrédite conséquemment l'association qui a obtenu le plus grand nombre de voix conformément aux dispositions de l'article 37.1. S'il y a désaccord sur l'unité de négociation ou sur les personnes qu'elle vise, l'agent fait un rapport du désaccord à la Commission et en transmet une copie aux parties.

1969, c. 47, a. 12; 1969, c. 48, a. 14; 1977, c. 41, a. 1, a. 16; 1983, c. 22, a. 14; 1999, c. 40, a. 59; 2001, c. 26, a. 19.

29. [Ingérence] L'agent de relations du travail ne peut accréditer une association dès qu'il a des raisons de croire que l'article 12 n'a pas été respecté ou qu'il est informé

eventually, according to the decision of the Commission, included in the bargaining unit or, as the case may be, excluded. At the same time, the labour relations officer shall make a report on the disagreement referred to hereinabove to the Commission and send a copy of it to the parties. Such disagreement shall not have the effect of preventing the making of a collective agreement.

(*d*.1) [**Certification**] The labour relations officer shall immediately certify the association, even where there is no agreement with the employer as regards part of the bargaining unit, if the officer considers that the association is nevertheless representative and that it will remain representative regardless of any decision of the Commission on the description of the bargaining unit. The labour relations officer shall, at the same time, make a report on the disagreement to the Commission and send a copy of the report to the parties. No notice of negotiation may be given by the certified association before the decision of the Commission on the description of the bargaining unit.

(*e*) [**Existing certified associations**] Where a certified association already exists, or where there is more than one petitioning association of employees, the labour relations officer shall, if the officer ascertains that there is agreement on the bargaining unit and on the persons contemplated by the bargaining unit between the employer and any association concerned, certify the association grouping the absolute majority of the employees or, if not, hold a secret ballot in accordance with the provisions of section 37 and, consequently, certify the association that has obtained the greatest number of votes in accordance with the provisions of section 37.1. If there is disagreement on the bargaining unit or on the persons to whom it applies, the officer shall make a report on the disagreement to the Commission and send a copy thereof to the parties.

29. [Certification] A labour relations officer may not certify an association whenever he has reason to believe that section 12 has not been complied with or is informed

qu'un tiers ou une partie intéressée a déposé une plainte en vertu de cet article. Toutefois, il peut, de sa propre initiative ou à la demande de la Commission, effectuer une enquête sur cette contravention appréhendée à l'article 12.

[Vérification suspendue] Il peut aussi suspendre la vérification qu'il effectue en vertu de l'article 28.

[Pouvoirs d'enquête] Aux fins de l'enquête visée au premier alinéa, l'agent de relations du travail peut:

1° avoir accès à toute heure raisonnable à tout lieu de travail ou établissement d'une partie pour obtenir une information nécessaire à l'application du présent code;

2° exiger tout renseignement nécessaire pour l'application du code, de même que la communication pour examen et reproduction de tout document s'y rapportant.

[Identification] Il doit, sur demande, s'identifier et exhiber le certificat délivré par la Commission attestant sa qualité.

that a third party or an interested party has filed a complaint under that section. However, the labour relations officer may, on his own initiative or at the request of the Commission, make an investigation into the alleged contravention of section 12.

[Suspension of examination] The labour relations officer may also suspend an examination made under section 28.

[Inquiry] For the purposes of the inquiry referred to in the first paragraph, the labour relations officer may

(1) have access, at any reasonable time, to any work place or establishment of a party to obtain information necessary for the application of this Code;

(2) require any information necessary for the application of this Code and the production of any relevant document for examination and reproduction.

[Identification] The labour relations officer shall, on request, produce identification and show the certificate of capacity issued by the Commission.

1969, c. 47, a. 12; 1969, c. 48, a. 14; 1977, c. 41, a. 1; 1983, c. 22, a. 15; 2001, c. 26, a. 20.

30. [Rapports] L'agent de relations du travail doit faire un rapport de toute enquête effectuée de sa propre initiative ou à la demande de la Commission. Il doit aussi faire un rapport de toute vérification qu'il a suspendue en application de l'article 29.

[Transmission] Un tel rapport doit être transmis au président de la Commission, versé au dossier de l'affaire et transmis aux parties intéressées. Celles-ci peuvent présenter leurs observations par écrit à la Commission dans les cinq jours de la réception de ce rapport. Ces observations, le cas échéant, sont également versées au dossier de l'affaire.

30. [Report] The labour relations officer shall make a report on any investigation made on his own initiative or at the request of the Commission. The labour relations officer shall also make a report on any examination suspended by the officer pursuant to section 29.

[Distribution of report] Such a report must be sent to the president of the Commission, entered in the record of the case and sent to the interested parties. Interested parties may present their observations in writing to the Commission within five days from receipt of the report. The parties' observations, if any, shall also be entered in the record of the case.

1969, c. 47, a. 12; 1969, c. 48, a. 14; 1977, c. 41, a. 1, a. 17; 2001, c. 26, a. 20.

31. [Accréditation interdite] La Commission ne peut accréditer une association de salariés s'il est établi à sa satisfaction que l'article 12 n'a pas été respecté.

[Pouvoir de la Commission] Lorsqu'elle a à statuer sur une requête en accréditation, la Commission peut soulever d'office le non respect de l'article 12.

31. [Non-compliance with s. 12] The Commission may not certify an association of employees if it is established to the satisfaction of the Commission that section 12 has not been complied with.

[Ruling] Where the Commission must rule on a petition for certification, the Commission may, of its own motion, invoke non-compliance with section 12.

1969, c. 48, a. 14; 1977, c. 41, a. 18; 1983, c. 22, a. 16; 2001, c. 26, a. 20.

32. [Décision relative à l'unité de négociation] Lorsqu'elle est saisie d'une requête en accréditation, la Commission décide de toute question relative à l'unité de négociation et aux personnes qu'elle vise; elle peut à cette fin modifier l'unité proposée par l'association requérante.

[Parties intéressées] Sont seuls parties intéressées quant à l'unité de négociation et aux personnes qu'elle vise, toute association en cause et l'employeur.

[Décision du caractère représentatif] Elle doit également décider du caractère représentatif de l'association requérante par tout moyen d'enquête qu'elle juge opportun et notamment par le calcul des effectifs de l'association requérante ou par la tenue d'un vote au scrutin secret.

[Parties intéressées] Sont seules parties intéressées quant au caractère représentatif d'une association de salariés, tout salarié compris dans l'unité de négociation ou toute association de salariés intéressée.

1969, c. 48, a. 14; 1977, c. 41, a. 1; 1983, c. 22, a. 17; 1999, c. 40, a. 59; 2001, c. 26, a. 21.

33-34. Abrogés.

2001, c. 26, a. 22.

35. [Contenu du dossier] Le dossier de la Commission comprend les rapports produits par l'agent de relations du travail en vertu des articles 28 et 30, les pièces et documents qui ont été déposés, l'enregistrement ou la sténographie des témoignages, le cas échéant, ainsi que la décision de la Commission. Il ne comprend pas la liste des membres des associations en cause non plus que les pièces ou documents qui identifient l'appartenance d'un salarié à une association de salariés.

1969, c. 48, a. 14; 1977, c. 41, a. 21; 2001, c. 26, a. 23.

36. [Appartenance tenue au secret] L'appartenance d'une personne à une association de salariés ne doit être révélée par quiconque au cours de la procédure d'accréditation ou de révocation d'accréditation sauf à la Commission, à un membre de son personnel ou au juge d'un tribunal saisi d'un recours prévu au titre VI du livre V du Code de procédure civile (L.R.Q., chapitre C-25)

32. [Bargaining unit] The Commission shall, where a petition for certification is referred to it, dispose of any matter relating to the bargaining unit and the persons contemplated by the bargaining unit; the Commission may, for that purpose, modify the unit proposed by the petitioning association.

[Interested parties] Only any association concerned and the employer are deemed interested parties as regards the bargaining unit and the persons contemplated by the bargaining unit.

[Representative nature] The Commission shall also decide as to the representative nature of the petitioning association after investigating this question in any manner it thinks advisable, more particularly by calculating the membership of the petitioning association or holding a vote by secret ballot.

[Interested parties] Only the employees included in the bargaining unit and the interested association of employees are considered interested parties in determining the representative nature of an association of employees.

33-34. Repealed.

35. [Content of record] The record of the Commission shall include the reports produced by the labour relations officer under sections 28 and 30, the exhibits and documents filed, the recording or stenographic notes of the testimony, where applicable, and the decision of the Commission. It shall not include the list of members of the associations concerned nor the exhibits or documents which identify the association of employees to which the employee belongs.

36. [Confidentiality] The fact that a person belongs to an association of employees shall not be revealed by anyone during the certification or decertification proceedings, except to the Commission, a member of its personnel, or the judge of a court to which an action provided for in Title VI of Book V of the Code of Civil Procedure (R.S.Q., chapter C-25) relating to a certification is

relatif à une accréditation. Ces personnes ainsi que toute autre personne qui prend connaissance de cette appartenance sont tenues au secret.

referred. Such persons and every other person who becomes aware of the fact that the person belongs to the association is bound to secrecy.

1969, c. 48, a. 14; 1977, c. 41, a. 1; 1983, c. 22, a. 18; 2001, c. 26, a. 24.

36.1 [Conditions pour être reconnu membre d'une association] Aux fins de l'établissement du caractère représentatif d'une association de salariés ou de la vérification du caractère représentatif d'une association accréditée, une personne est reconnue membre de cette association lorsqu'elle satisfait aux conditions suivantes:

a) elle est un salarié compris dans l'unité de négociation visée par la requête;

b) elle a signé une formule d'adhésion dûment datée et qui n'a pas été révoquée avant le dépôt de la requête en accréditation ou la demande de vérification du caractère représentatif;

c) elle a payé personnellement à titre de cotisation syndicale une somme d'au moins 2$ dans les douze mois précédant soit la demande de vérification du caractère représentatif, soit le dépôt de la requête en accréditation ou sa mise à la poste par courrier recommandé ou certifié;

d) elle a rempli les conditions prévues aux paragraphes *a* à *c* soit le ou avant le jour de la demande de vérification du caractère représentatif, soit le ou avant le jour du dépôt de la requête en accréditation.

[Condition exigible] La Commission ne doit tenir compte d'aucune autre condition exigible selon les statuts ou règlements de cette association de salariés.

1977, c. 41, a. 22; 2001, c. 26, a. 25 (2), (3).

36.1 [Conditions to be recognized as a member of an association] For the purposes of establishing the representative character of an association of employees or assessing the representative character of a certified association, a person shall be recognized as a member of such association when he meets the following conditions:

(a) he is an employee included in the bargaining unit contemplated in the petition;

(b) he has signed an application for membership, duly dated and not revoked before the filing of the petition for certification or the demand for assessment of the representative character of the association;

(c) he has personally paid as union dues an amount of not less than $2 within the twelve months preceding the demand for assessment of the representative character of the association or the filing of the petition for certification or its mailing by registered or certified mail;

(d) he has met the conditions provided for in subparagraphs *a* to *c* on or before the day the demand for assessment of the representative character of the association or of the filing of the petition.

[Exigible condition] The Commission shall not take account of any other condition exigible under the constitution and by-laws of such association of employees.

37. [Scrutin secret] La Commission doit ordonner un vote au scrutin secret chaque fois qu'une association requérante groupe entre 35% et 50% des salariés dans l'unité de négociation appropriée. Seules peuvent briguer les suffrages l'association ou les associations requérantes qui groupent chacune au moins 35% des salariés visés ainsi que l'association accréditée, s'il y en a une.

[Exception] Le présent article ne s'applique pas si l'une des associations groupe la majorité absolue des salariés.

37. [Secret ballot] The Commission must order a vote by secret ballot whenever a petitioning association comprises between 35% and 50% of the employees in the appropriate bargaining unit. Only the petitioning association or associations comprising each not fewer than 35% of the employees contemplated and the certified association, if any, may compete for election.

[Exception] This section does not apply if one of the associations comprises an absolute majority of the employees.

S.R. 1964, c. 141, a. 25; 1969, c. 47, a. 13; 1969, c. 48, a. 15; 1977, c. 41, a. 1, a. 23; 1983, c. 22, a. 19; 2001, c. 26, a. 26.

37.1 [Nouveau vote] Lorsqu'un vote au scrutin secret ordonné en vertu de la présente section met en présence plus de deux associations de salariés et qu'elles obtiennent ensemble la majorité absolue des voix des salariés qui ont droit de vote sans que l'une d'elle n'obtienne la majorité absolue, la Commission doit ordonner la tenue d'un nouveau vote au scrutin secret sans la participation de celle qui a obtenu le plus petit nombre de voix.

[Accréditation] Lorsqu'un vote au scrutin secret ordonné en vertu de la présente section met en présence deux associations de salariés, la Commission accrédite celle qui a obtenu le plus grand nombre de voix si les deux associations obtiennent ensemble la majorité absolue des voix des salariés qui ont droit de vote.

1983, c. 22, a. 20; 2001, c. 26, a. 27.

38. [Vote] Tout employeur est tenu de faciliter la tenue du scrutin et tout salarié faisant partie d'un groupe désigné par la Commission est tenu de voter, à moins d'une excuse légitime.

S.R. 1964, c. 141, a. 26; 1969, c. 47, a. 13; 1977, c. 41, a. 1; 2001, c. 26, a. 27.

39. [Pouvoirs de la Commission] De plein droit, au cours de son enquête, et en tout temps sur requête d'une partie intéressée, la Commission peut décider si une personne est un salarié ou un membre d'une association, si elle est comprise dans l'unité de négociation, et toutes autres questions relatives à l'accréditation.

S.R. 1964, c. 141, a. 30; 1969, c. 47, a. 17; 1977, c. 41, a. 1, a. 24; 1983, c. 22, a. 21; 2001, c. 26, a. 27.

40. [Renouvellement d'une requête] Une requête en accréditation ne peut être renouvelée avant trois mois de son rejet par la Commission ou d'un désistement produit par une association requérante sauf s'il s'agit d'une requête irrecevable en vertu de l'article 27.1, d'un désistement produit à la suite du regroupement des territoires de municipalités locales ou de ceux de commissions scolaires, d'une intégration de personnel dans une communauté métropolitaine ou de la création d'une société de transport.

S.R. 1964, c. 141, a. 31; 1969, c. 47, a. 18; 1977, c. 41, a. 1, a. 25; 1983, c. 22, a. 22; 1988, c. 84, a. 701; 1993, c. 67, a. 110; 1996, c. 2, a. 219; 2000, c. 56, a. 218; 2001, c. 26, a. 28.

37.1 [New vote] Where a vote by secret ballot ordered under this division involves more than two associations of employees which, together, obtain an absolute majority of the votes of the employees who are entitled to vote without any association obtaining an absolute majority, the Commission shall order a new vote by secret ballot, excluding the association having received the smallest number of votes.

[Certification] Where a vote by secret ballot ordered under this division involves two associations of employees, the Commission shall certify the association which has obtained the greater number of votes if the two associations, together, obtain an absolute majority of the votes of the employees entitled to vote.

38. [Vote] Every employer shall be obliged to facilitate the holding of the vote and every employee in a group specified by the Commission must vote, unless he has a legitimate excuse.

39. [Powers of Commission] Of its own motion during its investigation and at any time upon request by an interested party, the Commission may decide if a person is an employee or a member of an association, if he is included in the bargaining unit, and any other matters relating to certification.

40. [Renewal of petition] A petition for certification shall not be renewed within three months of its refusal by the Commission or withdrawal by a petitioning association unless the petition is not admissible under section 27.1, the withdrawal occurs following a union or amalgamation of the territories of local municipalities or school boards, an integration of personnel with a metropolitan community or the establishment of a transit authority.

41. [Révocation de l'accréditation] La Commission peut, au temps fixé au paragraphe *b*.1, *b*.2, *c*, *d* ou *e* du premier alinéa et au deuxième alinéa de l'article 22, et le cas échéant à l'article 111.3, révoquer l'accréditation d'une association qui:

a) a cessé d'exister, ou

b) ne groupe plus la majorité absolue des salariés qui font partie de l'unité de négociation pour laquelle elle a été accréditée.

[Vérification de l'existence de l'association] Malgré le quatrième alinéa de l'article 32, un employeur peut, dans le délai prévu à l'alinéa précédent, demander à la Commission de vérifier si l'association existe encore ou si elle représente encore la majorité absolue des salariés qui font partie de l'unité de négociation pour laquelle elle a été accréditée.

[Rapport sur le caractère représentatif d'une association] Un agent de relations du travail chargé de vérifier le caractère représentatif de l'association envoie une copie de son rapport au requérant, à l'association et à l'employeur. Ceux-ci peuvent contester ce rapport en exposant par écrit leurs motifs à la Commission dans les dix jours de la réception du rapport.

S.R. 1964, c. 141, a. 32; 1969, c. 47, a. 19; 1969, c. 48, a. 17; 1977, c. 41, a. 1, a. 26; 1978, c. 52, a. 1; 1983, c. 22, a. 23; 1994, c. 6, a. 3; 2001, c. 26, a. 29.

41. [Cancellation of certification] The Commission may, at the time fixed in subparagraph *b*.1, *b*.2, *c*, *d* or *e* of the first paragraph or the second paragraph of section 22 or, if such is the case, in section 111.3, cancel the certification of an association that

(*a*) has ceased to exist, or

(*b*) no longer comprises the absolute majority of the employees of the bargaining unit for which it was certified.

[Examination at request of employer] Notwithstanding the fourth paragraph of section 32, an employer may, within the delay provided for in the preceding paragraph, request the Commission to examine whether the association still exists or whether it still represents the absolute majority of the employees belonging to the bargaining unit for which it was certified.

[Contestation of report] A labour relations officer responsible for examining the representative nature of the association shall send a copy of his report to the petitioner, the association and the employer. The latter persons and association may contest the report by stating their reasons in writing to the Commission within ten days after receiving the report.

42. [Suspension des négociations] À la suite d'une requête en accréditation, en révision ou en révocation d'accréditation ou d'une requête portant sur une question relative à l'application de l'article 45, la Commission peut ordonner la suspension des négociations et du délai pour l'exercice du droit de grève ou de lock-out et empêcher le renouvellement d'une convention collective.

[Dispositions applicables] En ce cas, les conditions de travail prévues dans la convention collective demeurent en vigueur et l'article 60 s'applique jusqu'à la décision de la Commission.

[Portée de la décision] Une telle décision en est une qui ne termine pas une affaire.

S.R. 1964, c. 141, a. 33; 1969, c. 47, a. 20; 1969, c. 48, a. 18; 1977, c. 41, a. 27; 1994, c. 6, a. 4; 1999, c. 40, a. 59; 2001, c. 26, a. 30.

42. [Suspension of negotiations] Following a petition for certification or for reconsideration or cancellation of certification or a petition concerning a matter relating to the application of section 45, the Commission may order the suspension of negotiations and of the period for exercising the right to strike or to a lock-out and prevent the renewal of a collective agreement.

[Provisions to apply] In such case, the conditions of employment specified in the collective agreement remain in force and section 60 applies until the decision of the Commission is rendered.

[Effect of decision] Such a decision does not terminate a matter.

43. [Effet de l'accréditation] L'accréditation d'une association de salariés annule de

43. [Effect of certification] The certification of an association of employees shall

plein droit l'accréditation de toute autre association pour le groupe visé par la nouvelle accréditation.

S.R. 1964, c. 141, a. 34; 1969, c. 47, a. 21.

44. [Effet de la révocation de l'accréditation] La révocation de l'accréditation empêche le renouvellement de toute convention collective conclue par l'association privée de son accréditation et emporte aussi de plein droit pour cette dernière la déchéance des droits et avantages lui résultant de cette convention collective.

S.R. 1964, c. 141, a. 35; 1969, c. 47, a. 22.

*45. [Accréditation non invalidée par aliénation de l'entreprise] L'aliénation ou la concession totale ou partielle d'une entreprise n'invalide aucune accréditation accordée en vertu du présent code, ni aucune convention collective, ni aucune procédure en vue de l'obtention d'une accréditation ou de la conclusion ou de l'exécution d'une convention collective.

[Nouvel employeur lié] Sans égard à la division, à la fusion ou au changement de structure juridique de l'entreprise, le nouvel employeur est lié par l'accréditation ou la convention collective comme s'il y était nommé et devient par le fait même partie à toute procédure s'y rapportant, aux lieu et place de l'employeur précédent.

Le deuxième alinéa ne s'applique pas dans un cas de concession partielle d'entreprise lorsque la concession n'a pas pour effet de transférer au concessionnaire, en plus de fonctions ou d'un droit d'exploitation, la plupart des autres éléments caractéristiques de la partie d'entreprise visée.

annul *ipso facto* the certification of any other association for the group contemplated by the new certification.

44. [Effect of cancellation of certification] The cancellation of certification shall prevent the renewal of any collective agreement made by the association whose certification is cancelled and shall also *ipso facto* deprive it of its rights and advantages under such collective agreement.

*45. [Certification not invalidated by sale of undertaking] The alienation or operation by another in whole or in part of an undertaking shall not invalidate any certification granted under this code, any collective agreement or any proceeding for the securing of certification or for the making or carrying out of a collective agreement.

[New employer bound] The new employer, notwithstanding the division, amalgamation or changed legal structure of the undertaking, shall be bound by the certification or collective agreement as if he were named therein and shall become *ipso facto* a party to any proceeding relating thereto, in the place and stead of the former employer.

The second paragraph does not apply in the case of the transfer of part of the operation of an undertaking where such transfer does not entail the transfer to the transferee, in addition to functions or the right to operate, of most of the elements that characterize the part of the undertaking involved.

S.R. 1964, c. 141, a. 36; 1969, c. 47, a. 23; 1969, c. 48, a. 19; 2001, c. 26, a. 31; 2003, c. 26, a. 2.

45.1 Abrogé.

2003, c. 26, a. 3.

45.1 Repealed.

---

* Les dispositions du Code du travail, telles qu'elles se lisaient avant les modifications apportées par la présente loi (2003, c. 26), continuent de s'appliquer dans le cas d'une concession partielle d'entreprise qui a pris effet avant le 1er février 2004.

* The provisions of the Labour Code, as they read before the amendments made by this Act (2003, c. 26), continue to apply in the case of the transfer of the operation of part of an undertaking that became effective before 1 February 2004.

2003, c. 26, a. 10.

2003, c. 26, s. 10.

45.2 [Concession partielle d'entreprise] Dans le cas d'une concession partielle d'une entreprise, les règles suivantes s'appliquent:
1° la convention collective visée au deuxième alinéa de l'article 45 qui n'est pas expirée lors de la prise d'effet de la concession est réputée expirer, aux fins des relations du travail entre le nouvel employeur et l'association de salariés concernée, le jour de cette prise d'effet;
2° le nouvel employeur n'est pas lié par l'accréditation ou la convention collective lorsqu'une entente particulière portant sur cette concession comporte une clause à l'effet que les parties renoncent à l'application du deuxième alinéa de l'article 45. Une telle clause lie la Commission mais n'affecte pas la portée, chez l'employeur cédant, de l'accréditation de l'association de salariés signataire.
[Exception] Le paragraphe 1° du premier alinéa ne s'applique pas dans le cas d'une concession partielle d'entreprise entre employeurs des secteurs public et parapublic au sens du paragraphe 1° de l'article 111.2.

2001, c. 26, a. 32; 2003, c. 26, a. 4.

45.3 [Changement de compétence législative] Lorsqu'une entreprise, dont les relations du travail étaient jusqu'alors régies par le Code canadien du travail (Lois révisées du Canada (1985), chapitre L-2), passe, en ce domaine, sous la compétence législative du Québec, les dispositions suivantes s'appliquent:
1° une accréditation accordée, une convention collective conclue par un syndicat accrédité ainsi qu'une procédure engagée en vertu du Code canadien du travail en vue de l'obtention d'une accréditation ou de la conclusion ou de l'exécution d'une convention collective sont réputées être une accréditation accordée, une convention collective conclue et déposée et une procédure engagée en vertu du présent code;
2° l'employeur demeure lié par l'accréditation ou la convention collective, ou encore, dans les circonstances où le deuxième alinéa de l'article 45 aurait été applicable si l'entreprise avait alors été de la compétence législative du Québec, le nouvel employeur devient lié par l'accréditation ou la conven-

45.2 [Rules applicable] Where the operation of part of an undertaking is transferred, the following rules apply:
(1) for the purposes of labour relations between the new employer and the association of employees involved, a collective agreement referred to in the second paragraph of section 45 that has not expired on the effective date of the transfer is deemed to expire on the day the transfer becomes effective;
(2) the new employer is not bound by the certification or the collective agreement where a special agreement on the transfer includes a clause to the effect that the parties waive the application of the second paragraph of section 45. Such a clause binds the Commission but does not affect the effect, within the transferring employer's enterprise, of the certification of the association of employees having signed the agreement.
[Applicability] Subparagraph 1 of the first paragraph does not apply in the case of the transfer of the operation of part of an undertaking between employers of the public and parapublic sectors within the meaning of paragraph 1 of section 111.2.

45.3 [Provisions applicable] Where an undertaking subject to the Canada Labour Code (Revised Statutes of Canada, 1985, chapter L-2) as regards labour relations becomes, in that regard, subject to the legislative authority of Québec, the following provisions shall apply:
(1) a certification granted, a collective agreement made by a certified union and proceedings commenced under the Canada Labour Code for the securing of certification or the making or carrying out of a collective agreement are deemed to be a certification granted, a collective agreement made and filed and proceedings commenced under this Code;
(2) the employer remains bound by the certification or collective agreement or, where the second paragraph of section 45 would have been applicable had the undertaking been under the legislative authority of Québec, the new employer becomes bound by the certification or collective agreement

tion collective comme s'il y était nommé et il devient par le fait même partie à toute procédure s'y rapportant, aux lieux et place de l'employeur précédent;

3° les procédures alors en cours en vue de l'obtention d'une accréditation ou de la conclusion ou de l'exécution d'une convention collective sont continuées et décidées suivant les dispositions du présent code, compte tenu des adaptations nécessaires;

4° les dispositions du troisième alinéa de l'article 45 ou de l'article 45.2, selon le cas, s'appliquent lorsque le passage résulte d'une concession partielle d'entreprise.

2001, c. 26, a. 32; 2003, c. 26, a. 5.

46. [Décision sur l'application] Il appartient à la Commission, sur requête d'une partie intéressée, de trancher toute question relative à l'application des articles 45 à 45.3. À cette fin, elle peut notamment en déterminer l'applicabilité.

[Décision sur l'application] Elle peut aussi, sur requête d'une partie intéressée, régler toute difficulté découlant de l'application de ces articles et de leurs effets de la façon qu'elle estime la plus appropriée. À cette fin, elle peut notamment rendre toute décision nécessaire à la mise en oeuvre d'une entente entre les parties intéressées sur la description des unités de négociation et sur la désignation d'une association pour représenter le groupe de salariés visé par l'unité de négociation décrite à cette entente ou sur toute autre question d'intérêt commun.

[Plusieurs associations de salariés] À cette même fin et lorsque plusieurs associations de salariés sont mises en présence par l'application des articles 45 et 45.3, la Commission peut également:

1° accorder ou modifier une accréditation;

2° accréditer l'association de salariés qui groupe la majorité absolue des salariés ou procéder à un scrutin secret suivant les dispositions de l'article 37 et accréditer conséquemment l'association qui a obtenu le plus grand nombre de voix conformément aux dispositions de l'article 37.1;

3° décrire ou modifier une unité de négociation;

as if the employer were named therein and becomes *ipso facto* a party to any related proceeding in the place and stead of the former employer;

(3) proceedings in progress for the securing of certification or the making or carrying out of a collective agreement shall be continued and decided according to the provisions of this Code, with the necessary modifications;

(4) the provisions of the third paragraph of section 45 or those of section 45.2, as the case may be, apply where the undertaking becomes subject to the legislative authority of Québec as a result of the transfer of part of the operation of the undertaking.

46. [Duty of Commission] It shall be the duty of the Commission, upon the motion of an interested party, to dispose of any matter relating to the application of sections 45 to 45.3. For that purpose, the Commission may, in particular, determine the applicability of those sections.

[Powers of Commission] The Commission may also, upon the motion of an interested party, settle any difficulty arising out of the application of those sections and of their effects in the manner it considers the most appropriate. To that end, the Commission may, in particular, render any decision necessary for the implementation of an agreement reached by the interested parties on the description of the bargaining units and on the designation of an association to represent the group of employees to whom the bargaining unit described in the agreement applies or on any other question of common interest.

[Powers of Commission] Where two or more associations of employees are concerned by the application of sections 45 and 45.3, the Commission may also, to the same end,

(1) grant or amend a certification;

(2) certify the association of employees that includes the absolute majority of the employees or hold a secret ballot in accordance with the provisions of section 37 and, consequently, certify the association that has obtained the greatest number of votes in accordance with the provisions of section 37.1;

(3) describe or modify a bargaining unit;

4° fusionner des unités de négociation et, lorsque plusieurs conventions collectives s'appliquent aux salariés du nouvel employeur compris dans une unité de négociation résultant de cette fusion, déterminer la convention collective qui demeure en vigueur et apporter aux dispositions de celle-ci toute modification ou adaptation qu'elle juge nécessaire.

[Fusion d'unités de négociation] La fusion d'unités de négociation emporte la fusion, s'il en est, des listes d'ancienneté des salariés qu'elles visaient, selon les règles d'intégration des salariés déterminées par la Commission.

[Cédant et cessionnaire liés] Lorsqu'une concession d'entreprise survient durant la procédure en vue de l'obtention d'une accréditation, la Commission peut décider que l'employeur cédant et le concessionnaire sont successivement liés par l'accréditation.

La Commission peut aussi, sur requête d'une partie intéressée déposée au plus tard le trentième jour suivant la prise d'effet d'une concession partielle d'entreprise et lorsqu'elle juge que cette concession a été faite dans le but principal d'entraver la formation d'une association de salariés ou de porter atteinte au maintien de l'intégralité d'une association de salariés accréditée:

1° écarter l'application, le cas échéant, du troisième alinéa de l'article 45 et rendre toute décision appropriée pour favoriser l'application du deuxième alinéa du même article;

2° écarter l'application du paragraphe 1° du premier alinéa de l'article 45.2 et déterminer que le nouvel employeur demeure lié, jusqu'à la date prévue de son expiration, par la convention collective visée au deuxième alinéa de l'article 45.

S.R. 1964, c. 141, a. 37; 1969, c. 47, a. 24; 1969, c. 48, a. 20; 1977, c. 41, a. 1; 1990, c. 69, a. 2; 2001, c. 26, a. 33; 2003, c. 26, a. 6.

(4) merge bargaining units and, where two or more collective agreements apply to the employees of the new employer included in a bargaining unit resulting from the merger, determine the collective agreement that remains in force and make any modification or adaptation to the provisions of the collective agreement it considers necessary.

[Merger] The merger of bargaining units entails the merger, if any, of the employees' seniority lists to which they applied, according to the rules determined by the Commission governing the employees' integration.

[Transfers] Where the operation of an undertaking is transferred to another during certification proceedings, the Commission may decide that the transferring employer and the transferee are successively bound by the certification.

The Commission may also, on the motion of an interested party filed not later than the thirtieth day following the effective date of the transfer of the operation of part of an enterprise and where it considers that the transfer was carried out for the main purpose of hindering the formation of an association of employees or undermining the continued integrity of a certified association of employees:

(1) set aside the application of the third paragraph of section 45 and render any appropriate decision to facilitate the application of the second paragraph of the said section;

(2) set aside the application of subparagraph 1 of the first paragraph of section 45.2 and determine that the new employer remains bound by the collective agreement referred to in the second paragraph of section 45 until the date fixed for its expiration.

47. [Retenue syndicale obligatoire] Un employeur doit retenir sur le salaire de tout salarié qui est membre d'une association accréditée le montant spécifié par cette association à titre de cotisation.

[Autre salarié] L'employeur doit, de plus, retenir sur le salaire de tout autre salarié faisant partie de l'unité de négociation pour laquelle cette association a été accréditée, un montant égal à celui prévu au premier alinéa.

47. [Compulsory check-off of union dues] An employer must withhold from the salary of every employee who is a member of a certified association the amount stated as an assessment by such association.

[Other employee] The employer must also withhold from the salary of every other employee who is a member of the bargaining unit in respect of which such association was certified, an amount equal to the amount provided for in the first paragraph.

[Remise] L'employeur est tenu de remettre mensuellement à l'association accréditée les montants ainsi retenus avec un état indiquant le montant prélevé de chaque salarié et le nom de celui-ci.
S.R. 1964, c. 141, a. 38; 1977, c. 41, a. 28.

47.1 [États financiers] Une association accréditée doit divulguer chaque année à ses membres ses états financiers. Elle doit aussi remettre gratuitement au membre qui en fait la demande une copie de ces états financiers.
1974, c. 41, a. 28.

***47.2 [Égalité de traitement par l'association accréditée]** Une association accréditée ne doit pas agir de mauvaise foi ou de manière arbitraire ou discriminatoire, ni faire preuve de négligence grave à l'endroit des salariés compris dans une unité de négociation qu'elle représente, peu importe qu'ils soient ses membres ou non.
1977, c. 41, a. 28.

47.3 [Plainte à la Commission] Si un salarié qui a subi un renvoi ou une mesure disciplinaire croit que l'association accréditée contrevient à cette occasion à l'article 47.2, il doit, dans les six mois s'il désire se prévaloir de cet article, porter plainte et demander par écrit à la Commission d'ordonner que sa réclamation soit déférée à l'arbitrage.
1977, c. 41, a. 28; 1994, c. 6, a. 5; 2001, c. 26, a. 34.

47.4 Abrogé.
2001, c. 26, a. 35.

47.5 [Autorisation de la Commission] Si la Commission estime que l'association a contrevenu à l'article 47.2, elle peut autoriser le salarié à soumettre sa réclamation à un arbitre nommé par le ministre pour décision selon la convention collective comme s'il s'agissait d'un grief. Les articles 100 à 101.10

[Remittance] The employer must remit monthly to the certified association the amounts so withheld with a statement indicating the amount taken from each employee and the employee's name.

47.1 [Financial statement] A certified association must disclose its financial statement to its members every year. It must also remit a copy of such financial statement free of charge to any member who requests it.

***47.2 [Behaviour of certified association]** A certified association shall not act in bad faith or in an arbitrary or discriminatory manner or show serious negligence in respect of employees comprised in a bargaining unit represented by it, whether or not they are members.

47.3 [Complaint and application to the Commission] If an employee believes, after being dismissed or the subject of a disciplinary sanction, that, in that respect, the certified association has contravened section 47.2, the employee must, if he wishes to rely on that section, file, within six months, a complaint with and apply in writing to the Commission for an order directing that the employee's claim be referred to arbitration.

47.4 Repealed.

47.5 [Authorization of the Commission] If the Commission considers that the association has contravened section 47.2, it may authorize the employee to submit his claim to an arbitrator appointed by the Minister for decision in the manner provided for in the collective agreement, as in the case of

---

* L'article 47.2 n'a d'effet, à l'égard d'une plainte autre que celle prévue à l'article 47.3, qu'à compter du 1er janvier 2004.

* Section 47.2 has effect, with respect to a complaint other than the one provided for in section 47.3, from 1 January 2004.

D. 1314-2002, (2002) 134 G.O. 2, 8045.

O.C. 1314-2002, (2002) 134 G.O. 2, 6129.

s'appliquent, *mutatis mutandis*. L'association paie les frais encourus par le salarié.

[Autre ordonnance] La Commission peut, en outre, rendre toute autre ordonnance qu'elle juge nécessaire dans les circonstances.

1977, c. 41, a. 28; 2001, c. 26, a. 36.

47.6 [Inobservation des délais] Si une réclamation est déférée à un arbitre en vertu de l'article 47.5, l'employeur ne peut opposer l'inobservation par l'association de la procédure et des délais prévus à la convention collective pour le règlement des griefs.

1977, c. 41, a. 28; 1999, c. 40, a. 59.

48. Abrogé.

1977, c. 41, a. 29.

49-50. Abrogés.

2001, c. 26, a. 37.

SECTION IV

Abrogée

50.1-51.1 Abrogés.

2001, c. 26, a. 37.

CHAPITRE III

DE LA CONVENTION COLLECTIVE

52. [Avis de rencontre] L'association accréditée donne à l'employeur, ou celui-ci donne à l'association accréditée, un avis écrit d'au moins huit jours de la date, de l'heure et du lieu où ses représentants seront prêts à rencontrer l'autre partie ou ses représentants pour la conclusion d'une convention collective.

[Délai d'avis] L'association accréditée ou l'employeur peut donner cet avis dans les quatre-vingt-dix jours précédant l'expiration de la convention, à moins qu'un autre délai n'y soit prévu.

[Délai d'avis] L'association accréditée ou l'employeur peut donner cet avis dans les quatre-vingt-dix jours précédant l'expiration d'une sentence arbitrale tenant lieu de convention collective.

Dans le cas d'une convention collective visée au paragraphe 1° du premier alinéa de l'article 45.2, l'association accréditée ou l'em-

a grievance. Sections 100 to 101.10 apply *mutatis mutandis*. The association shall pay the employee's costs.

[Other order] The Commission may, in addition, make any other order it considers necessary in the circumstances.

47.6 [Non-observance of periods] If a claim is referred to an arbitrator pursuant to section 47.5, the employer shall not allege the association's non-observance of the procedure and periods provided for in the collection agreement for the settlement of grievances.

48. Repealed.

49-50. Repealed.

DIVISION IV

Repealed

50.1-51.1 Repealed.

CHAPITRE III

COLLECTIVE AGREEMENTS

52. [Notice of meeting] The certified association shall give to the employer, or the latter shall give to the certified association, at least eight days' written notice of the day and hour when and the place where its or his representatives will be ready to meet the other party or his or its representatives for the purpose of making a collective agreement.

[Period for notice] The certified association or the employer may give such a notice within the ninety days preceding the expiration of the agreement, unless another period is provided for therein.

[Period for notice] The certified association or the employer may give such notice within the ninety days preceding the expiration of an arbitration award made in lieu of a collective agreement.

In the case of a collective agreement referred to in subparagraph 1 of the first paragraph of section 45.2, the certified association

ployeur peut donner cet avis dans les trente jours suivant l'expiration réputée de la convention.

or the employer may give such notice within 30 days following the deemed expiration of the agreement.

S.R. 1964, c. 141, a. 40; 1969, c. 47, a. 27; 1969, c. 48, a. 25; 1977, c. 41, a. 34; 1999, c. 40, a. 59; 2003, c. 26, a. 7.

52.1 [Transmission de l'avis] La partie qui donne un avis en vertu de l'article 52 doit le transmettre à son destinataire par télécopieur, messagerie ou courrier recommandé ou certifié ou le lui faire signifier par un huissier.

52.1 [Transmission or service of notice] The party giving notice under section 52 shall transmit the notice to the addressee by fax, messenger service or registered or certified mail or cause it to be served on him by a bailiff.

1977, c. 41, a. 35; 1994, c. 6, a. 8.

52.2 [Avis réputé donné et reçu] Si aucun avis n'est donné suivant l'article 52, l'avis prévu audit article est réputé avoir été reçu le jour de l'expiration de la convention collective ou de la sentence arbitrale en tenant lieu, sauf dans la situation visée au quatrième alinéa de cet article, où il est réputé avoir été reçu le trentième jour suivant l'expiration réputée de la convention.

52.2 [Notice deemed given and received] If no notice is given in accordance with section 52, the notice provided for in the said section is deemed to have been received on the day of the expiration of the collective agreement or of the arbitration award made in lieu of it, except in the situation referred to in the fourth paragraph of the said section, where it is deemed to have been received on the thirtieth day following the deemed expiration of the agreement.

[Avis réputé donné et reçu, délai] Si l'association de salariés nouvellement accréditée n'a pas donné un semblable avis, l'avis est réputé avoir été reçu quatre-vingt-dix jours après la date de l'obtention de l'accréditation.

[Notice deemed given and received, delay] If the newly certified association has not given such a notice, the notice is deemed to have been received ninety days after the date the association obtained certification.

[Date d'expiration de la convention collective] En tout temps, la Commission peut, sur simple demande de tout intéressé, déterminer la d ate d'expiration de la convention collective lorsque cette date n'y est pas clairement indiquée.

[Date of expiration of collective agreement] At all times, the Commission may, on a mere request by any interested person, determine the date of expiration of a collective agreement when such date is not clearly indicated.

1977, c. 41, a. 35; 1994, c. 6, a. 9; 2001, c. 26, a. 38; 2003, c. 26, a. 8.

53. [Négociations] La phase des négociations commence à compter du moment où l'avis visé à l'article 52 a été reçu par son destinataire ou est réputé avoir été reçu suivant l'article 52.2.

53. [Negotiations] The negotiating stage begins once the notice referred to in section 52 has been received by the addressee or is deemed to have been received in accordance with section 52.2.

[Diligence et bonne foi] Les négociations doivent commencer et se poursuivre avec diligence et bonne foi.

[Diligence and good faith] Negotiations must be begun and carried on diligently and in good faith.

S.R. 1964, c. 141, a. 41; 1977, c. 41, a. 36; 1994, c. 6, a. 10.

53.1 [Refus de négocier] L'employeur ou l'association accréditée ne peut refuser de négocier ou retarder la négociation au seul motif qu'il y a désaccord entre les parties sur les personnes visées par l'accréditation.

53.1 [Refusal to negotiate] Neither the employer nor the certified association may refuse to negotiate or delay the negotiation on the sole ground that the parties disagree on who are contemplated by the certification.

1983, c. 22, a. 26.

54. [Avis de désaccord] À toute phase des négociations, l'une ou l'autre des parties peut demander au ministre de désigner un conciliateur pour les aider à effectuer une entente.

[Avis à l'autre partie] Avis de cette demande doit être donné le même jour à l'autre partie.

[Désignation d'un conciliateur] Sur réception de cette demande, le ministre doit désigner un conciliateur.

S.R. 1964, c. 141, a. 42; 1977, c. 41, a. 36.

54. [Notification of disagreement] At any stage of the negotiations, either of the parties may request the Minister to designate a conciliation officer to assist them in reaching an agreement.

[Notice to other party] Notice of such request must be given to the other party on the same day.

[Designation of conciliation officer] Upon receiving such request, the Minister must designate a conciliation officer.

55. [Conciliateur] À toute phase des négociations, le ministre peut, d'office, désigner un conciliateur; il doit alors informer les parties de cette nomination.

S.R. 1964, c. 141, a. 43; 1977, c. 41, a. 36.

55. [Conciliation officer] At any stage of the negotiations, the Minister may, ex officio, designate a conciliation officer, he must then inform the parties of such appointment.

56. [Présence aux réunions] Les parties sont tenues d'assister à toute réunion où le conciliateur les convoque.

S.R. 1964, c. 141, a. 44; 1977, c. 41, a. 36.

56. [Attendance at meetings] The parties are bound to attend any meeting to which the conciliation officer calls them.

57. [Rapport] Le conciliateur fait rapport au ministre à la demande de ce dernier.

S.R. 1964, c. 141, a. 45; 1977, c. 41, a. 36.

57. [Report] The conciliation officer shall make a report to the Minister if he so requests.

57.1 Abrogé.

1993, c. 6, a. 2.

57.1 Repealed.

58. [Droit à la grève ou au lock-out] Le droit à la grève ou au lock-out est acquis quatre-vingt-dix jours après la réception, par son destinataire, de l'avis qui lui a été signifié ou transmis suivant l'article 52.1 ou qu'il est réputé avoir reçu suivant l'article 52.2, à moins qu'une convention collective ne soit intervenue entre les parties ou à moins que celles-ci ne décident d'un commun accord de soumettre leur différend à un arbitre.

58. [Right to strike or lock-out] The right to strike or to a lock-out shall be acquired ninety days after reception, by the person to whom it is addressed, of the notice served on him or transmitted to him in accordance with section 52.1 or that he is deemed to have received in accordance with section 52.2, unless a collective agreement has been reached between the parties or unless, by mutual consent, they decide to submit their dispute to an arbitrator.

S.R. 1964, c. 141, a. 46; 1977, c. 41, a. 36; 1983, c. 22, a. 28; 1994, c. 6, a. 11.

58.1 [Information au ministre] La partie qui déclare une grève ou un lock-out doit informer, par écrit, le ministre dans les quarante-huit heures qui suivent la déclaration de la grève ou du lock-out, suivant le cas, et indiquer le nombre de salariés compris dans l'unité de négociation concernée.

1977, c. 41, a. 36.

58.1 [Notification to Minister] The party which declares a strike or a lock-out must notify the Minister in writing within forty-eight hours following the declaration of the strike or lock-out, as the case may be, and indicate the number of employees comprised in the bargaining unit concerned.

58.2 [Vote sur les offres patronales] Lorsqu'elle estime qu'une telle mesure est de nature à favoriser la négociation ou la conclusion d'une convention collective, la Commission peut, à la demande de l'employeur, ordonner à une association accréditée de tenir, à la date ou dans le délaiqu'elle détermine, un scrutin secret pour donner à ses membres compris dans l'unité de négociation l'occasion d'accepter ou de refuser les dernières offres que lui a faites l'employeur sur toutes les questions faisant toujours l'objet d'un différend entre les parties.

[Restriction] La Commission ne peut ordonner la tenue d'un tel scrutin qu'une seule fois durant la phase des négociations d'une convention collective.

[Surveillance de la Commission] Le scrutin est tenu sous la surveillance de la Commission et selon les règles qu'elle détermine.

2001, c. 26, a. 39.

59. [Maintien des conditions de travail] À compter du dépôt d'une requête en accréditation et tant que le droit au lock-out ou à la grève n'est pas exercé ou qu'une sentence arbitrale n'est pas intervenue, un employeur ne doit pas modifier les conditions de travail de ses salariés sans le consentement écrit de chaque association requérante et, le cas échéant, de l'association accréditée.

[Maintien des conditions de travail] Il en est de même à compter de l'expiration de la convention collective et tant que le droit au lock-out ou à la grève n'est pas exercé ou qu'une sentence arbitrale n'est pas intervenue.

[Reconduction des conditions de travail] Les parties peuvent prévoir dans une convention collective que les conditions de travail contenues dans cette dernière vont continuer de s'appliquer jusqu'à la signature d'une nouvelle convention.

S.R. 1964, c. 141, a. 47; 1969, c. 47, a. 28; 1977, c. 41, a. 37; 1994, c. 6, a. 12.

60. [Défense de conseiller la suspension de travail] Pendant la période visée à l'article 59, il est interdit de conseiller ou d'enjoindre à des salariés de ne pas continuer à fournir leurs services à leur employeur aux mêmes conditions de travail.

S.R. 1964, c. 141, a. 48.

58.2 [Secret ballot] The Commission may, at the request of the employer and if it considers that it may foster the negotiation or making of a collective agreement, order a certified association to hold, on the date or within the time limit it determines, a secret ballot to give those of its members that are included in the bargaining unit an opportunity to accept or refuse the last offers made by the employer concerning all the matters still in dispute between the parties.

[Restriction] The Commission may order the holding of such a ballot only once during the negotiation of a collective agreement.

[Supervision] The ballot shall be held under the supervision of the Commission, according to the rules determined by the Commission.

59. [Conditions of employment safeguarded] From the filing of a petition for certification and until the right to lock out or to strike is exercised or an arbitration award is handed down, no employer may change the conditions of employment of his employees without the written consent of each petitioning association and, where such is the case, certified association.

[Conditions of employment safeguarded] The same rule applies on the expiration of the collective agreement until the right to lock out or to strike is exercised or an arbitration award is handed down.

[Conditions of employment continued] The parties may stipulate in a collective agreement that the conditions of employment contained therein shall continue to apply until a new agreement is signed.

60. [Advising suspension of work prohibited] During the period referred to in section 59, it is forbidden to advise or enjoin employees not to continue furnishing their services to their employer under the same conditions of employment.

61. [Subrogation] Une association accréditée est subrogée de plein droit dans tous les droits et obligations résultant d'une convention collective en vigueur conclue par une autre association; cependant elle peut y mettre fin ou la déclarer non avenue par avis écrit transmis à l'employeur et à la Commission.

S.R. 1964, c. 141, a. 49; 1969, c. 47, a. 29; 1977, c. 41, a. 1; 2001, c. 26, a. 40.

61.1 [Subrogation dans les exploitations forestières] Dans le cas d'une exploitation forestière, une association accréditée est subrogée de plein droit dans tous les droits et obligations résultant d'une convention collective en vigueur conclue par une autre association, y compris le précompte des cotisations syndicales. Cependant, elle ne peut mettre fin à cette convention collective ou la déclarer non avenue lorsque celle-ci est d'une durée de trois ans ou moins.

1977, c. 41, a. 38; 1994, c. 6, a. 13.

62. [Contenu de la convention] La convention collective peut contenir toute disposition relative aux conditions de travail qui n'est pas contraire à l'ordre public ni prohibée par la loi.

S.R. 1964, c. 141, a. 50 *(partie)*.

63. [Restriction] Un employeur ne peut être tenu, en vertu d'une disposition de la convention collective, de renvoyer un salarié pour la seule raison que l'association accréditée a refusé ou différé d'admettre ce salarié comme membre ou l'a suspendu ou exclu de ses rangs, sauf dans les cas suivants:

a) le salarié a été embauché à l'encontre d'une disposition de la convention collective;

b) le salarié a participé, à l'instigation ou avec l'aide directe ou indirecte de son employeur ou d'une personne agissant pour ce dernier, à une activité contre l'association accréditée.

S.R. 1964, c. 141, a. 50 *(partie)*; 1977, c. 41, a. 39.

64. [Validité] Une convention collective n'est pas invalidée par la nullité d'une ou plusieurs de ses clauses.

S.R. 1964, c. 141, a. 52.

61. [Subrogation] A certified association shall be subrogated by operation of law in all the rights and obligations resulting from a collective agreement in force and made by another association; but it may terminate the same or declare it null by written notice sent to the employer and the Commission.

61.1 [Subrogation in logging operation] In the case of a logging operation, a certified association is subrogated of right in all the rights and obligations arising from a collective agreement in force made by another association, including the deductions of union contributions. However, it shall not terminate such collective agreement or declare it void where its term is three years or less.

62. [Content of agreement] The collective agreement may contain any provision respecting conditions of employment which is not contrary to public order or prohibited by law.

63. [Restriction] No employer shall be bound, under any provision of a collective agreement, to dismiss an employee for the sole reason that the certified association has refused or deferred his admission as a member, has suspended his membership or excluded him from the association except in the following cases:

(a) the employee has been employed contrary to a provision of the collective agreement;

(b) the employee has participated, at the instigation or with the direct or indirect assistance of his employer or a person acting on behalf of his employer, in an activity against the certified association.

64. [Validity] A collective agreement is not invalidated by the nullity of one or more of its clauses.

65. [Durée] Une convention collective doit être d'une durée déterminée d'au moins un an.

[Première convention collective] La durée doit être d'au plus trois ans s'il s'agit d'une première convention collective pour le groupe de salariés visé par l'accréditation.

65. [Duration] A collective agreement shall have a specified term of not less than one year.

[Term of first collective agreement] In the case of a first collective agreement for a group of employees contemplated by the certification, the term shall not be more than three years.

S.R. 1964, c. 141, a. 53; 1965 (1re sess.), c. 50, a. 3; 1994, c. 6, a. 14.

66. [Présomption] Est présumée en vigueur pour la durée d'une année, la convention ne comportant pas de terme fixe et certain.

66. [Presumption] An agreement having no fixed and definite term is presumed to be in force for one year.

S.R. 1964, c. 141, a. 54.

67. [Salariés liés] La convention collective lie tous les salariés actuels ou futurs visés par l'accréditation.

[Une convention par groupe] L'association accréditée et l'employeur ne doivent conclure qu'une seule convention collective à l'égard du groupe de salariés visé par l'accréditation.

67. [Employee bound] A collective agreement shall be binding upon all the present or future employees contemplated by the certification.

[One collective agreement per group] The certified association and the employer shall make only one collective agreement with respect to the group of employees contemplated by the certification.

S.R. 1964, c. 141, a. 55; 1969, c. 47, a. 30; 1969, c. 48, a. 26.

68. [Employeurs liés] La convention collective conclue par une association d'employeurs lie tous les employeurs membres de cette association auxquels elle est susceptible de s'appliquer, y compris ceux qui y adhèrent ultérieurement.

[Exception] La convention collective conclue par une association de commissions scolaires ne lie que celles qui lui ont donné le mandat exclusif prévu à l'article 11.

68. [Employers bound] A collective agreement made by an employers' association shall be binding upon all employers who are members of such association and to whom it can apply, including those who subsequently become members thereof.

[Exception] A collective agreement made by an association of school boards shall bind those only which have given it an exclusive mandate as provided in section 11.

S.R. 1964, c. 141, a. 56; 1965 (1re sess.), c. 50, a. 4; 1988, c. 84, a. 700.

69. [Recours] L'association accréditée peut exercer tous les recours que la convention collective accorde à chacun des salariés qu'elle représente sans avoir à justifier d'une cession de créance de l'intéressé.

69. [Recourses] A certified association may exercise all the recourses which the collective agreement grants to each employee whom it represents without being required to prove that the interested party has assigned his claim.

S.R. 1964, c. 141, a. 57; 1969, c. 47, a. 31.

70. [Cumul des recours] Les recours de plusieurs salariés contre un même employeur peuvent être cumulés dans une seule demande et le total réclamé détermine la compétence tant en première instance qu'en appel.

70. [Cumulation] The recourse of several employees against the same employer may be cumulated in a single demand and the total claimed shall determine the competency of the court of original jurisdiction as well as of appeal.

S.R. 1964, c. 141, a. 58.

71. [Prescription] Les droits et recours qui naissent d'une convention collective ou d'une sentence qui en tient lieu se prescrivent par six mois à compter du jour où la cause de l'action a pris naissance. Le recours à la procédure de griefs interrompt la prescription.

S.R. 1964, c. 141, a. 59.

71. [Prescription] The rights and recourses arising out of a collective agreement or an award made *in lieu* thereof shall be prescribed by six months from the day when the cause of action arose. Recourse to the procedure respecting grievances shall interrupt prescription.

72. [Convention en vigueur sur dépôt] Une convention collective ne prend effet qu'à compter du dépôt, à l'un des bureaux de la Commission, de deux exemplaires ou copies conformes à l'original, de cette convention collective et de ses annexes. Il en est de même de toute modification qui est apportée par la suite à cette convention collective.

[Effet rétroactif] Ce dépôt a un effet rétroactif à la date prévue dans la convention collective pour son entrée en vigueur ou, à défaut, à la date de la signature de la convention collective.

[Effets du défaut de dépôt] À défaut d'un tel dépôt dans les soixante jours de la signature de la convention collective ou de ses modifications, le droit à l'accréditation est dès lors acquis, à l'égard du groupe de salariés pour lesquels cette convention collective ou ces modifications ont été conclues, en faveur de toute autre association, pourvu qu'elle en fasse la demande après l'expiration de ces soixante jours mais avant qu'un tel dépôt ait été fait, et pourvu que l'accréditation lui soit accordée par la suite.

[Indication du nombre de salariés] La partie qui fait ce dépôt doit indiquer le nombre de salariés régis par la convention collective et se conformer aux autres dispositions réglementaires établies à cet effet en vertu de l'article 138.

72. [Agreement in force upon filing] No collective agreement shall take effect until the filing at one of the offices of the Commission of two exemplars or copies, true to the original, of such collective agreement and of its schedules. The same rule applies to any amendment subsequently made to such collective agreement.

[Retroaction effect] Such filing has retroactive effect to the date provided in the collective agreement for its coming into force or, failing such date, to the date of the signing of the collective agreement.

[Effect of failure to file] Failing such filing within sixty days of the signing of the collective agreement or of any amendment thereto, the right to certification shall thereupon be acquired by any other association, with respect to the group of employees for whom such collective agreement or such amendments have been made, provided that such other association applies therefor after the expiry of such sixty days but before such filing has been effected, and provided that certification is subsequently granted to it.

[Indication of number of employees] The party so filing must indicate the number of employees governed by the collective agreement and comply with the other regulatory provisions established to that effect under section 138.

S.R. 1964, c. 141, a. 60; 1969, c. 47, a. 32; 1969, c. 48, a. 27; 1977, c. 41, a. 40; 1994, c. 6, a. 15; 2001, c. 26, a. 41.

73. [Affiliation pendant la convention] Nulle association accréditée ayant conclu une convention collective, nul groupe de salariés régis par une telle convention ou par une sentence arbitrale en ayant l'effet, ne fera de démarches en vue de devenir membre d'une autre association ou de s'y affilier, sauf selon le cas:

1° dans les quatre-vingt-dix jours précédant l'expiration de la sentence arbitrale ou

73. [Affiliation while agreement in force] No certified association that has entered into a collective agreement, and no group of employees subject to such agreement or to an arbitration award having the effect thereof, shall take steps to become a member of another association or to affiliate therewith, except, as the case may be,

(1) in the ninety days preceding the date of expiration of the arbitration award or the

la date d'expiration ou de renouvellement de la convention lorsque la durée de celle-ci est de trois ans ou moins;

2° pendant cent quatre-vingts jours à compter du début de toute période durant laquelle l'accréditation peut être demandée lorsque la durée de la convention est de plus de trois ans.

date of expiration or renewal of the collective agreement where its term is three years or less;

(2) in the one hundred and eighty days counting from the beginning of any period in which certification may be applied for where the term of the agreement is more than three years.

S.R. 1964, c. 141, a. 61; 1969, c. 47, a. 33; 1977, c. 41, a. 41; 1994, c. 6, a. 16.

CHAPITRE IV
DU RÈGLEMENT DES DIFFÉRENDS ET DES GRIEFS

CHAPTER IV
SETTLEMENT OF DISPUTES AND GRIEVANCES

SECTION I
DE L'ARBITRE DE DIFFÉREND

DIVISION I
DISPUTES ARBITRATORS

74. [Demande au ministre] Un différend est soumis à un arbitre sur demande écrite adressée au ministre par les parties.

74. [Application to Minister] Any dispute shall be submitted to an arbitrator upon written application to the Minister by the parties.

S.R. 1964, c. 141, a. 62; 1983, c. 22, a. 30.

75. [Déféré] Le ministre avise les parties qu'il défère le différend à l'arbitrage.

75. [Referral] The Minister shall notify the parties that he is referring the dispute to arbitration.

S.R. 1964, c. 141, a. 63; 1983, c. 22, a. 31.

76. [Les membres doivent être désintéressés] Un arbitre ne doit avoir aucun intérêt pécuniaire dans le différend qui lui est soumis ni avoir agi dans ce différend à titre d'agent d'affaires, de procureur, de conseiller ou de représentant d'une partie.

76. [Members must be disinterested] In no case may an arbitrator have any pecuniary interest in the dispute submitted to him or have acted in such dispute as business agent, attorney, adviser or representative of a party thereto.

S.R. 1964, c. 141, a. 64; 1983, c. 22, a. 32.

77. [Choix de l'arbitre] Dans les dix jours de la réception de l'avis prévu par l'article 75, les parties doivent se consulter sur le choix de l'arbitre; s'ils s'entendent, le ministre nomme à ce poste la personne de leur choix. À défaut d'entente, le ministre le nomme d'office.

[Nomination] Un arbitre nommé d'office est choisi sur une liste dressée annuellement par le ministre après consultation du Conseil consultatif du travail et de la main-d'oeuvre. Le ministre peut, de la même manière, modifier la liste en cours d'année.

77. [Choice of arbitrator] Within ten days of receiving the notice provided for in section 75, the parties must consult together as to the choice of an arbitrator; if they agree, the Minister shall appoint to such office the person they have chosen. Failing agreement, the Minister shall appoint him *ex officio*.

[List] Every arbitrator appointed *ex officio* shall be selected from a list drawn up annually by the Minister after consultation with the Conseil consultatif du travail et de la main-d'oeuvre. The Minister may, in the same manner, amend the list in the course of the year.

S.R. 1964, c. 141, a. 65; 1977, c. 41, a. 43; 1983, c. 22, a. 33; 1991, c. 76, a. 3; 1994, c. 6, a. 17.

78. [Arbitrage] L'arbitre procède à l'arbitrage avec assesseurs à moins que, dans les quinze jours de sa nomination, il n'y ait entente à l'effet contraire entre les parties.

[Assesseur] Chaque partie désigne, dans les quinze jours de la nomination de l'arbitre, un assesseur pour assister ce dernier et la représenter au cours de l'audition du différend et du délibéré. Si une partie ne désigne pas un assesseur dans ce délai, l'arbitre peut procéder en l'absence de l'assesseur de cette partie.

[Absence de l'assesseur] Il peut procéder en l'absence d'un assesseur lorsque celui-ci ne se présente pas après avoir été régulièrement convoqué.

78. [Assessors] The arbitrator shall proceed to the arbitration with assessors unless, within fifteen days of his appointment, the parties reach an agreement to the contrary.

[Assessors] Each party shall designate, within fifteen days of the appointment of the arbitrator, an assessor to assist the arbitrator and represent it during the hearing of the dispute and the deliberation. If a party fails to designate an assessor within the prescribed time, the arbitrator may proceed in the absence of that party's assessor.

[Assessors] He may proceed in the absence of an assessor who does not attend after having been duly convened.

S.R. 1964, c. 141, a. 66; 1969, c. 47, a. 34; 1977, c. 5, a. 14; 1983, c. 22, a. 34.

79. [Sentence] L'arbitre est tenu de rendre sa sentence selon l'équité et la bonne conscience.

[Sentence] Pour rendre sa sentence, l'arbitre peut tenir compte, entre autres, des conditions de travail qui prévalent dans des entreprises semblables ou dans des circonstances similaires ainsi que des conditions de travail applicables aux autres salariés de l'entreprise.

79. [Award] Every arbitrator shall decide according to equity and good conscience.

[Award] In rendering his award, the arbitrator may take into account, in particular, the conditions of employment that prevail in similar undertakings or similar circumstances and the conditions of employment that are applicable to the other employees of the undertaking.

S.R. 1964, c. 141, a. 67; 1983, c. 22, a. 35; 1994, c. 6, a. 18.

80. [Remplacement de l'arbitre] En cas de démission, de refus d'agir ou d'empêchement de l'arbitre, il est remplacé suivant la procédure prévue pour la nomination originale.

[Remplacement de l'assesseur] En cas de démision, de refus d'agir ou d'empêchement d'un assesseur, la partie qui l'a désigné lui nomme un remplaçant. L'arbitre peut poursuivre l'arbitrage si la partie ne désigne pas un remplaçant dans le délai qu'il indique.

80. [Replacement of arbitrator] An arbitrator who resigns, refuses to act or is unable to act is replaced according to the procedure prescribed for the original appointment.

[Replacement of assessor] If an assessor resigns, refuses to act or is unable to act, the party which appointed him shall appoint a person to replace him. The arbitrator may continue the arbitration if the party fails to appoint a person to replace the assessor within the time he indicates.

S.R. 1964, c. 141, a. 68; 1983, c. 22, a. 36; 1999, c. 40, a. 59.

81. [Procédure] L'arbitre procède en toute diligence à l'instruction du différend selon la procédure et le mode de preuve qu'il juge appropriés.

81. [Procedure] The arbitrator shall proceed with all dispatch with the inquiry into the dispute in accordance with such procedure and mode of proof as it deems appropriate.

S.R. 1964, c. 141, a. 69; 1983, c. 22, a. 37.

82. [Séances] Les séances d'arbitrage sont publiques; l'adrbitre peut toutefois, de son chef ou à la demande de l'une des parties, ordonner le huis clos.

S.R. 1964, c. 141, a. 70; 1983, c. 22, a. 38.

82. [Sittings] Arbitration sittings shall be public, but the arbitrator of his own motion or upon application of either party may order private sittings.

83. [Pouvoirs de l'arbitre] L'arbitre a tous les pouvoirs d'un juge de la Cour supérieure pour la conduite des séances d'arbitrage; il ne peut cependant imposer l'emprisonnement.

S.R. 1964, c. 141, a. 71; 1983, c. 22, a. 39.

83. [Powers of arbitrator] The arbitrator has all the powers of a judge of the Superior Court for the conduct of arbitration sittings; but he cannot order imprisonment.

84. [Assignation des témoins] Sur demande des parties ou à l'initiative de l'arbitre, les témoins sont assignés par ordre écrit, signé par l'arbitre. Celui-ci peut faire prêter serment.

84. [Summoning of witnesses] Upon application by the parties or on the initiative of the arbitrator, witnesses shall be summoned by means of a written order signed by the arbitrator. The clerk may administer the oath.

S.R. 1964, c. 141, a. 72; 1983, c. 22, a. 40; 1994, c. 6, a. 19.

85. [Contrainte des témoins] Une personne dûment assignée devant un arbitre qui refuse de comparaître ou de témoigner peut y être contrainte comme si elle avait été assignée suivant le Code de procédure civile (L.R.Q., chapitre C-25).

85. [Recalcitrant witness] Any person duly summoned to appear before an arbitrator who refuses to attend or to testify, may be compelled to do so as if he had been summoned according to the Code of Civil Procedure (R.S.Q., chapter C-25).

S.R. 1964, c. 141, a. 73; 1983, c. 22, a. 41; 1990, c. 4, a. 227.

86. [Taxe] Toute personne assignée à témoigner devant un arbitre a droit à la même taxe que les témoins en Cour supérieure et au remboursement de ses frais de déplacement et de séjour.

[Frais de déplacement] Cette taxe est payable par la partie qui a proposé l'assignation, mais la personne qui bénéficie de son salaire durant cette période n'a droit qu'au remboursement des frais de déplacement et de séjour.

[Assignation par l'arbitre] Lorsqu'une personne est dûment assignée à l'initiative d'un arbitre, cette taxe est payable à parts égales par les parties.

86. [Taxation] Every person summoned to testify before an arbitrator is entitled to the same taxation as witnesses before the Superior Court and to the reimbursement of his travelling and living expenses.

[Payment] Such taxation is payable by the party who proposed the summons, but the person who receives his salary during such period is entitled only to the reimbursement of travelling and living expenses.

[Summons] Where a person is duly summoned on the initiative of an arbitrator, the taxation is payable in equal shares by the parties.

S.R. 1964, c. 141, a. 74; 1994, c. 6, a. 20; 2001, c. 26, a. 42.

87. [Signification] L'arbitre peut communiquer ou autrement signifier tout ordre, document ou procédure émanant de lui ou des parties en cause.

87. [Service] The arbitrator may communicate or otherwise serve any order, document or proceeding issued by him or the parties involved.

S.R. 1964, c. 141, a. 75; 1983, c. 22, a. 42; 1994, c. 6, a. 21.

88. [**Sentence**] La sentence arbitrale doit être motivée et rendue par écrit. Elle doit être signée par l'arbitre.

S.R. 1964, c. 141, a. 76; 1983, c. 22, a. 43.

89. [**Transmission de la sentence**] L'arbitre transmet l'original de la sentence à l'un des bureaux de la Commission et en expédie, en même temps, une copie à chaque partie.

S.R. 1964, c. 141, a. 77; 1977, c. 41, a. 44; 1983, c. 22, a. 44; 2001, c. 26, a. 43.

90. [**Délai**] L'arbitre doit rendre sa sentence dans les 60 jours suivant la fin de la dernière séance d'arbitrage.

[**Délai supplémentaire**] En cas d'empêchement de l'arbitre, le ministre peut toutefois, à la demande de l'arbitre ou d'une partie, accorder à l'arbitre un délai supplémentaire d'un nombre de jours précis.

[**Délai supplémentaire**] Lorsqu'il juge que les circonstances et l'intérêt des parties le justifient, le ministre peut aussi, à la demande de l'arbitre, lui accorder un délai supplémentaire n'excédant pas 30 jours, qu'il peut, aux mêmes conditions, prolonger de nouveau.

S.R. 1964, c. 141, a. 78; 1983, c. 22, a. 45; 1999, c. 40, a. 59; 2001, c. 26, a. 44.

91. [**Décision intérimaire**] En tout temps avant sa sentence finale, un arbitre peut rendre toute décision intérimaire qu'il croit juste et utile.

S.R. 1964, c. 141, a. 79; 1983, c. 22, a. 46.

91.1 [**Correction**] L'arbitre peut corriger en tout temps une sentence entachée d'erreur d'écriture ou de calcul, ou de toute autre erreur matérielle.

1993, c. 6, a. 3.

92. [**Durée de la sentence**] La sentence de l'arbitre lie les parties pour une durée d'au moins un an et d'au plus trois ans. Les parties peuvent cependant convenir d'en modifier le contenu en partie ou en tout.

[**Étendue de la sentence**] Même si la sentence expire à une date antérieure à celle où elle est rendue, elle peut néanmoins couvrir toutes les matières qui n'ont pas fait l'objet d'un accord entre les parties.

S.R. 1964, c. 141, a. 80; 1983, c. 22, a. 47; 2001, c. 26, a. 45.

88. [**Award**] The arbitration award must give reasons for the decision and be in writing. It must be signed by the arbitrator.

89. [**Transmission of award**] The arbitrator shall forward the original of the award to one of the offices of the Commission and send, at the same time, a copy to each party .

90. [**Time limit**] The award of the arbitrator must be rendered within 60 days after the end of the last arbitration sitting.

[**Extension**] If the arbitrator is unable to act, the Minister may, at the request of the arbitrator or of a party, grant an extension of a specific number of days to the arbitrator.

[**Extension**] If the Minister considers that the circumstances and the interest of the parties so warrant, the Minister may also, at the request of the arbitrator, grant the latter an extension of not more than 30 days which may, on the same conditions, be extended.

91. [**Temporary award**] At any time before the final award, an arbitrator may render any temporary award that he deems fair and useful.

91.1 [**Clerical error**] The arbitrator may at any time correct an award containing a mistake in writing or calculation or any other clerical error.

92. [**Duration of award**] The award of the arbitrator shall bind the parties for a period of not less than one year nor more than three years. The parties may, however, agree to amend the content, wholly or in part.

[**Expiry**] Even if the award expires on a date prior to the date on which it is rendered, it may nevertheless cover all matters on which no agreement has been reached by the parties.

93. [Effet de la sentence] La sentence a l'effet d'une convention collective signée par les parties.

[Exécution] Elle peut être exécutée sous l'autorité d'un tribunal compétent, sur poursuite intentée par une partie, laquelle n'est pas tenue de mettre en cause la personne pour le bénéfice de laquelle elle agit.

S.R. 1964, c. 141, a. 81.

93. [Effect of award] The award shall have the effect of a collective agreement signed by the parties.

[Execution] It may be executed under the authority of a court of competent jurisdiction at the suit of a party who shall not be obliged to implead the person for whose benefit he is acting.

SECTION I.1
DE LA PREMIÈRE CONVENTION COLLECTIVE

DIVISION I.1
FIRST COLLECTIVE AGREEMENT

93.1 [Négociation d'une première convention collective] Dans le cas de la négociation d'une première convention collective pour le groupe de salariés visé par l'accréditation, une partie peut demander au ministre de soumettre le différend à un arbitre après que l'intervention du conciliateur se sera avérée infructueuse.

1977, c. 41, a. 45; 1983, c. 22, a. 48.

93.1 [Negotiation of first collective agreement] Where a first collective agreement is negotiated for the group of employees contemplated by the certification, a party may apply to the Minister to submit the dispute to an arbitrator after the intervention of the conciliator has not been successful.

93.2 [Demande au ministre] La demande au ministre doit être faite par écrit et copie doit en être transmise en même temps à l'autre partie.

1977, c. 41, a. 45.

93.2 [Application to Minister] The application to the Minister must be in writing and a copy of it must be sent to the other party at the same time.

93.3 [Arbitre] Le ministre, sur réception de la demande, peut charger un arbitre de tenter de régler le différend.

1977, c. 41, a. 45; 1983, c. 22, a. 48.

93.3 [Arbitrator] The Minister may, upon receipt of the application, entrust an arbitrator with endeavouring to settle the dispute.

93.4 [Décision du contenu de la convention collective] L'arbitre doit décider de déterminer le contenu de la première convention collective lorsqu'il est d'avis qu'il est improbable que les parties puissent en arriver à la conclusion d'une convention collective dans un délai raisonnable. Il informe alors les parties et le ministre de sa décision.

1977, c. 41, a. 45; 1983, c. 22, a. 49.

93.4 [Decision to determine content] The arbitrator must decide to determine the content of the first collective agreement where he is of opinion that it is unlikely that the parties will be able to reach a collective agreement within a reasonable time. He shall then inform the parties and the Minister of his decision.

93.5 [Arrêt de la grève ou du lock-out] Si une grève ou un lock-out est en cours à ce moment, il doit prendre fin à compter du moment où l'arbitre informe les parties qu'il a jugé nécessaire de déterminer le contenu de la convention collective pour régler le différend.

93.5 [Strike or lock-out ended] If a strike or lock-out is in progress at that time, it must end from the time when the arbitrator informs the parties that he has deemed it necessary to determine the content of the collective agreement to settle the dispute.

[Conditions de travail applicables] À partir de ce moment, les conditions de travail applicables aux salariés compris dans l'unité de négociation sont celles dont le maintien est prévu à l'article 59.

1977, c. 41, a. 45; 1983, c. 22, a. 50.

93.6 Abrogé.

1983, c. 22, a. 51.

93.7 [Accord des parties] Les parties peuvent, à tout moment, s'entendre sur l'une des questions faisant l'objet du différend.

[Consignation de l'accord] L'accord est consigné à la sentence arbitrale, qui ne peut le modifier.

1977, c. 41, a. 45.

93.8 Abrogé.

1983, c. 22, a. 52.

93.9 [Dispositions applicables] Les articles 75 à 93 s'appliquent à l'arbitrage prévu à la présente section.

[Copie au ministre] Outre les destinataires visés à l'article 89, l'arbitre expédie aussi une copie de la sentence au ministre.

1977, c. 41, a. 45; 1983, c. 22, a. 53; 2001, c. 26, a. 46.

[Conditions of employment applicable] From such time, the conditions of employment applicable to the employees comprised in the bargaining unit shall be those the maintenance of which is provided for in section 59.

93.6 Repealed.

93.7 [Agreement of parties] At any time, the parties may agree upon one of the matters of the dispute.

[Agreement recorded] The agreement shall be recorded in the arbitration award, which shall not amend it.

93.8 Repealed.

93.9 [Applicable provisions] Sections 75 to 93 apply to the arbitration provided for in this division.

[Copy] The arbitrator shall send a copy of the award to the Minister, in addition to the persons referred to in section 89.

SECTION II

DES POLICIERS ET POMPIERS

DIVISION II

POLICEMEN AND FIREMEN

94. [Médiateur] À la demande conjointe des parties, le ministre nomme un médiateur pour aider une municipalité ou une régie intermunicipale et une association de salariés accréditée pour représenter ses policiers ou ses pompiers à régler leur différend.

[Période de médiation] Le médiateur a soixante jours pour amener les parties à s'entendre. Le ministre peut, une seule fois et à la demande du médiateur, prolonger la période de médiation d'au plus trente jours.

94. [Mediator] Upon a joint application by the parties, the Minister shall appoint a mediator to help a municipality or an intermunicipal board and an association of employees certified to represent its policemen or firemen to settle their dispute.

[Period of mediation] The mediator has sixty days to bring the parties to an agreement. The Minister may, only once and at the request of the mediator, extend the period of mediation by not more than thirty days.

S.R. 1964, c. 141, a. 82; 1969, c. 47, a. 35; 1977, c. 41, a. 46; 1983, c. 22, a. 54; 1993, c. 6, a. 4; 1996, c. 2, a. 221; 1996, c. 30, a. 1.

95. Abrogé.

1996, c. 30, a. 2.

95. Repealed.

96. [Défaut d'entente] À défaut d'entente à l'expiration de la période de médiation, le médiateur remet aux parties un rapport dans lequel il indique les matières qui ont fait l'objet d'un accord et celles faisant encore l'objet d'un différend.

[Remise au ministre] Le médiateur remet en même temps une copie du rapport au ministre avec ses commentaires.

96. [Report] If there is no agreement at the expiry of the period of mediation, the mediator shall give to the parties a report specifying the matters on which there has been agreement and the matters which are still in dispute.

[Copy of report] The mediator shall, at the same time, give a copy of the report to the Minister with his comments.

S.R. 1964, c. 141, a. 84; 1983, c. 22, a. 56; 1993, c. 6, a. 4; 1996, c. 30, a. 3.

97. [Arbitrage] Après la réception du rapport lorsqu'il y a eu médiation ou d'une demande écrite à cet effet, le ministre doit déférer le différend à l'arbitrage selon le mode choisi par les parties.

[Arbitre] Le différend est soumis à un arbitre à la demande de l'une ou l'autre des parties ou à un médiateur-arbitre, à la demande conjointe des parties.

97. [Arbitration] After receiving a report of unsuccessful mediation or a written application for arbitration, the Minister shall refer the dispute to the form of arbitration selected by the parties.

[Arbitrator] The dispute shall be referred to an arbitrator at the request of one of the parties, or to a mediator-arbitrator at the joint request of the parties.

S.R. 1964, c. 141, a. 85; 1983, c. 22, a. 57; 1993, c. 6, a. 4; 1996, c. 30, a. 3.

98. [Arbitre] Dans les dix jours de la réception d'un avis donné par le ministre indiquant qu'il défère le différend conformément au mode d'arbitrage choisi, les parties doivent se consulter sur le choix d'un arbitre à partir d'une liste dressée par le ministre spécifiquement aux fins de l'arbitrage de différend visé à la présente section.

[Nomination] Si elles s'entendent, le ministre nomme à ce poste la personne de leur choix. À défaut d'entente le ministre nomme l'arbitre à partir de cette liste.

[Médiation] S'il y a eu médiation, le ministre transmet à l'arbitre une copie du rapport du médiateur.

98. [Appointment of arbitrator] Within 10 days after receiving notice from the Minister that he intends to refer the dispute to the form of arbitration selected, the parties shall consult each other regarding the selection of an arbitrator from a list drawn up by the Minister specifically for the arbitration of disputes under this division.

[Appointment of arbitrator] If there is agreement between the parties, the Minister shall appoint the person selected by them as arbitrator. If there is no agreement, the Minister shall appoint an arbitrator from the list.

[Mediator's report] If mediation has taken place, the Minister shall forward a copy of the mediator's report to the arbitrator.

S.R. 1964, c. 141, a. 86; 1983, c. 22, a. 58; 1993, c. 6, a. 4; 1996, c. 30, a. 3.

99. [Représentants] Le ministre peut inscrire sur la liste visée à l'article 98 le nom des personnes proposées conjointement par toutes les associations reconnues par décret du gouvernement comme étant les plus représentatives des municipalités, des régies intermunicipales, des policiers et des pompiers.

[Propositions conjointes] Les associations visées au premier alinéa transmettent au ministre leurs propositions conjointes au plus tard quatre-vingt-dix jours avant la date d'expiration de la liste.

99. [List of names] The Minister may enter on the list referred to in section 98 the names of persons proposed jointly by all associations recognized by order of the Government as being the most representative associations of municipalities, intermunicipal boards, policemen and firemen.

[Joint proposals] The associations referred to in the first paragraph shall send their joint proposals to the Minister not later than ninety days before the date of expiry of the list.

[Nombre insuffisant] À défaut d'un nombre suffisant de propositions conjointes agréées par le ministre, celui-ci inscrit sur la liste les noms qu'il choisit parmi ceux qui figurent sur la liste visée à l'article 77.

[Validité de la liste] La liste visée à l'article 98 est valide pour une période de cinq ans. Au cours de cette période, le ministre peut la modifier après consultation des associations visées au premier alinéa.

S.R. 1964, c. 141, a. 87; 1983, c. 22, a. 59; 1993, c. 6, a. 4; 1996, c. 2, a. 221.

99.1 [Engagement] Une personne doit, pour être inscrite sur la liste visée à l'article 98, s'engager par écrit à ne pas agir comme arbitre dans un grief relativement à l'interprétation ou à l'application d'une sentence arbitrale qu'elle a rendue conformément à la présente section.

[Durée] L'engagement écrit de l'arbitre est valable pour la durée de l'inscription de son nom sur la liste ou sur toute liste subséquente.

1993, c. 6, a. 4.

99.1.1 [Règlement préalable] Le médiateur-arbitre doit, avant de procéder à l'arbitrage, tenter de régler le différend déféré par le ministre.

[Contenu de la convention collective] Il doit décider de déterminer le contenu de la convention collective lorsqu'il est d'avis qu'il est improbable que les parties puissent en arriver à la conclusion d'une convention collective dans un délai raisonnable. Il informe alors les parties et le ministre de sa décision.

1996, c. 30, a. 4.

99.2 [Arbitrage avec assesseurs] L'arbitre procède à l'arbitrage avec assesseurs à moins que, dans les quinze jours de sa nomination, il n'y ait entente à l'effet contraire entre les parties.

[Désignation] Chaque partie désigne, dans les quinze jours de la nomination de l'arbitre, un assesseur pour assister ce dernier et le représenter au cours de l'audition du différend et du délibéré. Si une partie ne désigne pas un assesseur dans ce délai, l'arbitre peut procéder en l'absence de l'assesseur de cette partie.

[Joint proposals] If there is not a sufficient number of joint proposals approved of by the Minister, the latter shall enter on the list the names he selects from among those appearing on the list referred to in section 77.

[Validity] The list referred to in section 98 shall be valid for a period of five years. During this period, the Minister may amend the list after consulting the associations referred to in the first paragraph.

99.1 [Requirements] A person, in order to be entered on the list referred to in section 98, must agree in writing not to act as arbitrator with respect to a grievance which relates to the interpretation or implementation of an arbitrator's award which he rendered in accordance with this division.

[Written agreement] The written agreement shall be valid for the period the person's name is entered on the list or on any subsequent list.

99.1.1 [Mediator-arbitrator] The mediator-arbitrator shall, before proceeding with arbitration, attempt to settle the dispute referred by the Minister.

[Collective agreement] Where, in the opinion of the mediator-arbitrator, there is no likelihood of the parties reaching agreement on a collective agreement within a reasonable period of time, he shall proceed to determine the content of the collective agreement. He shall so inform the parties and the Minister.

99.2 [Arbitration] The arbitrator shall proceed by arbitration with assessors unless, within fifteen days of his appointment, there has been agreement to the contrary between the parties.

[Assessor] Each party shall designate, within fifteen days of the appointment of the arbitrator, an assessor to assist the arbitrator and represent the party during the hearing of the dispute and the deliberations. Where one of the parties does not designate an assessor within the prescribed time, the arbitrator may proceed in the absence of that party's assessor.

[**Absence de l'assesseur**] Il peut procéder en l'absence d'un assesseur lorsque celui-ci ne se présente pas après avoir été régulièrement convoqué.

1993, c. 6, a. 4.

[**Absence of assessor**] He may proceed in the absence of an assessor who does not attend after having been duly convened.

99.3 [**Serment**] L'arbitre est tenu de rendre sa sentence selon l'équité et la bonne conscience.

1993, c. 6, a. 4; 1994, c. 6, a. 22.

99.3 [**Oath**] Every arbitrator shall render his award according to equity and good conscience.

99.4 [**Matières visées**] Seules les matières qui n'ont pas fait l'objet d'un accord entre les parties sont soumises à l'arbitrage.

[**Compétence**] L'arbitre a compétence exclusive pour déterminer ces matières en se fondant sur le rapport du médiateur ou, selon le cas, sur son constat des matières qui n'ont pas fait l'objet d'un accord lors de sa médiation.

1993, c. 6, a. 4; 1996, c. 30, a. 5.

99.4 [**Restriction**] Only matters not having been the subject of agreement between the parties may be referred to arbitration.

[**Exclusive jurisdiction**] The arbitrator has exclusive jurisdiction to determine such matters on the basis of the mediator's report or, as the case may be, on the basis of his own observation of the matters on which no agreement was reached during his mediation.

99.5 [**Sentence**] Sous réserve de l'article 99.6, l'arbitre doit, pour rendre sa sentence, tenir compte des conditions de travail applicables aux autres salariés de la municipalité concernée ou des municipalités parties à l'entente constituant la régie intermunicipale concernée, des conditions de travail qui prévalent dans des municipalités ou des régies intermunicipales semblables ou dans des circonstances similaires ainsi que de la situation et des perspectives salariales et économiques du Québec.

[**Prise en considération**] Il peut, en outre, tenir compte de tout autre élément de la preuve visée à l'article 99.6.

1993, c. 6, a. 4; 1996, c. 2, a. 221; 1996, c. 30, a. 6.

99.5 [**Award**] Subject to section 99.6, the arbitrator must, in rendering his award, take into account the conditions of employment of the other employees of the municipality concerned or of the municipalities which are party to the agreement creating the intermunicipal board concerned, the conditions of employment prevailing in similar municipalities or intermunicipal boards or in similar circumstances, as well as prevailing and anticipated wage and economic conditions in Québec.

[**Evidence**] He may also take into account any other piece of evidence referred to in section 99.6.

99.6 [**Preuve**] L'arbitre doit rendre une sentence à partir de la preuve recueillie à l'enquête.

1993, c. 6, a. 4.

99.6 [**Evidence**] The arbitrator shall render an award based on the evidence collected at the inquiry.

99.7 [**Stipulations**] L'arbitre consigne à sa sentence les stipulations relatives aux matières qui ont fait l'objet d'un accord constaté par le rapport du médiateur ou, selon le cas, constaté lors de sa médiation.

99.7 [**Stipulations**] The arbitrator shall record in his award stipulations relating to the matters which were the subject of an agreement evidenced in the mediator's report or, as the case may be, that he ascertained during his mediation.

[Entente] Les parties peuvent, à tout moment, s'entendre sur une matière faisant l'objet du différend et les stipulations correspondantes sont également consignées par l'arbitre à la sentence.

[Restriction] Il ne peut modifier ces stipulations sauf en vue de faire les adaptations nécessaires pour les rendre compatibles avec une disposition de la sentence.

1993, c. 6, a. 4; 1996, c. 30, a. 7.

99.8 [Parties liées] La sentence de l'arbitre lie les parties pour une durée d'au moins un an et d'au plus trois ans. Les parties peuvent cependant convenir d'en modifier le contenu en partie ou en tout.

[Matières visées] Même si la sentence expire à une date antérieure à celle où elle est rendue, elle peut néanmoins couvrir toutes les matières qui n'ont pas fait l'objet d'un accord entre les parties.

1993, c. 6, a. 4; 2001, c. 26, a. 47.

99.9 [Dispositions non applicables] Les articles 54 et 55 ainsi que les sections I et I.1 du présent chapitre ne s'appliquent pas à un différend concernant des policiers ou des pompiers à l'emploi d'une municipalité ou d'une régie intermunicipale.

[Dispositions applicables] Toutefois, l'article 76, les articles 80 à 91.1 et l'article 93 s'appliquent à l'arbitrage d'un différend visé par la présente section. Outre les destinataires visés à l'article 89, l'arbitre expédie aussi une copie de la sentence au ministre.

1993, c. 6, a. 4; 1994, c. 6, a. 23; 1996, c. 2, a. 221; 2001, c. 26, a. 48.

99.10 [Mésentente] S'il survient une mésentente autre qu'un différend ou un grief entre une municipalité ou une régie intermunicipale et une association de salariés accréditée pour représenter ses policiers ou pompiers, le ministre peut charger un médiateur de rencontrer les parties et de tenter de les amener à conclure une entente.

1993, c. 6, a. 4; 1996, c. 2, a. 221.

99.11 [Rapport du médiateur] Sur réception du rapport du médiateur, le ministre peut, malgré l'article 102, déférer la mésentente à un arbitre comme s'il s'agissait d'un différend visé à la présente section.

1993, c. 6, a. 4.

[Agreement] The parties may, at any time, come to an agreement on a matter which is the subject of the dispute and the corresponding stipulations shall also be recorded by the arbitrator in the award.

[Amendment] The arbitrator shall not amend such stipulations except for the purpose of making such adaptations as are necessary to make the stipulations consistent with a clause of the award.

99.8 [Arbitrator's award] The arbitrator's award shall bind the parties for a period of not less than one year nor more than three years. The parties may, however, agree to amend the content, wholly or in part.

[Expiry] Even if the award expires on a date prior to the date on which it is rendered, it may nevertheless cover all matters on which no agreement has been reached by the parties.

99.9 [Exceptions] Sections 54 and 55 and Divisions I and I.1 of this chapter shall not apply to a dispute concerning policemen or firemen in the employ of a municipality or an intermunicipal board.

[Applicable provisions] However, section 76, sections 80 to 91.1 and section 93 shall apply to the arbitration of a dispute referred to in this division. The arbitrator shall send a copy of the award to the Minister, in addition to the persons referred to in section 89.

99.10 [Mediator] Where there is a disagreement, other than a dispute or a grievance, between a municipality or an intermunicipal board and an employee's association certified to represent its policemen or its firemen, the Minister may entrust a mediator with the responsibility of meeting the parties and attempting to bring them to an agreement.

99.11 [Referral] Upon receipt of the mediator's report, the Minister may, notwithstanding section 102, refer the disagreement to an arbitrator as if it were a dispute referred to in this division.

SECTION III	DIVISION III
DE L'ARBITRE DE GRIEF	GRIEVANCES ARBITRATOR

100. **[Arbitrage des griefs]** Tout grief doit être soumis à l'arbitrage en la manière prévue dans la convention collective si elle y pourvoit et si l'association accréditée et l'employeur y donnent suite; sinon il est déféré à un arbitre choisi par l'association accréditée et l'employeur ou, à défaut d'accord, nommé par le ministre.

[Choix de l'arbitre] L'arbitre nommé par le ministre est choisi sur la liste prévue à l'article 77.

[Incompatibilité des dispositions] Sauf disposition contraire, les dispositions de la présente section prévalent, en cas d'incompatibilité, sur les dispositions de toute convention collective.

100. **[Arbitration of grievance]** Every grievance shall be submitted to arbitration in the manner provided in the collective agreement if it so provides and the certified association and the employer abide by it; otherwise it shall be referred to an arbitrator chosen by the parties or, failing agreement, appointed by the Minister.

[Selection of arbitrator] The arbitrator appointed by the Minister is selected from the list contemplated in section 77.

[Incompatibility of provisions] Except where provided to the contrary, the provisions of this division prevail over the provisions of any collective agreement in case of incompatibility.

S.R. 1964, c. 141, a. 88; 1969, c. 47, a. 36; 1969, c. 48, a. 28; 1977, c. 41, a. 48; 1983, c. 22, a. 61.

100.0.1 **[Grief]** Un grief soumis à l'autre partie dans les quinze jours de la date où la cause de l'action a pris naissance ne peut être rejeté par l'arbitre au seul motif que le délai prévu à la convention collective n'a pas été respecté.

1983, c. 22, a. 62.

100.0.1 **[Dismissal of grievance]** No grievance submitted to the other party within fifteen days of the date that the cause of action arose may be dismissed by the arbitrator on the sole ground that the time limit prescribed in the collective agreement was not observed.

100.0.2 **[Grief déféré à l'arbitrage]** Lorsque les parties ont réglé un grief avant qu'il ne soit déféré à l'arbitrage et qu'une des parties refuse de donner suite au règlement intervenu, l'autre partie peut déférer le grief à l'arbitrage malgré toute entente à l'effet contraire et malgré l'expiration des délais prévus aux articles 71, 100.0.1 ou à la convention collective.

1983, c. 22, a. 62.

100.0.2 **[Referral of grievance]** Where the parties have settled a grievance before it has been referred to arbitration and one of the parties refuses to give effect to the settlement reached, the other party may refer the grievance to arbitration notwithstanding any agreement to the contrary and notwithstanding the expiry of the periods provided for in sections 71 and 100.0.1 or in the collective agreement.

100.1 **[Immunité de l'arbitre]** L'arbitre ne peut être poursuivi en justice en raison d'actes accomplis de bonne foi dans l'exercice de ses fonctions.

1977, c. 41, a. 48; 1983, c. 22, a. 63.

100.1 **[Immunity]** No arbitrator may be prosecuted for acts done in good faith in the performance of his duties.

100.1.1 **[Entente]** L'arbitre procède à l'arbitrage avec assesseurs si, dans les quinze jours de sa nomination, il y a entente à cet effet entre les parties.

100.1.1 **[Assessors]** The arbitrator shall proceed with the arbitration with assessors if, within fifteen days of his appointment, there is agreement to that effect between the parties.

[Désignation de l'assesseur] En cas d'entente, chaque partie désigne, dans le délai prévu au premier alinéa, un assesseur pour assister l'arbitre et le représenter au cours de l'audition du grief et du délibéré. Si une partie refuse de donner suite à l'entente dans ce délai, l'arbitre peut procéder en l'absence de l'assesseur de cette partie.

[Absence] Il peut procéder en l'absence d'un assesseur lorsque celui-ci ne se présente pas après avoir été régulièrement convoqué.

1983, c. 22, a. 64.

100.1.2 [Remplacement] En cas de démission, de refus d'agir ou d'empêchement de l'arbitre, il est remplacé suivant la procédure prévue pour la nomination originale.

[Remplaçant] En cas de démission, de refus d'agir ou d'empêchement d'un assesseur, la partie qui l'a désigné lui nomme un remplaçant. L'arbitre peut poursuivre l'arbitrage si la partie ne désigne pas un remplaçant dans le délai qu'il indique.

1983, c. 22, a. 64; 1999, c. 40, a. 59.

100.2 [Instruction du grief] L'arbitre doit procéder en toute diligence à l'instruction du grief et, sauf disposition contraire de la convention collective, selon la procédure et le mode de preuve qu'il juge appropriés.

[Convocation d'office] À cette fin, il peut, d'office, convoquer les parties pour procéder à l'audition du grief.

[Conférence préparatoire] Aux fins prévues à l'article 136, il peut aussi tenir avec elles une conférence préparatoire à l'audition du grief.

1977, c. 41, a. 48; 1983, c. 22, a. 65; 2001, c. 26, a. 49.

100.2.1 [Vice de forme] Aucun grief ne peut être rejeté pour vice de forme ou irrégularité de procédure.

1983, c. 22, a. 66; 1999, c. 40, a. 59.

100.3 [Sentence: accord ou désistement] Si l'arbitre est informé par écrit du règlement total ou partiel ou du désistement d'un grief dont il a été saisi, il en donne acte

[Assessors] Where there is agreement, each party shall designate, within the time prescribed in the first paragraph, an assessor to assist the arbitrator and represent it during the hearing of the grievance and the deliberation. If a party refuses to give effect to the agreement within the prescribed time, the arbitrator may proceed in the absence of that party's assessor.

[Assessors] He may proceed in the absence of an assessor who does not attend, after having been duly convened.

100.1.2 [Replacement of arbitrator] An arbitrator who resigns, refuses to act or is unable to act is replaced according to the procedure prescribed for the original appointment.

[Replacement of assessor] An assessor who resigns, refuses to act or is unable to act is replaced by an appointment made by the party who designated him. The arbitrator may continue the arbitration if the party fails to appoint a person to replace the assessor within the time he indicates.

100.2 [Inquiry into grievance] The arbitrator shall proceed with all dispatch with the inquiry into the grievance and, unless otherwise provided in the collective agreement, in accordance with such procedure and mode of proof as he deems appropriate.

[Parties called ex officio] For such purpose, he may, ex officio, call the parties to proceed with the hearing of the grievance.

[Pre-hearing conference] For the purposes set out in section 136, the arbitrator may also hold a prehearing conference prior to the hearing of the grievance.

100.2.1 [Irregularity] No grievance may be rejected because of a defect of form or irregularity in the procedure.

100.3 [Award: settlement or discontinuance] If the arbitrator is notified in writing of the total or partial settlement or of the discontinuance of a grievance of which he has

et dépose sa sentence conformément à l'article 101.6.

1977, c. 41, a. 48; 1983, c. 22, a. 67.

100.4 [Séances publiques] Les séances d'arbitrage sont publiques; l'arbitre peut toutefois, de son chef ou à la demande de l'une des parties, ordonner le huis clos.

1977, c. 41, a. 48; 1983, c. 22, a. 68.

100.5 [Audition des parties] L'arbitre doit donner à l'association accréditée, à l'employeur et au salarié intéressé l'occasion d'être entendus.

[Audition en l'absence d'un intéressé] Si un intéressé ci-dessus dûment convoqué par un avis écrit d'au moins cinq jours francs de la date, de l'heure et du lieu où il pourra se faire entendre ne se présente pas ou refuse de se faire entendre, l'arbitre peut procéder à l'audition de l'affaire et aucun recours judiciaire ne peut être fondé sur le fait qu'il a ainsi procédé en l'absence de cet intéressé.

1977, c. 41, a. 48; 1983, c. 22, a. 69.

100.6 [Assignation d'un témoin] À la demande d'une partie ou de sa propre initiative, l'arbitre peut assigner un témoin pour déclarer ce qu'il connaît, pour produire un document ou pour les deux objets à la fois, sauf s'il est d'avis que la demande d'assignation est futile à sa face même. Le bref d'assignation doit être signifié au moins cinq jours francs avant la convocation.

[Contrainte] Une personne ainsi assignée qui refuse de comparaître, de témoigner ou de produire les documents requis peut y être contrainte comme si elle avait été assignée suivant le Code de procédure civile.

[Serment] L'arbitre peut exiger et recevoir le serment d'un témoin.

[Taxe des témoins et remboursement des frais] Le témoin assigné a droit à la même taxe que les témoins en Cour supérieure et au remboursement de ses frais de déplacement et de séjour.

[Frais de déplacement et de séjour] Cette taxe est payable par la partie qui a proposé l'assignation, mais la personne qui bénéficie de son salaire durant cette période n'a droit qu'au remboursement des frais de déplacement et de séjour.

been seized, he shall commit it to writing and file his award in accordance with section 101.6.

100.4 [Public sittings] Arbitration sittings shall be public, but the arbitrator may, of his own initiative or at the request of one of the parties, order them held in camera.

100.5 [Parties heard] The arbitrator must give the interested certified association, the employer and employee an opportunity to be heard.

[Hearing in the absence of an interested party] If an interested party hereinabove duly notified by a written notice of at least five clear days of the date, time and place at which it or he can be heard does not appear or refuses to be heard, the arbitrator may proceed with the hearing of the matter and no judicial recourse shall be based on the fact that he has so proceeded in the absence of such party.

100.6 [Summons of a witness] Upon application of any of the parties or of his own initiative, the arbitrator may summon a witness to testify to what he knows, to file a document or to do both unless he is of opinion that the application for summons is frivolous on the face of it. The writ of summons must be served at least five clear days before appearance.

[Witness compelled to appear] A person so summoned who refuses to appear, to testify or to file the required documents may be compelled to do so as if he had been summoned according to the Code of Civil Procedure.

[Oath] The arbitrator may require and administer the oath of a witness.

[Taxation and reimbursement of expenses] A summoned witness is entitled to the same taxation as witnesses before the Superior Court and to the reimbursement of his travelling and living expenses.

[Travelling and living expenses] Such taxation is payable by the party who proposed the summons, but the person who receives his salary during such period is entitled only to the reimbursement of travelling and living expenses.

[Assignation par l'arbitre] Lorsqu'une personne est dûment assignée à l'initiative d'un arbitre, cette taxe est payable à parts égales par les parties.

1977, c. 41, a. 48; 1983, c. 22, a. 70; 1990, c. 4, a. 228; 1999, c. 40, a. 59; 2001, c. 26, a. 50.

100.7 [Pouvoir d'interroger] L'arbitre peut poser à un témoin les questions qu'il croît utiles.

1977, c. 41, a. 48; 1983, c. 22, a. 71.

100.8 [Refus de répondre] Un témoin ne peut refuser de répondre pour le motif que sa réponse pourrait tendre à l'incriminer ou à l'exposer à une poursuite, de quelque nature qu'elle puisse être; mais s'il fait une objection en ce sens, sa réponse ne pourra servir contre lui dans une poursuite pénale intentée en vertu d'une loi du Québec.

1977, c. 41, a. 48.

100.9 [Visite des lieux] À la demande de l'une des parties ou de sa propre initiative, l'arbitre peut visiter les lieux qui se rapportent au grief dont il est saisi. Il doit alors inviter les parties à l'accompagner.

[Examen, interrogation] À l'occasion d'une visite des lieux, l'arbitre peut examiner tout bien qui se rapporte au grief. Il peut aussi, à cette occasion, interroger les personnes qui s'y trouvent.

1977, c. 41, a. 48; 1983, c. 22, a. 72; 1999, c. 40, a. 59.

100.10 [Arbitrage quant au maintien des conditions de travail] Une mésentente relative au maintien des conditions de travail prévu à l'article 59 ou à l'article 93.5, doit être déférée à l'arbitrage par l'association de salariés intéressée comme s'il s'agissait d'un grief.

1977, c. 41, a. 48.

100.11 [Sentence fondée sur la preuve] L'arbitre doit rendre une sentence à partir de la preuve recueillie à l'enquête.

1977, c. 41, a. 48; 1983, c. 22, a. 73.

100.12 [Pouvoirs de l'arbitre] Dans l'exercice de ses fonctions l'arbitre peut:

a) interpréter et appliquer une loi ou un règlement dans la mesure où il est nécessaire de le faire pour décider d'un grief;

[Summons] Where a person is duly summoned on the initiative of an arbitrator, the taxation is payable in equal shares by the parties.

100.7 [Interrogation] The arbitrator may ask a witness any question he deems useful.

100.8 [Refusal to answer] A witness shall not refuse to answer for the reason that his reply might tend to incriminate him or to expose him to a legal proceeding of any kind; but if he objects on that ground, his reply shall not be used against him in any penal proceedings instituted under a law of Québec.

100.9 [Visit of premises] Upon application of one of the parties or of his own initiative, the arbitrator may visit the place relating to the grievance referred to him. He shall then invite the parties to accompany him.

[Examination, interrogation] When visiting the place of work, the arbitrator may examine any property related to the grievance. He may also, on such visit, interrogate the persons who are there.

100.10 [Arbitration relating to the maintenance of conditions of employment] Any disagreement relating to the maintenance of the conditions of employment provided for in section 59 or 93.5, must be referred to arbitration by the interested association of employees as if it were a grievance.

100.11 [Award based on evidence] The arbitrator must render an award based on the evidence collected at the inquiry.

100.12 [Powers of the arbitrator] In the exercise of his duties the arbitrator may:

(a) interpret and apply any Act or regulation to the extent necessary to settle a grievance;

b) fixer les modalités de remboursement d'une somme qu'un employeur a versée en trop à un salarié;

c) ordonner le paiement d'un intérêt au taux légal à compter du dépôt du grief, sur les sommes dues en vertu de sa sentence.

[Indemnité] Il doit être ajouté à ce montant une indemnité calculée en appliquant à ce montant, à compter de la même date, un pourcentage égal à l'excédent du taux d'intérêt fixé suivant l'article 28 de la Loi sur le ministère du Revenu (L.R.Q., chapitre M-31) sur le taux légal d'intérêt;

d) fixer, à la demande d'une partie, le montant du en vertu d'une sentence qu'il a rendue;

e) corriger en tout temps une décision entachée d'erreur d'écriture ou de calcul, ou de quelque autre erreur matérielle;

f) en matière disciplinaire, confirmer, modifier ou annuler la décision de l'employeur et, le cas échéant, y substituer la décision qui lui paraît juste et raisonnable, compte tenu de toutes les circonstances de l'affaire. Toutefois, lorsque la convention collective prévoit une sanction déterminée pour la faute reprochée au salarié dans le cas soumis à l'arbitrage, l'arbitre ne peut que confirmer ou annuler la décision de l'employeur ou, le cas échéant, la modifier pour la rendre conforme à la sanction prévue à la convention collective;

g) rendre toute autre décision, y compris une ordonnance provisoire, propre à sauvegarder les droits des parties.

1977, c. 41, a. 48; 1983, c. 22, a. 74; 2001, c. 26, a. 51.

100.13-100.15 Abrogés.

1983, c. 22, a. 75.

100.16 [Réouverture d'enquête] L'arbitre peut ordonner de son propre chef la réouverture de l'enquête.

1977, c. 41, a. 48; 1983, c. 22, a. 76.

101. [Sentence sans appel] La sentence arbitrale est sans appel, lie les parties et, le cas échéant, tout salarié concerné. L'article 129 s'applique à la sentence arbitrale, compte tenu des adaptations nécessaires; l'autorisa-

(*b*) fix the terms and conditions of reimbursement of an overpayment by an employer to an employee;

(*c*) order the payment of interest at the legal rate, from the filing of the grievance, on any amount due under an award he has made.

[Interest] There must be added to that amount an indemnity computed by applying to that amount, from the same date, a percentage equal to the amount by which the rate of interest fixed according to section 28 of the Act respecting the Ministère du Revenu (R.S.Q., chapter M-31) exceeds the legal rate of interest;

(*d*) upon request of a party, fix the amount due under an award he has made;

(*e*) correct at any time a decision in which there is an error in writing or calculation or any other clerical error;

(*f*) in disciplinary matters, confirm, amend or set aside the decision of the employer and, if such is the case, substitute therefor the decision he deems fair and reasonable, taking into account the circumstances concerning the matter. However, where the collective agreement provides for a specific sanction for the fault alleged against the employee in the case submitted to arbitration, the arbitrator shall only confirm or set aside the decision of the employer, or, if such is the case, amend it to bring it into conformity with the sanction provided for in the collective agreement;

(*g*) render any other decision, including a provisional order, intended to protect the rights of the parties.

100.13-100.15 Repealed.

100.16 [Inquiry re-opened] The arbitrator may order, of his own motion, that the inquiry be re-opened.

101. [Award without appeal] The arbitration award is without appeal, binds the parties and, where such is the case, any employee concerned. Section 129 applies, with the necessary modifications, to the arbitra-

tion de la Commission prévue à cet article n'est toutefois pas requise.

tion award; however, the authorization of the Commission provided for in that section is not required.

S.R. 1964, c. 141, a. 89; 1977, c. 41, a. 49; 1983, c. 22, a. 77; 2001, c. 26, a. 52.

101.1 Abrogé.

101.1 Repealed.

1983, c. 22, a. 78.

101.2 [Sentence motivée] La sentence arbitrale doit être motivée et rendue par écrit. Elle doit être signée par l'arbitre.

101.2 [Grounds of award] The arbitration award must state the grounds on which it is based and be rendered in writing. It must be signed by the arbitrator.

1977, c. 41, a. 50; 1983, c. 22, a. 79.

101.3 [Secret du délibéré] L'arbitre et les assesseurs sont tenus de garder le secret du délibéré jusqu'à la date de la sentence.

101.3 [Secret of advisement] The arbitrator and assessors must keep the secret of the advisement until the date of the award.

1977, c. 41, a. 50; 1983, c. 22, a. 80.

101.4 Abrogé.

101.4 Repealed.

1983, c. 22, a. 81.

101.5 [Délai] À défaut d'un délai fixé à la convention collective, l'arbitre doit rendre sa sentence dans les quatre-vingt-dix jours suivant, soit la fin de la dernière séance d'arbitrage, soit le début du délibéré lorsqu'il n'y a pas de séance d'arbitrage, à moins que les parties ne consentent par écrit, avant l'expiration du délai, à accorder un délai supplémentaire d'un nombre de jours précis.

101.5 [Period] If no period is fixed in the collective agreement, the arbitrator must render his award within ninety days after either the end of the last arbitration sitting or, if there are no arbitration sittings, the beginning of the advisement, unless the parties consent in writing before the expiry of the period to grant an additional period of a precise number of days.

1977, c. 41, a. 50; 1983, c. 22, a. 82; 1994, c. 6, a. 24; 1999, c. 40, a. 59.

101.6 [Dépôt de la sentence] L'arbitre doit déposer la sentence en deux exemplaires ou copies conformes à l'original à l'un des bureaux de la Commission et transmettre en même temps une copie de la sentence à chacune des parties.

101.6 [Filing of the award] The arbitrator shall file the award in duplicate or in two copies true to the original, with one of the offices of the Commission and, at the same time, send a copy of the award to each party.

1977, c. 41, a. 50; 1983, c. 22, a. 83; 2001, c. 26, a. 53.

101.7 [Ordonnance de la Commission] À défaut par l'arbitre de rendre sa sentence dans le délai de l'article 101.5 ou de la déposer et de la transmettre aux parties conformément à l'article 101.6, la Commission peut, sur requête d'une partie, rendre l'ordonnance qu'elle juge nécessaire pour que la sentence soit rendue, déposée et transmise dans les meilleurs délais.

101.7 [Order of the Commission] If the arbitrator fails to render his award within the period provided for in section 101.5 or to file and to send it to the parties in accordance with section 101.6, the Commission may, upon petition by a party, make the order it deems necessary in order that such award may be rendered, filed and sent with the least possible period.

1977, c. 41, a. 50; 1983, c. 22, a. 84; 1994, c. 6, a. 25; 1999, c. 40, a. 59; 2001, c. 26, a. 54.

101.8 [Honoraires de l'arbitre] L'arbitre ne peut exiger d'honoraires et de frais à moins qu'il ne rende sa sentence dans un délai conforme à l'article 101.5 et qu'il ne présente aux parties une preuve de l'envoi de la sentence à l'un des bureaux de la Commission.

101.8 [Fees of arbitrator] The arbitrator shall not be entitled to any fees or expenses unless he renders his award within a period in accordance with section 101.5 and he produces to the parties proof that the award has been sent to one of the offices of the Commission.

1977, c. 41, a. 50; 1983, c. 22, a. 85; 1999, c. 40, a. 59; 2001, c. 26, a. 55.

101.9 [Conservation du dossier] L'arbitre doit conserver le dossier de l'arbitrage pendant deux ans à compter du dépôt de la sentence.

101.9 [Keeping of records] The arbitrator must keep the record of arbitration for two years from the filing of the award.

1977, c. 41, a. 50; 1983, c. 22, a. 85.

101.10 [Copie conforme] Le secrétaire ou, à défaut de ce dernier, une personne dûment autorisée par le président de la Commission peut certifier conforme toute sentence arbitrale qui a été déposée selon l'article 101.6.

101.10 [Certification] The secretary or, in the absence of the secretary, a person duly authorized by the president of the Commission may certify true any arbitration award filed in accordance with section 101.6.

1977, c. 41, a. 50; 2001, c. 26, a. 56.

102. [Mésentente] Pendant la durée d'une convention collective, toute mésentente autre qu'un grief au sens de l'article 1 ou autre qu'un différend pouvant résulter de l'application de l'article 107, ne peut être réglée que de la façon prévue dans la convention et dans la mesure où elle y pourvoit. Si une telle mésentente est soumise à l'arbitrage, les articles 100 à 101.10 s'appliquent.

102. [Disagreement] During the period of a collective agreement, any disagreement other than a grievance within the meaning of section 1 or other than a dispute that may result from the application of section 107, shall not be settled except in the manner provided in the agreement and to the extent that the agreement so provides. If such a disagreement is submitted to arbitration, sections 100 to 101.10 apply.

S.R. 1964, c. 141, a. 90; 1977, c. 41, a. 51.

SECTION IV

DE LA RÉGLEMENTATION

DIVISION IV

REGULATIONS

103. [Rémunération et frais] Le gouvernement peut, par règlement, déterminer, après consultation du Conseil consultatif du travail et de la main-d'oeuvre, la rémunération et les frais des arbitres de griefs et de différends nommés par le ministre, un ou des modes de détermination de la rémunération et des frais des arbitres choisis par les parties ainsi que les situations auxquelles ce règlement ne s'applique pas.

103. [Remuneration and expenses] The Government may determine, by regulation, after consultation with the Conseil consultatif du travail et de la main-d'oeuvre, the remuneration and expenses to which the arbitrators of disputes and grievances appointed by the Minister are entitled, one or more methods for determining the remuneration and expenses to which the arbitrators chosen by the parties are entitled, and the situations in which the regulation does not apply.

[Paiement] Ce règlement peut également déterminer qui assume le paiement de cette rémunération et de ces frais et, s'il y a lieu, dans quelle proportion.

[Payment] The regulation may also determine who shall assume the payment of such remuneration and expenses and, where applicable, in what proportion.

[Règlement des différends] Le gouvernement peut aussi faire tout règlement jugé nécessaire pour donner effet aux dispositions du chapitre IV.

[Settlement of disputes] The Government may also make any regulation deemed necessary to give effect to the provisions of chapter IV.

S.R. 1964, c. 141, a. 91; 1977, c. 41, a. 52; 1983, c. 22, a. 86; 1991, c. 76, a. 4; 1994, c. 6, a. 26; 2001, c. 26, a. 57.

104. [Publication] Ces règlements n'entrent en vigueur qu'après publication dans la *Gazette officielle du Québec.*

104. [Publication] Such regulations shall come into force only after publication in the *Gazette officielle du Québec.*

S.R. 1964, c. 141, a. 92; 1968, c. 23, a. 8.

CHAPITRE V
DES GRÈVES ET LOCK-OUT

CHAPTER V
STRIKES AND LOCK-OUTS

105. [Policiers et pompiers] Toute grève est interdite en toute circonstance aux policiers et pompiers à l'emploi d'une municipalité ou d'une régie intermunicipale.

105. [Policemen and firemen] Strikes are prohibited in all circumstances to the police officers and firemen in the employ of a municipality or an intermunicipal management board.

[Pompiers réputés à l'emploi de la municipalité] Les pompiers à l'emploi d'une entreprise qui assure, par contrat avec une municipalité ou une régie intermunicipale, les services de protection contre l'incendie sur le territoire d'une municipalité sont, pour l'application du présent article, réputés être à l'emploi de la municipalité ou de la régie intermunicipale, selon le cas.

[Deemed employees] Firemen in the employ of an undertaking that is under contract with a municipality or an intermunicipal management board to provide first protection services in the territory of a municipality are deemed, for the purposes of this section, to be in the employ of the municipality or the intermunicipal management board, as the case may be.

S.R. 1964, c. 141, a. 93; 1983, c. 22, a. 87; 1985, c. 27, a. 36; 1996, c. 2, a. 220.

106. [Grève interdite] La grève est interdite tant qu'une association des salariés en cause n'a pas été accréditée et n'y a pas acquis droit suivant l'article 58.

106. [Strike forbidden] It is forbidden to strike so long as an association of the employees concerned has not been certified and has not obtained the right to strike under section 58.

S.R. 1964, c. 141, a. 94; 1969, c. 47, a. 37.

107. [Grève interdite] La grève est prohibée pendant la durée d'une convention collective, à moins que celle-ci ne renferme une clause en permettant la révision par les parties et que les conditions prescrites à l'article 106 n'aient été observées.

107. [Strike forbidden] It is forbidden to strike during the period of a collective agreement, unless the agreement contains a clause permitting the revision thereof by the parties and the conditions prescribed in section 106 have been observed.

S.R. 1964, c. 141, a. 95.

108. [Ralentissement d'activités] Nulle association de salariés ou personne agissant dans l'intérêt d'une telle association ou d'un groupe de salariés n'ordonnera, n'encouragera ou n'appuiera un ralentissement d'activités destiné à limiter la production.

108. [Slow-down] No association of employees or person acting in the interests of such an association or of a group of employees shall order, encourage or support a slackening of work designed to limit production.

S.R. 1964, c. 141, a. 96.

109. [Lock-out] Le lock-out est interdit sauf dans le cas où une association de salariés a acquis droit à la grève.

S.R. 1964, c. 141, a. 97.

109.1 [Interdiction à l'employeur] Pendant la durée d'une grève déclarée conformément au présent code ou d'un lock-out, il est interdit à un employeur:

a) d'utiliser les services d'une personne pour remplir les fonctions d'un salarié faisant partie de l'unité de négociation en grève ou en lock-out lorsque cette personne a été embauchée entre le jour où la phase des négociations commence et la fin de la grève ou du lock-out;

b) d'utiliser, dans l'établissement où la grève ou le lock-out a été déclaré, les services d'une personne à l'emploi d'un autre employeur ou ceux d'un entrepreneur pour remplir les fonctions d'un salarié faisant partie de l'unité de négociation en grève ou en lock-out;

c) d'utiliser, dans l'établissement où la grève ou le lock-out a été déclaré, les services d'un salarié qui fait partie de l'unité de négociation alors en grève ou en lockout à moins:

i. qu'une entente ne soit intervenue à cet effet entre les parties, dans la mesure où elle y pourvoit, et que, dans le cas d'un établissement visé à l'article 111.2, cette entente ait été approuvée par le Conseil des services essentiels;

ii. que, dans un service public, une liste n'ait été transmise ou dans le cas d'un établissement visé à l'article 111.2, n'ait été approuvée en vertu du chapitre V.1, dans la mesure où elle y pourvoit;

iii. que, dans un service public, un décret n'ait été pris par le gouvernement en vertu de l'article 111.0.24;

d) d'utiliser, dans un autre de ses établissements, les services d'un salarié qui fait partie de l'unité de négociation alors en grève ou en lock-out;

e) d'utiliser, dans l'établissement où la grève ou le lock-out a été déclaré, les services d'un salarié qu'il emploie dans un autre établissement;

f) d'utiliser, dans l'établissement où la grève ou le lock-out a été déclaré, les servi-

109. [Lock-out] Any lock-out is prohibited except in the case where an association of employees has acquired the right to strike.

109.1 [Prohibited practices] For the duration of a strike declared in accordance with this Code or a lock-out, every employer is prohibited from

(*a*) utilizing the services of a person to discharge the duties of an employee who is a member of the bargaining unit then on strike or locked out when such person was hired between the day the negotiation stage begins and the end of the strike or lockout;

(*b*) utilizing, in the establishement where the strike or lock-out has been declared, the services of a person employed by another employer or the services of another contractor to discharge the duties of an employee who is a member of the bargaining unit on strike or locked out;

(*c*) utilizing, in an establishment where a strike or lock-out has been declared, the services of an employee who is a member of the bargaining unit then on strike or locked out unless

i. an agreement has been reached for that purpose between the parties, to the extent that the agreement so provides, and, in the case of an institution contemplated in section 111.2, unless the agreement has been approved by the Conseil des services essentiels;

ii. in a public service, a list has been transmitted or, in the case of an institution contemplated in section 111.2, approved pursuant to Chapter V.1, to the extent that the list so provides;

iii. in a public service, an order has been made by the Government pursuant to section 111.0.24;

(*d*) utilizing, in another of his establishments, the services of an employee who is a member of the bargaining unit then on strike or locked out;

(*e*) utilizing, in an establishment where a strike or lock-out has been declared, the services of an employee he employs in another establishment;

(*f*) utilizing, in an establishment where a strike or a lock-out has been declared, the

ces d'une personne autre qu'un salarié qu'il emploie dans un autre établissement sauf lorsque des salariés de ce dernier établissement font partie de l'unité de négociation alors en grève ou en lock-out;

g) d'utiliser, dans l'établissement où la grève ou le lock-out a été déclaré, les services d'un salarié qu'il emploie dans cet établissement pour remplir les fonctions d'un salarié faisant partie de l'unité de négociation en grève ou en lock-out.

1977, c. 41, a. 53; 1978, c. 52, a. 2; 1982, c. 37, a. 2; 1983, c. 22, a. 88; 1985, c. 12, a. 83; 1992, c. 21, a. 375.

109.2. [Exemption] Au cas de violation par l'association accréditée ou les salariés qu'elle représente, d'une entente, d'une liste ou d'un décret visés aux sous-paragraphes i, ii ou iii du paragraphe *c* de l'article 109.1, l'employeur est exempté de l'application de l'article 109.1 dans la mesure où cela est nécessaire pour assurer le respect de l'entente, de la liste ou du décret qui a été violé.

1977, c. 41, a. 53; 1978, c. 52, a. 3; 1982, c. 37, a. 3; 1983, c. 22, a. 89.

109.3 [Protection des biens] L'application de l'article 109.1 ne peut avoir pour effet d'empêcher un employeur de prendre, le cas échéant, les moyens nécessaires pour éviter la destruction ou la détérioration grave de ses biens.

[Moyens de conservation] Ces moyens doivent être exclusivement des moyens de conservation et non des moyens visant à permettre la continuation de la production de biens ou services que l'article 109.1 ne permettrait pas autrement.

1977, c. 41, a. 53; 1999, c. 40, a. 59.

109.4 [Enquête] Sur demande, le ministre peut dépêcher un enquêteur chargé de vérifier si les articles 109.1, 109.2 ou 109.3 sont respectés.

[Personnes désignées] L'enquêteur peut visiter les lieux de travail, à toute heure raisonnable, et se faire accompagner d'une personne désignée par l'association accréditée, d'une personne désignée par l'employeur ainsi que de toute autre personne dont il juge la présence nécessaire aux fins de son enquête.

services of a person other than an employee he employs in another establishment, except where the employees of the latter establishment are members of the bargaining unit on strike or locked out;

(g) utilizing, in an establishment where a strike or lock-out has been declared, the services of an employee he employs in the establishment to discharge the duties of an employee who is a member of the bargaining unit on strike or locked out.

109.2 [Exemption] Where the certified association violates or the employees it represents violate an agreement, a list or an order contemplated in subparagraph i, ii or iii of paragraph *c* of section 109.1, the employer is exempt from the application of section 109.1 to the extent that that is necessary to ensure compliance with the violated agreement, list or order.

109.3 [Protection of property] The application of section 109.1 does not have the effect of preventing an employer from taking, where such is the case, the necessary measures to avoid the destruction or serious deterioration of his property.

[Conservation measures] Such measures shall exclusively be conservation measures and not measures designed to enable the continuation of the production of goods and services which section 109.1 would not permit otherwise.

109.4 [Investigation] Upon application, the Minister may dispatch an investigator to ascertain whether or not section 109.1, 109.2 or 109.3 is being complied with.

[Persons designated] The investigator may visit the place of work at any reasonable time and be accompanied by a person designated by the certified association, by a person designated by the employer and by any other person whose presence he considers necessary for the purposes of his investigation.

[Identification] Sur demande, l'enquêteur doit s'identifier et exhiber le certificat, signé par le ministre, attestant sa qualité.

[Rapport d'enquête] Sitôt son enquête terminée, l'enquêteur fait rapport au ministre et envoie une copie de ce rapport aux parties.

[Pouvoirs, immunité et privilèges] L'enquêteur est investi, aux fins de son enquête, de tous les pouvoirs, immunité et privilèges d'un commissaire nommé en vertu de la Loi sur les commissions d'enquête, sauf du pouvoir d'imposer une peine d'emprisonnement.

1977, c. 41, a. 53; 1986, c. 95, a. 80; 1992, c. 61, a. 176.

110. [Maintien de l'emploi] Personne ne cesse d'être un salarié pour l'unique raison qu'il a cessé de travailler par suite de grève ou lock-out.

[Interruption de travail] Rien dans le présent code n'empêche une interruption de travail qui ne constitue pas une grève ou un lock-out.

S.R. 1964, c. 141, a. 98.

110.1 [Recouvrement d'emploi] À la fin d'une grève ou d'un lock-out, tout salarié qui a fait grève ou a été lock-outé a le droit de recouvrer son emploi de préférence à toute autre personne, à moins que l'employeur n'ait une cause juste et suffisante, dont la preuve lui incombe, de ne pas rappeler ce salarié.

[Recours] Une mésentente entre l'employeur et l'association accréditée relative au non-rappel au travail d'un salarié qui a fait grève ou qui a été lock-outé doit être déférée à l'arbitre comme s'il s'agissait d'un grief dans les six mois de la date où le salarié aurait du recouvrer son emploi.

[Application] Les articles 47.2 à 47.6 et 100 à 101.10 s'appliquent.

1977, c. 41, a. 54; 1983, c. 22, a. 90.

111. Abrogé.

1982, c. 37, a. 4.

[Identification] The investigator shall, on request, identify himself and produce a certificate of his capacity signed by the Minister.

[Report of investigation] Upon the completion of his investigation, the investigator shall make a report to the Minister and send a copy of such report to the parties.

[Powers, immunity and privileges] The investigator is vested, for the purposes of his investigation, with the powers, immunity and privileges of a commissioner appointed under the Act respecting public inquiry commissions, except the power to order imprisonment.

110. [Employment safeguarded] No person shall cease to be an employee for the sole reason that he has ceased to work in consequence of a strike or lock-out.

[Interruption of work] Nothing in this code shall prevent an interruption of work that is not a strike or a lock-out.

110.1 [Employment recovered] At the end of a strike or a lock-out, any employee who has been on strike or has been locked out is entitled to recover his employment by priority over any other person unless the employer has a good and sufficient reason, proof whereof devolves upon him, for not recalling such employee.

[Recourse] Any disagreement between the employer and the certified association relating to the non-recall to work of an employee who has been on strike or locked out must be referred to the arbitrator as if it were a grievance, within six months of the date when the employee should have recovered his employment.

[Provisions applicable] Sections 47.2 to 47.6 and 100 to 101.10 apply.

111. Repealed.

CHAPITRE V.1	CHAPTER V.1
DISPOSITIONS PARTICULIÈRES APPLICABLES AUX SERVICES PUBLICS ET AUX SECTEURS PUBLIC ET PARAPUBLIC	SPECIAL PROVISIONS APPLICABLE TO THE PUBLIC SERVICES AND TO THE PUBLIC AND PARAPUBLIC SECTORS

SECTION I

DU CONSEIL DES SERVICES ESSENTIELS

DIVISION I

CONSEIL DES SERVICES ESSENTIELS

111.0.1 [Constitution] Un conseil est constitué sous le nom de Conseil des services essentiels.

1982, c. 37, a. 6.

111.0.1 [Establishment] A council is hereby established under the name of the Conseil des services essentiels.

111.0.2 [Composition] Le Conseil se compose de huit membres dont un président et un vice-président.

1982, c. 37, a. 6; 1984, c. 45, a. 1.

111.0.2 [Composition] The council is composed of eight members including a president and a vice-president.

111.0.3 [Nomination] Les membres du Conseil sont nommés par le gouvernement, sur proposition du ministre.

[Nomination] Les membres, autres que le président et le vice-président, sont nommés comme suit:

a) deux personnes choisies, l'une, après consultation des associations de salariés les plus représentatives dans le domaine des services publics et l'autre, après consultation des associations de salariés les plus représentatives dans le domaine de la santé et des services sociaux;

b) deux personnes choisies, l'une, après consultation des associations d'employeurs les plus représentatives dans le domaine des services publics et l'autre, après consultation des associations d'employeurs les plus représentatives dans le domaine de la santé et des services sociaux;

c) deux personnes choisies, après consultation de la Commission des droits de la personne et des droits de la jeunesse, de l'Office des personnes handicapées du Québec, du Protecteur du citoyen et d'autres personnes ou organismes.

1982, c. 37, a. 6 ;1984, c. 45, a. 2; 1989, c. 53, a. 12; 1995, c. 27, a. 18.

111.0.3 [Appointment] The members of the council are appointed by the Government, on the proposal of the Minister.

[Appointment] The members other than the president and the vice-president are appointed in the following manner:

(a) two persons, one chosen after consultation with the most representative associations of employees in the public services sector, and the other, after consultation with the most representative associations of employees in the health and social services sector;

(b) two persons, one chosen after consultation with the most representative employers' associations in the public services sector, and the other, after consultation with the most representative employers' associations in the health and social services sector;

(c) two persons chosen after consultation with the Commission des droits de la personne et des droits de la jeunesse, the Office des personnes handicapées du Québec, the Public Protector and other persons and agencies.

111.0.4 [Durée du mandat] Le président et le vice-président du Conseil sont nommés pour au plus cinq ans. Les autres membres sont nommés pour au plus trois ans.

111.0.4 [Terms of office] The president and the vice-president of the council are appointed for not over five years. The other members are appointed for not over three years.

[Fonctions continuées] Les membres du Conseil demeurent en fonction jusqu'à ce qu'ils aient été nommés de nouveau ou remplacés.

[Fonctions exclusives] Les membres, sauf ceux qui ont été nommés à temps partiel, doivent s'occuper exclusivement des devoirs de leurs fonctions.

[Remplacement] Si un membre ne termine pas son mandat, il est remplacé de la façon prévue par l'article 111.0.3 pour la durée du mandat qui reste à écouler.

1982, c. 37, a. 6; 1984, c. 45, a. 3.

111.0.5 [Conflit d'intérêt] Le président et le vice-président ne peuvent, sous peine de déchéance de leur charge, avoir un intérêt direct ou indirect dans une entreprise mettant en conflit leur intérêt personnel et celui du Conseil. Toutefois, cette déchéance n'a pas lieu si un tel intérêt leur échoit par succession ou par donation pourvu qu'ils y renoncent ou en disposent avec diligence.

[Conflit d'intérêt] Un autre membre du Conseil qui a un intérêt dans une entreprise doit, sous peine de déchéance de sa charge, le révéler par écrit aux autres membres du Conseil et s'abstenir de participer à une décision portant sur l'entreprise dans laquelle il a cet intérêt.

1982, c. 37, a. 6; 1984, c. 45, a. 4.

111.0.6 [Traitements et allocations] Le gouvernement fixe le traitement ou, s'il y a lieu, les traitements additionnels, les allocations ou les honoraires des membres du Conseil.

1982, c. 37, a. 6.

111.0.7 [Administration du Conseil] Le président du Conseil ou, en son absence, le vice-président est responsable de l'administration du Conseil dans le cadre de ses règlements de régie interne et en dirige le personnel.

1982, c. 37, a. 6; 1984, c. 45, a. 5.

111.0.8 [Quorum] Le quorum des séances du Conseil est constitué par la majorité des membres dont le président ou, en son absence, le vice-président.

[Continuance of office] The members of the council remain in office until they are reappointed or replaced.

[Exclusive office] The members, except the part-time members, shall devote their time exclusively to their duties of office.

[Replacement] If a member does not complete his term, he is replaced in the manner provided in section 111.0.3 for the remainder of the term.

111.0.5 [Conflict of interest] The president and the vice-president, on pain of forfeiture of office, shall not have a direct or indirect interest in an undertaking creating a conflict between their personal interest and that of the council. However, they shall not be removed from office if such interest devolves to them by succession or gift, provided that they renounce or dispose of it with dispatch.

[Conflict of interest] Every other member of the council having a direct or indirect interest in an undertaking must, on pain of forfeiture of office, disclose it in writing to the other members of the council and refrain from participating in any decision in connection with the undertaking in which he has that interest.

111.0.6 [Remuneration] The Government shall fix the salary, or as the case may be, the additional salary, allowances or fees of the members of the council.

111.0.7 [Administration] The president of the council or, in his absence, the vice-president is responsible for the administration of the council within the scope of its internal management by-laws and has the management of its personnel.

111.0.8 [Quorum] A quorum at sittings of the council is formed by the majority of the members, including the president or, in his absence, the vice-president.

[Décisions] Les décisions sont prises à la majorité des voix; s'il y a égalité, le président ou, en son absence, le vice-président a voix prépondérante.

[Divisions du conseil] Le Conseil peut toutefois agir en divisions composées de quatre de ses membres; le quorum des séances d'une division du Conseil est constitué de trois membres dont le président ou le vice-président.

[Autonomie du président] Le président ou le vice-président peut aussi agir seul au nom du Conseil pour:

1° désigner une personne pour aider les parties à conclure une entente suivant le chapitre V.1;

2° évaluer la suffisance des services essentiels ou des services prévus à une entente ou à une liste visées aux sections II et III;

3° exercer les pouvoirs du Conseil prévus au quatrième alinéa de l'article 111.0.18, au deuxième alinéa de l'article 111.10.5 et à l'article 111.10.6.

1982, c. 37, a. 6; 1984, c. 45, a. 6; 1985, c. 12, a. 84; 1998, c. 23, a. 1.

111.0.9 [Régie interne] Le Conseil peut adopter des règles de régie interne et créer des bureaux régionaux et locaux.

1982, c. 37, a. 6.

111.0.10 [Enquête] Le Conseil peut recourir aux services de personnes pour faire enquête, aider les parties à conclure une entente suivant le chapitre V.1, le conseiller quant à l'évaluation des services prévus à une entente ou à une liste ou pour lui faire rapport sur le maintien de ces services ou l'application d'une ordonnance en vertu de la section IV.

1982, c. 37, a. 6; 1985, c. 12, a. 85.

111.0.10.1 [Discrétion] Une personne désignée par le Conseil afin de tenter d'amener les parties à s'entendre ne peut être contrainte de divulguer ce qui lui a été révélé ou ce dont elle a eu connaissance dans l'exercice de ses fonctions ni de produire un document fait ou obtenu dans cet exercice devant un tribunal ou un arbitre ou devant un organisme ou une personne exerçant des fonctions judiciaires ou quasi judiciaires.

[Decision] Questions are decided by a majority of votes; in case of a tie-vote, the president or, in his absence, the vice-president has a casting vote.

[Divisions] The council may, however, operate through divisions consisting of four of its members; three members including the president or the vice-president are a quorum at any meeting of a division of the council.

[President or vice-president] The president or the vice-president may also act alone on behalf of the council

(1) to designate a person to assist the parties in reaching an agreement under Chapter V.1;

(2) to determine whether or not the essential services or the services provided for in an agreement or a list referred to in Divisions II and III are sufficient; and

(3) to exercise the powers of the council under the fourth paragraph of section 111.0.18, the second paragraph of section 111.10.5 and section 111.10.6.

111.0.9 [Internal management] The council may adopt internal management by-laws and establish local and regional offices.

111.0.10 [Professional assistance] The council may retain the services of any person for the purposes of conducting an inquiry, helping the parties to reach an agreement in accordance with Chapter V.1, advising it on the assessment of the services provided for in an agreement or in a list or of reporting to it on the maintenance of those services or the carrying out of an order under Division IV.

111.0.10.1 [Disclosure or production of documents] No person designated by the Conseil to attempt to bring the parties to an agreement may be compelled to disclose or produce, before a court or an arbitrator or before a body or a person exercising judicial or quasi-judicial functions anything made known to or learned by him, or any document prepared or obtained, in the performance of his duties.

[**Accès aux documents**] Malgré l'article 9 de la *Loi sur l'accès aux documents des organismes publics et sur la protection des renseignements personnels* (L.R.Q., chapitre A-2.1), nul n'a droit d'accès à un tel document.

1993, c. 6, a. 5.

111.0.11 [Devoir du Conseil lors d'une grève] Le Conseil doit sensibiliser les parties relativement au maintien des services essentiels lors d'une grève.

[**Maintien des services essentiels**] Le Conseil peut aussi informer le public sur toute question relative au maintien des services essentiels.

1982, c. 37, a. 6.

111.0.12 [Règles d'une entente] Le Conseil peut, par règlement, établir les règles que doivent suivre les parties dans la conclusion d'une entente ou la détermination d'une liste.

[**Approbation**] Un tel règlement est soumis à l'approbation du gouvernement qui peut le modifier. Il entre en vigueur le jour de son approbation ou à toute date ultérieure qui y est indiquée. Il est publié à la *Gazette officielle du Québec*.

1982, c. 37, a. 6; 1985, c. 12, a. 86; 1985, c. 40, a. 2.

111.0.13 [Aide professionnelle] Le Conseil peut, selon les normes et barèmes déterminés par le gouvernement, retenir les services de toute personne à titre d'employé ou autrement pour l'exercice de ses fonctions et fixer sa rémunération, ses avantages sociaux ou ses autres conditions de travail.

1982, c. 37, a. 6; 2000, c. 8, a. 110.

111.0.14 [Deniers requis] Les deniers requis par le Conseil pour l'application du présent chapitre sont pris sur le fonds consolidé du revenu.

1982, c. 37, a. 6.

SECTION II

DES SERVICES PUBLICS

111.0.15 [Dispositions applicables] Les dispositions du présent code s'appliquent

[**Access to documents**] Notwithstanding section 9 of the *Act respecting Access to documents held by public bodies and the Protection of personal information* (R.S.Q., chapter A-2.1), no one shall have access to such a document.

111.0.11 [Duties] The council must further the awareness of the parties in respect of the maintenance of essential services during a strike.

[**Information**] The council also may inform the public on any question relating to the maintenance of essential services.

111.0.12 [Rules] The council may, by regulation, determine the rules that must be observed by the parties in reaching an agreement or establishing a list.

[**Approval and publication**] Such a regulation requires the approval of the Government, which may amend it. It shall come into force on the day of its approval or on any later date indicated therein, and shall be published in the *Gazette officielle du Québec*.

111.0.13 [Personnel] The council may in accordance with the standards and scales determined by the Government, retain the services of any person as an employee or otherwise for the carrying out of its functions and fix his remuneration, social benefits and other conditions of employment.

111.0.14 [Required sums] The sums required by the council for the application of this chapter are taken out of the consolidated revenue fund.

DIVISION II

PUBLIC SERVICES

111.0.15 [Applicability] The provisions of this Code apply to labour relations in a

aux relations du travail dans un service public, sauf dans la mesure où elles sont inconciliables avec celles de la présente section.
1982, c. 37, a. 6.

111.0.16 [Interprétation] Dans la présente section, on entend par «service public»:

1° une municipalité et une régie intermunicipale;

1.1° un établissement et une régie régionale visés par la Loi sur les services de santé et les services sociaux (L.R.Q., chapitre S-4.2) qui ne sont pas visés au paragraphe 2° de l'article 111.2;

2° un établissement et un conseil régional au sens des paragraphes *a* et *f* de l'article 1 de la Loi sur les services de santé et les services sociaux pour les autochtones cris (L.R.Q., chapitre S-5) qui ne sont pas visés au paragraphe 2° de l'article 111.2;

3° une entreprise de téléphone;

4° une entreprise de transport terrestre à itinéraire asservi tels un chemin de fer et un métro, et une entreprise de transport par autobus ou par bateau;

5° une entreprise de production, de transport, de distribution ou de vente de gaz ou d'électricité ainsi qu'une entreprise d'emmagasinage de gaz;

5.1° une entreprise qui exploite ou entretient un système d'aqueduc, d'égout, d'assainissement ou de traitement des eaux;

5.2° un organisme de protection de la forêt contre les incendies reconnu en vertu de l'article 125 de la Loi sur les forêts (L.R.Q., chapitre F-4.1);

6° une entreprise d'incinération de déchets ou d'enlèvement, de transport, d'entreposage, de traitement, de transformation ou d'élimination d'ordures ménagères, de déchets biomédicaux, d'animaux morts impropres à la consommation humaine ou de résidus d'animaux destinés à l'équarrissage;

7° une entreprise de services ambulanciers, la Corporation d'urgences-santé et un centre de communication santé visés par la Loi sur les services préhospitaliers d'urgence et modifiant diverses dispositions législatives (2002, chapitre 69) et une entreprise de cueillette, de transport ou de distribution du sang ou de ses dérivés ou d'organes humains destinés à la transplantation;

public service, except where they are inconsistent with this division.

111.0.16 ["public service"] In this division, "public service" means

(1) a municipality or intermunicipal agency;

(1.1) an institution and a regional board governed by the Act respecting health services and social services (R.S.Q., chapter S-4.2) that are not contemplated by paragraph 2 of section 111.2;

(2) an institution or regional council within the meaning of paragraphs *a* and *f* of section 1 of the Act respecting health services and social services for Cree Native persons (R.S.Q., chapter S-5) that is not contemplated in paragraph 2 of section 111.2;

(3) a telephone service;

(4) a fixed schedule land transport service such as a railway or a subway, or a transport service carried on by bus or by boat;

(5) an undertaking engaged in the production, transmission, distribution or sale of gas or electricity and a gas storage enterprise;

(5.1) a service operating or maintaining a waterworks system or sewer system or a water purification or treatment system;

(5.2) an organization for the protection of the forest against fire certified under section 125 of the Forest Act (R.S.Q., chapter F-4.1);

(6) an undertaking engaging in the incineration of waste or the removal, transportation, storage, treatment, processing or elimination of household garbage, biomedical waste, dead animals unfit for human consumption or animal residues intended for salvaging;

(7) an ambulance service enterprise, Corporation d'urgences-santé and a health communication centre governed by the Act respecting pre-hospital emergency services and amending various legislative provisions (2002, chapter 69) or an enterprise involved in the collection, transportation or distribution of blood or blood products or human organs for transplantation; or

8° un organisme mandataire de l'État à l'exception de la Société des alcools du Québec et d'un organisme dont le personnel est nommé selon la Loi sur la fonction publique (L.R.Q., chapitre F-3.1.1).

(8) an agency that is a mandatary of the State, except the Société des alcools du Québec and an agency or body whose personnel is appointed in accordance with the Public Service Act (R.S.Q., chapter F-3.1.1).

1982, c. 37, a. 6; 1983, c. 55, a. 161; 1988, c. 47, a. 3; 1990, c. 69, a. 3; 1992, c. 21, a. 128, 375; 1994, c. 6, a. 27; 1994, c. 23, a. 23; 1996, c. 2, a. 221; 1998, c. 23, a. 2; 1999, c. 40, a. 59; 2000, c. 8, a. 242; 2002, c. 69, a. 125.

111.0.17 [Ordonnance sur le maintien des services essentiels] Sur recommandation du ministre, le gouvernement peut, par décret, s'il est d'avis que dans un service public une grève pourra avoir pour effet de mettre en danger la santé ou la sécurité publique, ordonner à un employeur et à une association accréditée de ce service public de maintenir des services essentiels en cas de grève.

111.0.17 [Order] On the recommendation of the Minister, the Government, if of the opinion that a strike in a public service might endanger the public health or public safety, may, by order, require an employer and a certified association in that public service to maintain essential service in the event of a strike.

[Décret] Ce décret entre en vigueur le jour où il est pris ou à toute date ultérieure qui y est indiquée et à effet jusqu'au dépôt d'une convention collective ou de ce qui en tient lieu. Il peut être pris en tout temps avant un tel dépôt. Il est publié à la *Gazette officielle du Québec* et le Conseil en avise les parties.

[Coming into force] The order comes into force on the date it is made or on any later date indicated therein and has effect until the filing of a collective agreement or of another document in lieu thereof. It may be made at any time prior to such filing. The order must be published in the *Gazette officielle du Québec* and the council shall inform the parties thereof.

[Suspension du droit de grève] À compter de la date qui y est indiquée, ce décret suspend l'exercice du droit de grève jusqu'à ce que l'association accréditée en cause se conforme aux exigences des articles 111.0.18 et 111.0.23.

[Right to strike] From the date indicated therein, the order suspends the exercise of the right to strike until the certified association concerned meets the requirements of sections 111.0.18 and 111.0.23.

1982, c. 37, a. 6; 1984, c. 45, a. 7; 1990, c. 69, a. 4.

111.0.18 [Négociation] Dans un service public visé dans un décret pris en vertu de l'article 111.0.17, les parties doivent négocier les services essentiels à maintenir en cas de grève. Les parties transmettent leur entente au Conseil.

111.0.18 [Negotiation] In a public service contemplated in an order made pursuant to section 111.0.17, the parties must negotiate what essential services must be maintained in the event of a strike. The parties shall forward their agreement to the council.

[Aide professionnelle] Le Conseil peut, de son propre chef ou à la demande d'une des parties, désigner une personne pour les aider à conclure une telle entente.

[Third party] The council, of its own initiative or at the request of either party, may designate a person to help the parties to reach an agreement.

[Transmission de la liste des services essentiels] À défaut d'une entente, une association accréditée doit transmettre à l'employeur et au Conseil une liste qui détermine quels sont les services essentiels à maintenir dans le service en cause, en cas de grève.

[List of essential services] If no agreement is reached, the certified association must forward to the employer and to the council a list determining the essential services that must be maintained in the service concerned in the event of a strike.

[Modification prohibée] La liste ne peut être modifiée par la suite, sauf sur demande

[Amendment prohibited] In no case may the list be amended thereafter except at the

du Conseil. Si une entente intervient entre les parties postérieurement au dépôt de cette liste, l'entente prévaut.

1982, c. 37, a. 6.

111.0.19 [Évaluation par le Conseil] Sur réception d'une entente ou d'une liste, le Conseil évalue la suffisance des services essentiels qui y sont prévus.

[Assistance aux séances] Les parties sont tenues d'assister à toute séance à laquelle le Conseil les convoque.

[Recommandations] Si le Conseil juge ces services insuffisants, il peut, avant d'en faire rapport au ministre conformément à l'article 111.0.20, faire aux parties les recommandations qu'il juge appropriées afin de modifier l'entente ou la liste. Il peut également ordonner à l'association accréditée de surseoir à l'exercice de son droit à la grève jusqu'à ce qu'elle lui ait fait connaître les suites qu'elle entend donner à ces recommandations.

1982, c. 37, a. 6; 1984, c. 45, a. 8; 2001, c. 26, a. 58.

111.0.20 [Services insuffisants] Le Conseil doit faire rapport au ministre lorsque les services essentiels prévus à une entente ou à une liste sont insuffisants ou ne sont pas rendus lors d'une grève.

[Contenu du rapport] Ce rapport doit préciser en quoi les services essentiels prévus ou effectivement rendus sont insuffisants et dans quelle mesure cela constitue un danger pour la santé ou la sécurité publique.

1982, c. 37, a. 6.

111.0.21 [Information transmise au public] Le Conseil doit informer le public du contenu de tout rapport fait au ministre en vertu de l'article 111.0.20.

1982, c. 37, a. 6.

111.0.22 [Dérogation prohibée] Nul ne peut déroger aux dispositions d'une entente ou d'une liste.

[Liste nulle] Une liste qui prévoit un nombre de salariés supérieur au nombre normalement requis dans le service en cause, est nulle de nullité absolue.

1982, c. 37, a. 6; 1999, c. 40, a. 59.

request of the council. If an agreement is entered into between the parties after the list is filed, the agreement prevails.

111.0.19 [Assessment] On receiving an agreement or a list, the council shall assess whether or not the essential services provided for therein are sufficient.

[Attendance] The parties shall attend every meeting to which they are convened by the council.

[Recommendations] If the council considers the services to be insufficient, it may, before reporting it to the Minister pursuant to section 111.0.20, make the appropriate recommendations to the parties to amend the agreement or the list. The council may also order the certified association to postpone the exercise of its right to strike until the association informs the council of the action it intends to take in respect of the recommendations.

111.0.20 [Insufficient services] The council must report every case to the Minister where the essential services provided for in an agreement or in a list are insufficient, or are not rendered during a strike.

[Report] The report must specify how the essential services provided for or actually rendered are insufficient and to what extent that constitutes a danger to the public health or public safety.

111.0.21 [Information] The council must inform the public of the content of any report made to the Minister under section 111.0.20.

111.0.22 [Derogation] No person may derogate from the provisions of an agreement or a list.

[Nullity of list] Any list providing for a number of employees greater than the number ordinarily required in the service concerned is absolutely null.

111.0.23 [Avis de grève] Sous réserve de l'article 111.0.24, une association accréditée d'un service public peut déclarer une grève pourvu qu'elle en ait acquis le droit suivant l'article 58 et qu'elle ait donné par écrit au ministre et à l'employeur ainsi qu'au Conseil s'il s'agit d'un service public visé dans un décret pris en vertu de l'article 111.0.17, un avis préalable d'au moins sept jours juridiques francs indiquant le moment où elle entend recourir à la grève.

[Renouvellement] Cet avis de grève ne peut être renouvelé qu'après le jour indiqué dans l'avis précédent comme moment où l'association accréditée entendait recourir à la grève.

[Entente préalable la grève] Dans le cas d'un service public visé dans un décret pris en vertu de l'article 111.0.17, la grève ne peut être déclarée par une association accréditée à moins qu'une entente n'ait été transmise au Conseil depuis au moins sept jours ou qu'une liste ne lui ait été transmise ainsi qu'à l'employeur dans le même délai.

[Délai] Le délai visé au troisième alinéa est calculé sans égard à l'application du quatrième alinéa de l'article 111.0.18.

[Interdiction] À moins d'entente entre les parties, l'employeur ne doit pas modifier les conditions de travail des salariés qui rendent les services essentiels.

1982, c. 37, a. 6; 1984, c. 45, a. 9.

111.0.23.1 [Avis de non recours] L'association accréditée d'un service public doit donner au ministre et à l'employeur ainsi qu'au Conseil s'il s'agit d'un service public visé dans un décret pris en vertu de l'article 111.0.17, un avis écrit indiquant son intention de ne pas recourir à la grève au moment indiqué à l'avis transmis en vertu de l'article 111.0.23 ou, selon le cas, le moment prévu pour le retour au travail.

[Délai] Cet avis doit être donné pendant les heures ouvrables de ce service public.

[Maintien des services essentiels] Un employeur n'est pas tenu de permettre l'exécution de la prestation de travail après le moment indiqué à l'avis de grève ou, selon le cas, à l'avis de retour au travail, avant l'expiration d'une période de quatre heures

111.0.23 [Strike notice] Subject to section 111.0.24, a certified association in a public service may declare a strike provided it has acquired the right to strike in accordance with section 58 and has given to the Minister and the employer, and to the council in the case of a public service contemplated in an order made under section 111.0.17, a prior notice in writing of not less than seven clear juridical days of the time when it intends to go on strike.

[Renewal] In no case may the strike notice be renewed until after the day indicated in the original notice as the time when the certified association intended to go on strike.

[Agreement] In the case of a public service contemplated in an order made under section 111.0.17, no strike may be declared by a certified association unless an agreement has been forwarded to the council not less than seven days previously, or unless a list has been forwarded to the council and to the employer not less than seven days previously.

[Prescribed time] The time contemplated in the third paragraph is computed without reference to the application of the fourth paragraph of section 111.0.18.

[Conditions of employment] Unless an agreement has been reached by the parties, no employer shall change the conditions of employment of the employees providing essential services.

111.0.23.1 [Written notice] A certified association in a public service contemplated in an order made under section 111.0.17 must give the Minister, the employer and the council a written notice indicating its intention not to resort to a strike at the time indicated in the notice given under section 111.0.23 or, as the case may be, the time at which a return to work is intended.

[Working hours] The notice must be given during the working hours of the public service.

[Performance of work] An employer is not required to allow the work to be performed after the time indicated in the strike notice, or, as the case may be, in the return-to-work notice, before the expiration of a four-hour period after receipt of the notice

suivant la réception de l'avis donné conformément au deuxième alinéa. Les parties peuvent toutefois convenir d'une période plus courte. S'il s'agit d'un service public visé dans un décret pris en vertu de l'article 111.0.17, les services essentiels doivent être maintenus jusqu'au retour au travail.

1994, c. 6, a. 28.

111.0.24 [Suspension de l'exercice du droit de grève] Dans un service public visé dans un décret pris en vertu de l'article 111.0.17, le gouvernement peut, par décret pris sur recommandation du ministre, suspendre l'exercice du droit de grève s'il juge que, lors d'une grève appréhendée ou en cours, les services essentiels prévus ou effectivement rendus sont insuffisants et que cela met en danger la santé ou la sécurité publique.

[Effet] Cette suspension a effet jusqu'à ce qu'il soit démontré, à la satisfaction du gouvernement, qu'en cas d'exercice du droit de grève les services essentiels seront maintenus de façon suffisante dans ce service public.

[Entrée en vigueur du décret] Un décret pris en vertu du premier alinéa entre en vigueur le jour où il est pris ou à toute date ultérieure qui y est indiquée. Il est publié à la *Gazette officielle du Québec* et dans un journal circulant dans la région où le service public en cause est dispensé.

1982, c. 37, a. 6.

111.0.25 [Injonction] Seul le Procureur général peut requérir une injonction lors du refus de respecter la suspension de l'exercice du droit de grève décrétée en vertu de l'article 111.0.24.

1982, c. 37, a. 6.

111.0.26 [Lock-out interdit] Le lock-out est interdit dans un service public visé dans un décret pris en vertu de l'article 111.0.17.

1982, c. 37, a. 6.

SECTION III

DES SECTEURS PUBLIC ET PARAPUBLIC

111.1 [Dispositions applicables] À l'exception de la section I.1 du chapitre IV et de la possibilité de convenir d'une durée de

given in accordance with the second paragraph. However, the parties may agree upon a shorter period. In the case of a public service contemplated by an order made under section 111.0.17, essential services shall be maintained until the date of return to work.

111.0.24 [Suspension of right to strike] In a public service contemplated by an order made under section 111.0.17, the Government, on the recommendation of the Minister, may, by order, suspend the right to strike if it is of opinion that the essential services provided for or actually rendered where a strike is apprehended or in progress are insufficient and that it endangers the public health or public safety.

[Effect] The suspension has effect until proof is made to the satisfaction of the Government that where the right to strike is exercised, essential services will be sufficiently maintained in that public service.

[Coming into force and publication] Every order made under the first paragraph comes into force on the day it is made or on any later date indicated therein. It must be published in the *Gazette officielle du Québec* and in a newspaper circulated in the region where the public service concerned is provided.

111.0.25 [Injunction] Only the Attorney General may apply for an injunction in the case of refusal to observe the suspension of the right to strike ordered under section 111.0.24.

111.0.26 [Lock-out] Lock-out is prohibited in a service contemplated in an order made under section 111.0.17.

DIVISION III

PUBLIC AND PARAPUBLIC SECTORS

111.1 [Applicability] Excluding Division I.1 of Chapter IV and the possibility of agreeing on a term of more than three years

plus de trois ans pour une convention collective, les dispositions du présent code s'appliquent aux relations du travail dans les secteurs public et parapublic, sauf dans la mesure où elles sont inconciliables avec celles de la présente section.

1978, c. 52, a. 4; 1982, c. 37, a. 7; 1994, c. 6, a. 29.

111.2 [Interprétation] Dans la présente section, on entend par:

1° [**«secteurs public et parapublic»**] «secteurs public et parapublic»: Le gouvernement, ses ministères et les organismes du gouvernement dont le personnel est nommé suivant la Loi sur la fonction publique (L.R.Q., chapitre F-3.1.1), ainsi que les collèges, les commissions scolaires et les établissements visés dans la Loi sur le régime de négociation des conventions collectives dans les secteurs public et parapublic (L.R.Q., chapitre R-8.2);

2° [**«établissement»**] «établissement»: un établissement visé par l'article 1 de la Loi sur le régime de négociation des conventions collectives dans les secteurs public et parapublic.

1978, c. 52, a. 4; 1978, c. 15, a. 140; 1983, c. 55, a. 161; 1982, c. 37, a. 7; 1985, c. 12, a. 99; 1992, c. 21, a. 375; 2000, c. 8, a. 242.

111.3 [Époque de la demande d'accréditation] Malgré le paragraphe *d* du premier alinéa de l'article 22, l'accréditation peut être demandée à l'égard d'un groupe de salariés des secteurs public et parapublic entre le deux cent soixante-dixième et le deux cent quarantième jour précédant la date d'expiration d'une convention collective ou de ce qui en tient lieu.

[Parties liées par la convention] Cette convention ou ce qui en tient lieu lie les parties pour toute sa durée malgré l'accréditation d'une nouvelle association de salariés. La nouvelle association est liée par cette convention comme si elle y était nommée et devient par le fait même partie à toute procédure s'y rapportant aux lieu et place de l'association précédente.

1978, c. 52, a. 4; 2001, c. 26, a. 59.

111.4 [Délai pour devenir membre d'une autre association] Nulle association accréditée ayant conclu une convention collective, nul groupe de salariés régis par une

for a collective agreement, the provisions of this Code apply to labour relations in the public and parapublic sectors except where they are inconsistent with this division.

111.2 [Interpretation] In this division,

(1) [**"public and parapublic sectors"**] "public and parapublic sectors" means the Government and the government departments and those government agencies and bodies whose personnel is appointed in accordance with the Public Service Act (R.S.Q., chapter F-3.1.1), as well as the colleges, school boards and institutions contemplated in the Act respecting the process of negotiation of the collective agreements in the public and parapublic sectors (R.S.Q., chapter R-8.2);

(2) [**"institution"**] "institution" means an institution contemplated in section 1 of the Act respecting the process of negotiation of the collective agreements in the public and parapublic sectors.

111.3 [Date of application for accreditation] Notwithstanding subparagraph *d* of the first paragraph of section 22, certification may be applied for in respect of a group of employees of the public and parapublic sectors between two hundred and seventy days and two hundred and forty days before the date of expiration of a collective agreement or the document in lieu thereof.

[Agreement binding] This collective agreement or the document in lieu thereof is binding on the parties for its duration, notwithstanding the certification of a new association of employees. The new association is bound by that agreement as if it were named therein and it becomes *ipso facto* a party to every proceeding relating to it in the place and stead of the former association.

111.4 [Delay for becoming a member of another association] No certified association that is a party to a collective agreement, and no group of employees governed

telle convention ou ce qui en tient lieu, ne fera de démarches en vue de devenir membre d'une autre association ou de s'y affilier, sauf entre le deux cent soixante-dixième et le cent quatre-vingtième jour précédant la date d'expiration de la convention collective ou de ce qui en tient lieu.

by such an agreement, or the document in lieu thereof, may take measures in view of becoming a member of another association or of affiliating with it, except between two hundred and seventy days and one hundred and eighty days before the date of expiration of a collective agreement or the document in lieu thereof.

1978, c. 52, a. 4.

111.5 Abrogé.

111.5 Repealed.

1978, c. 52, a. 4; 1982, c. 37, a. 8.

111.6 [Négociation conforme] Une convention collective liant un collège, une commission scolaire ou un établissement visé dans la Loi sur le régime de négociation des conventions collectives dans les secteurs public et parapublic (L.R.Q., chapitre R-8.2) est négociée et agréée conformément à cette loi.

111.6 [Negotiation] Every collective agreement binding on a college, a school board or an institution contemplated in the Act respecting the process of negotiation of the collective agreements in the public and parapublic sectors (R.S.Q., chapter R-8.2) shall be negotiated and agreed in accordance with the said Act.

[Expiration] Une telle convention collective expire pour l'application du présent code, à la date d'expiration des stipulations négociées et agréées à l'échelle nationale.

[Expiration] Every collective agreement contemplated in the first paragraph shall expire, for the purposes of this Code, on the date of expiration of the clauses negotiated and agreed at the national level.

[Effet continué] Les stipulations d'une telle convention collective qui sont négociées et agréées à l'échelle locale ou régionale continuent d'avoir effet, malgré l'expiration des stipulations négociées et agréées à l'échelle nationale, tant qu'elles n'ont pas été modifiées, abrogées ou remplacées par entente entre les parties.

[Effect] The clauses of such a collective agreement that are negotiated and agreed at the local or regional level shall continue to have effect notwithstanding the expiration of the clauses negotiated and agreed at the national level, until they are amended repealed or replaced by agreement between the parties.

1978, c. 52, a. 4; 1985, c. 12, a. 87; 1992, c. 21, a. 375.

111.7 [Phase des négociations] La phase des négociations commence à compter du cent quatre-vingtième jour précédant la date d'expiration d'une convention collective ou de ce qui en tient lieu.

111.7 [Negotiation stage] The negotiation stage begins one hundred and eighty days before the date of expiration of a collective agreement or the document in lieu thereof.

1978, c. 52, a. 4.

111.8 1. [Transmission des propositions d'une association accréditée faisant partie d'un groupement] Une association accréditée des secteurs public et parapublic faisant partie d'un groupement d'associations de salariés visé à l'article 1 de la Loi sur le régime de négociation des conventions collectives dans les secteurs public et parapublic (L.R.Q., chapitre R-8.2) doit, par

111.8 (1) [Presentation of proposals by associations forming part of a group] Every certified association of the public and parapublic sectors forming part of an employee-associations group contemplated in section 1 of the Act respecting the process of negotiation of the collective agreements in the public and parapublic sectors (R.S.Q., chapter R-8.2) must, through its bargaining

l'entremise de son agent négociateur, transmettre par écrit à l'autre partie, au plus tard le cent cinquantième jour précédant la date d'expiration d'une convention collective ou de ce qui en tient lieu, ses propositions sur l'ensemble des matières qui doivent faire l'objet des négociations à l'échelle nationale à l'exclusion des salaires et échelles de salaires.

2. **[Transmission des propositions d'une association accréditée ne faisant pas partie d'un groupement]** Une association accréditée des secteurs public et parapublic qui ne fait pas partie d'un groupement d'associations de salariés mentionné au premier paragraphe doit, par l'entremise de son agent négociateur, transmettre par écrit à l'autre partie, au plus tard le cent cinquantième jour précédant la date d'expiration d'une convention collective ou de ce qui en tient lieu, ses propositions sur l'ensemble des matières qui doivent faire l'objet des négociations à l'échelle nationale à l'exclusion des salaires et échelles de salaires.

3. **[Transmission des propositions d'une association accréditée par les comités patronaux]** Les comités et sous-comités patronaux institués par la Loi sur le régime de négociation des conventions collectives dans les secteurs public et parapublic doivent, dans les soixante jours qui suivent la réception de ces propositions, transmettre par écrit, à l'autre partie, leurs propositions sur l'ensemble des matières qui doivent faire l'objet des négociations à l'échelle nationale à l'exclusion des salaires et échelles de salaires.

4. **[Transmission des propositions salariales]** Une association de salariés visée dans le paragraphe 1 ou le paragraphe 2 et un comité ou un sous-comité patronal de négociation visé dans le paragraphe 3, doivent transmettre par écrit à l'autre partie leurs propositions sur les salaires et échelles de salaires, dans les trente jours qui suivent la date de publication du rapport de l'Institut de la statistique du Québec prévu à l'article 4 de la Loi sur l'Institut de la statistique du Québec (L.R.Q., chapitre I-13.001).

agent, present in writing to the other party, not later than one hundred and fifty days before the date of expiration of a collective agreement or the document in lieu thereof, its proposals on all the matters that are to be negotiated at the national level except salaries and salary scales.

(2) **[Presentation of proposals by associations not forming part of a group]** Every certified association of the public and parapublic sectors not forming part of an employee-associations group mentioned in subsection 1 must, through its bargaining agent, present in writing to the other party, not later than one hundred and fifty days before the date of expiration of a collective agreement or the document in lieu thereof, its proposals on all the matters that are to be negotiated at the national level except salaries and salary scales.

(3) **[Presentation of proposals by management committees]** The management negotiating committees and subcommittees established by the Act respecting the process of negotiation of the collective agreements in the public and parapublic sectors must, within sixty days following the receipt of these proposals, present, in writing, to the other party, their proposals on all the matters that are to be negotiated at the national level except salaries and salary scales.

(4) **[Presentation of proposals]** Every association of employees contemplated in subsection 1 or subsection 2 and every management negotiating committee or subcommittee contemplated in subsection 3 shall transmit, in writing, to the other party their proposals on salaries and salary scales within thirty days of the date of publication of the report of the Institut de la statistique du Québec provided for in section 4 of the Act respecting the Institut de la statistique du Québec (R.S.Q., chapter I-13.001).

1978, c. 52, a. 4; 1982, c. 37, a. 9; 1985, c. 12, a. 88, 99; 1998, c. 44, a. 47.

111.9 Abrogé.

1978, c. 52, a. 4; 1982, c. 37, a. 10.

111.9 Repealed.

111.10 [Pourcentage de salariés à maintenir lors d'une grève] Lors d'une grève des salariés d'un établissement, le pourcentage de salariés à maintenir par quart de travail parmi les salariés qui seraient habituellement en fonction lors de cette période est d'au moins:

1° 90% dans le cas d'un établissement qui exploite un centre d'hébergement et de soins de longue durée, un centre de réadaptation, un centre hospitalier de soins psychiatriques, un centre hospitalier spécialisé en neurologie ou en cardiologie ou un centre hospitalier doté d'un département clinique de psychiatrie ou d'un département de santé communautaire, dans le cas d'un établissement à qui une régie régionale confie des fonctions reliées à la santé publique ou dans le cas d'un centre hospitalier de la classe des centres hospitaliers de soins de longue durée ou d'un centre d'accueil;

2° 80% dans le cas d'un établissement qui exploite un centre hospitalier autre qu'un centre hospitalier visé au paragraphe 1° ou d'un établissement désigné centre de santé;

3° 60% dans le cas d'un établissement qui exploite un centre local de services communautaires;

4° 55% dans le cas d'un établissement qui exploite un centre de protection de l'enfance et de la jeunesse ou dans le cas d'un centre de services sociaux.

[Entente sur le nombre de salariés à maintenir] Dans le cas d'un organisme que le gouvernement a déclaré être assimilé à un établissement en vertu du quatrième alinéa de l'article 1 de la Loi sur le régime de négociation des conventions collectives dans les secteurs public et parapublic, le nombre de salariés à maintenir est déterminé par entente entre les parties ou, à défaut d'entente, par une liste établie suivant l'article 111.10.3. Cette entente ou cette liste doit être approuvée par le Conseil.

111.10 [Number of employees to be maintained in event of a strike] In the event of a strike in an institution, the percentage of employees to be maintained per work shift from among the employees who would usually be on duty during that period shall be at least

(1) 90% in the case of an institution operating a residential and long-term care centre, a rehabilitation centre, a psychiatric hospital, a hospital providing specialized care in neurology or cardiology or a hospital centre having a department of clinical psychiatry or a community health department, in the case of an institution to which a regional board entrusts functions relating to public health, or in the case of a hospital centre belonging to the class of hospital centres for long-term care or a reception centre;

(2) 80% in the case of an institution operating a hospital centre other than those contemplated in subparagraph 1 or in the case of an institution designated as a health care centre;

(3) 60% in the case of an institution operating a local community service centre;

(4) 55% in the case of an institution operating a child and youth protection centre or in the case of a social services centre.

[Body classified as an institution] In the case of a body declared by the Government to be classified as an institution under the fourth paragraph of section 1 of the Act respecting the process of negotiation of the collective agreements in the public and parapublic sectors, the number of employees to be maintained shall be determined by agreement between the parties or, failing an agreement, by a list established in accordance with section 111.10.3. The agreement or the list shall be approved by the council.

1978, c. 52, a. 4; 1982, c. 37, a. 11; 1985, c. 12, a. 89; 1985, c. 40, a. 2; 1992, c. 21, a. 129, 375.

111.10.1 [Négociation] Les parties doivent négocier le nombre de salariés à maintenir par unité de soins et catégories de services parmi les salariés habituellement affectés à ces unités et catégories de services. Leur entente doit, en plus de se conformer à l'article 111.10 dans le cas d'un

111.10.1 [Number of employees per unit] The parties shall negotiate the number of employees to be maintained per unit of care and class of services from among the employees usually assigned to such units of care and classes of services. The agreement shall, in addition to conforming to section

établissement qui y est visé, permettre d'assurer, le cas échéant, le fonctionnement normal des unités de soins intensifs et des unités d'urgence. Elle doit en outre contenir des dispositions permettant d'assurer le libre accès d'une personne aux services de l'établissement.

[**Transmission de l'entente**] Cette entente est transmise au Conseil pour approbation.

111.10, in the case of an institution contemplated therein, include provisions designed to ensure the normal operation of intensive care units and emergency care units, if necessary. It shall also include provisions designed to ensure a person's freedom of access to the services of the institution.

[**Approval**] The agreement shall be transmitted to the council for approval.

1982, c. 37, a. 12; 1984, c. 45, a. 33; 1985, c. 12, a. 89; 1985, c. 40, a. 2; 1992, c. 21, a. 130, 375.

111.10.2 [Information au Conseil] Un établissement doit à la demande du Conseil communiquer à ce dernier le nombre de salariés, par unité de négociation, quart de travail, unités de soins et catégorie de services, qui sont habituellement au travail pour la période indiquée dans la demande.

111.10.2 [Information to the council] Every institution shall, upon request, inform the council of the number of employees per bargaining unit, work shift, unit of care and class of services, who are usually on duty for the period indicated in the request.

1982, c. 37, a. 12; 1985, c. 12, a. 89; 1985, c. 40, a. 2; 1992, c. 21, a. 375.

111.10.3 [Défaut d'entente] À défaut d'une entente, une association accréditée doit transmettre au Conseil pour approbation une liste prévoyant par unité de soins et catégorie de services le nombre de salariés de l'unité de négociation qui sont maintenus en cas de grève.

[**Liste du nombre de salariés**] Parmi les salariés de l'unité de négociation habituellement affectés à une unité ou une catégorie de services de l'établissement, la liste doit prévoir le maintien d'un nombre de salariés au moins égal au pourcentage prévu par les paragraphes 1° à 4° du premier alinéa de l'article 111.10 qui est applicable à l'établissement.

[**Contenu**] La liste doit en outre permettre d'assurer, le cas échéant, le fonctionnement normal des unités de soins intensifs et des unités d'urgence. Elle doit aussi contenir des dispositions permettant d'assurer le libre accès d'une personne aux services de l'établissement.

[**Nullité d'une liste**] Une liste qui prévoit un nombre de salariés supérieur au nombre habituellement requis dans le service en cause est nulle de nullité absolue.

111.10.3 [List] If no agreement is reached, every certified association shall transmit to the council for approval a list providing, per unit of care and class of services, the number of employees of the bargaining unit who are maintained in the event of a strike.

[**Required number of employees**] The list shall provide, from among the employees of the bargaining unit usually assigned to a care unit or class of services in the institution, that a number of employees at least equal to the percentage provided in subparagraphs 1 to 4 of the first paragraph of section 111.10 that is applicable to the institution, are maintained.

[**Intensive care units**] The list shall also include provisions designed to ensure the normal operation of intensive care units and emergency care units, if necessary. It shall also include provisions designed to ensure a person's freedom of access to the services of the institution.

[**Nullity of list**] Any list providing for a number of employees greater than the usual number of employees required in the service concerned is absolutely null.

1982, c. 37, a. 12; 1985, c. 12, a. 89; 1985, c. 40, a. 2; 1992, c. 21, a. 131, 375; 1999, c. 40, a. 59.

111.10.4 [Évaluation] Sur réception d'une entente ou d'une liste, le Conseil

111.10.4 [Assessment] On receiving an agreement or a list, the council shall assess,

évalue la suffisance des services qui y sont prévus à l'aide des critères prévus aux articles 111.10, 111.10.1 et 111.10.3 qui sont applicables.

[Désaccord] En cas de désaccord entre les parties il peut, à l'exclusion de toute autre personne, statuer sur la qualification d'un établissement aux fins de l'application des pourcentages prévus par le premier alinéa de l'article 111.10.

[Assistance aux séances] Les parties sont tenues d'assister à toute séance où le Conseil les convoque.

1982, c. 37, a. 12; 1985, c. 12, a. 89; 1985, c. 40, a. 2; 1992, c. 21, a. 375.

with reference to the applicable criteria set forth in sections 111.10, 111.10.1 and 111.10.3, whether or not the essential services provided for therein are sufficient.

[Disagreement] In case of disagreement between the parties, the council may, to the exclusion of any other person, rule on the qualification of an institution for the purposes of the application of the percentages provided in the first paragraph of section 111.10.

[Mandatory attendance] The parties are bound to attend any sitting of the council to which they are convened.

111.10.5 [Modification des services] Même dans le cas où une liste ou une entente est conforme aux critères prévus aux articles 111.10, 111.10. 1 et 111.10.3, le Conseil peut, si la situation particulière de l'établissement lui paraît le justifier, augmenter ou modifier les services qui y sont prévus avant de l'approuver.

[Recommandations] S'il juge les services insuffisants, il peut faire aux parties les recommandations qu'il juge appropriées en vue de la modification de la liste ou de l'entente ou il peut l'approuver avec modification.

1982, c. 37, a. 12; 1985, c. 12, a. 89; 1985, c. 40, a. 2; 1992, c. 21, a. 375.

111.10.5 [Power of the council] Even where a list or agreement is consistent with the criteria set forth in sections 111.10, 111.10.1 and 111.10.3, the council, before approving it, may, if the situation of the institution justifies it, increase or modify the services provided for therein.

[Recommendations] If it considers that the services are insufficient, the council may make to the parties the recommendations that it considers appropriate in view of amending the list or agreement, or it may approve the list with amendments.

111.10.6 [Primauté de l'entente] Une liste approuvée par le Conseil ne peut être modifiée par la suite sauf sur la demande de ce dernier. Si une entente intervient entre les parties postérieurement au dépôt d'une liste devant le Conseil, l'entente approuvée par le Conseil prévaut.

1982, c. 37, a. 12; 1985, c. 12, a. 89; 1985, c. 40, a. 2.

111.10.6 [Precedence of agreement] No list approved by the council may be amended thereafter except at the latter's request. If an agreement is reached between the parties after the list is filed with the council, the agreement approved by the council shall prevail.

111.10.7 [Approbation présumée] Une liste ou une entente est réputée approuvée telle que déposée si dans les 90 jours de sa réception par le Conseil, ce dernier n'a pas statué sur la suffisance des services qu'elle prévoit.

[Modification] Toutefois le Conseil peut par la suite, modifier le cas échéant une telle liste ou une telle entente afin de la rendre conforme aux dispositions des articles 111.10, 111.10.1 et 111.10.3 qui lui sont applicables.

1985, c. 12, a. 89; 1985, c. 40, a. 2; 1999, c. 40, a. 59.

111.10.7 [Presumption] Every list or agreement is deemed to be approved as filed if, within ninety days of its receipt by the council, the latter has not ruled on the sufficiency of the services provided for in it.

[Amendment] However, the council may subsequently amend, if necessary, such a list or agreement in order to bring it into conformity with the applicable provisions of sections 111.10, 111.10.1 and 111.10.3.

111.10.8 [Dérogation] Nul ne peut déroger aux dispositions d'une entente ou d'une liste approuvée par le Conseil.

1985, c. 12, a. 89; 1985, c. 40, a. 2.

111.10.8 [Derogation] No person may derogate from the provisions of a list or agreement approved by the council.

111.11 [Avis préalable d'une grève ou d'un lock-out] Une partie ne peut déclarer une grève ou un lock-out à moins qu'il ne se soit écoulé au moins 20 jours depuis la date où le ministre a reçu l'avis prévu à l'article 50 de la Loi sur le régime de négociation des conventions collectives dans les secteurs public et parapublic et qu'un avis préalable d'au moins sept jours juridiques francs n'ait été donné par écrit au ministre et à l'autre partie ainsi qu'au Conseil dans le cas d'un établissement ou d'un groupe de salariés visé par le deuxième alinéa de l'article 69 de la Loi sur la fonction publique (L.R.Q., chapitre F-3.1.1), indiquant le moment où elle entend recourir à la grève ou au lock-out.

[Délai] Dans le cas où les parties ont conclu une entente sur l'ensemble des stipulations négociées et agréées à l'échelle nationale à l'exception des salaires et échelles de salaires, le délai de 20 jours à l'issue duquel une grève ou un lock-out peut être déclaré court à compter de la date de cette entente.

[Avis renouvelé] L'avis de sept, jours de grève ou de lock-out ne peut être renouvelé qu'après le jour indiqué dans l'avis précédent comme moment où elle entendait recourir à la grève ou au lock-out.

[Interdiction à l'employeur] À moins d'entente entre les parties, l'employeur ne doit pas modifier les conditions de travail des salariés qui rendent les services essentiels.

111.11 [Strike or lock-out] In no case may a party declare a strike or a lockout unless twenty days have lapsed since the date on which the Minister received the notice provided for in section 50 of the Act respecting the process of negotiation of the collective agreements in the public and parapublic sectors and the party has given a prior notice of at least seven clear juridical days in writing to the Minister and to the other party, and to the council in the case of an institution or a group of employees referred to in the second paragraph of section 69 of the Public Service Act (R.S.Q., chapter F-3.1.1), indicating when it intends to resort to a strike or to a lock-out.

[Prescribed time] Where the parties have reached an agreement on all of the clauses negotiated and agreed at the national level except salaries and salary scales, the twenty-day period after which a strike or lockout may be declared shall run from the date of the agreement.

[Renewal] In no case may the seven days' notice of strike or lock-out be renewed before the day indicated in the prior notice as the time when the party intended to resort to the strike or the lock-out.

[Conditions of employment] Unless by agreement between the parties, no employers may change the conditions of employment of the employees who provide the essential services.

1978, c. 52, a. 4; 1982, c., 37, a. 13; 1984, c. 45, a. 34; 1985, c. 12, a. 90; 1992, c. 21, a. 375; 2001, c. 26, a. 60.

111.12 [Approbation préalable] Dans le cas d'un établissement, la grève ne peut être déclarée par une association accréditée à moins qu'une entente ou une liste n'ait été approuvée par le Conseil ou qu'elle soit réputée approuvée en vertu de l'article 111.10.7 et que depuis au moins 90 jours cette liste ou cette entente ait été transmise à l'employeur.

111.12 [Prior approval of list required] In the case of an institution, no strike may be declared by a certified association unless an agreement or a list has been approved by the council or unless a list or agreement is deemed to be approved under section 111.10.7 and unless the list or agreement has been transmitted to the employer not less than ninety days previously.

1978, c. 52, a. 4; 1982, c. 37, a. 14; 1985, c. 12, a. 91; 1985, c. 40, a. 2; 1992, c. 21, a. 375; 1999, c. 40, a. 59.

111.13 [Lock-out interdit] Le lock-out ne peut être décrété par un établissement.

[Maintien des services essentiels] Malgré une grève appréhendée, un établissement doit dispenser ses services habituels sans modification des normes applicables à l'accès aux services et à leur prestation.

[Contravention] Le Conseil peut en cas de contravention au présent article, exercer les pouvoirs que lui confère la section IV.

111.13 [Lock-outs prohibited] Lock-outs may not be declared by an institution.

[Apprehended strike] Notwithstanding an apprehended strike, every institution shall provide its usual services without changes in the norms applicable to the access to or provision of the services.

[Powers] The council may, in case of contravention of this section, exercise the powers conferred upon it by Division IV.

1982, c. 37, a. 15; 1985, c. 12, a. 91; 1985, c. 40, a. 2; 1992, c. 21, a. 132, 375.

111.14 [Grève et lock-out interdits] La grève et le lock-out sont interdits à l'égard d'une matière définie comme faisant l'objet de stipulations négociées et agréées à l'échelle locale ou régionale ou d'arrangements locaux suivant la Loi sur le régime de négociation des conventions collectives dans les secteurs public et parapublic (L.R.Q., chapitre R-8.2) ainsi qu'à l'égard de la détermination des salaires et échelles de salaires prévue par le deuxième alinéa de l'article 52 et par les articles 53 à 55 de cette loi.

111.14 [Lock-outs and strikes prohibited] Strikes and lock-outs are prohibited in respect of a matter defined as pertaining to clauses negotiated and agreed at the local or regional level or subject to local arrangements pursuant to the Act respecting the process of negotiation of the collective agreements in the public and parapublic sectors (R.S.Q., chapter R-8.2) as well as in respect of the determination of the salaries and salary scales provided for in the second paragraph of section 52 and in sections 53 to 55 of the said Act.

1982, c. 37, a. 15; 1985, c. 12, a. 91; 1985, c. 40, a. 2.

111.15 Remplacé.

111.15 Replaced.

1982, c. 37, a. 15; 1985, c. 12, a. 91.

111.15.1 [Demande au Conseil] À défaut d'une entente visée à l'article 69 de la Loi sur la fonction publique (L.R.Q., chapitre F-3.1.1), une partie peut demander au Conseil de désigner une personne pour les aider à conclure une telle entente ou de déterminer lui-même les services essentiels à maintenir en cas de grève ainsi que la façon de les maintenir. La partie demanderesse doit en aviser sans délai l'autre partie.

[Information et séance] Après l'envoi d'une telle demande, les parties doivent transmettre sans délai au Conseil toute information pertinente aux services essentiels à maintenir et assister, le cas échéant, à toute séance à laquelle le Conseil les convoque.

111.15.1 [Request] If no agreement is reached under section 69 of the Public Service Act (R.S.Q., chapter F-3.1.1), a party may request the council to designate a person to help the parties to reach an agreement, or to itself determine what essential services must be maintained and in what manner. The party making the request shall notify the other party without delay.

[Relevant information] After the request is sent, the parties must forward without delay any relevant information respecting the essential services that must be maintained to the council and attend any sitting of the council to which they are convened.

2001, c. 26, a. 61.

111.15.2 [Désignation d'une personne] Sur réception d'une demande en vertu de l'article 111.15.1, le Conseil peut, de sa propre initiative ou à la demande d'une des parties, désigner une personne pour les aider à conclure une entente.

111.15.2 [Designation] On receiving a request under section 111.15.1, the council, on its own initiative or at the request of either party, may designate a person to held the parties to reach an agreement.

[Détermination des services à maintenir] Le Conseil peut aussi, en tout temps après réception d'une telle demande, déterminer les services essentiels à maintenir en cas de grève ainsi que la façon de les maintenir. Il peut aussi en tout temps, à la demande de l'une des parties, modifier la décision qu'il a ainsi prise.

2001, c. 26, a. 61; 2001, c. 49, a. 1.

111.15.3 [Dérogation interdite] Nul ne peut déroger aux dispositions d'une entente visée à l'article 69 de la Loi sur la fonction publique (L.R.Q., chapitre F-3.1.1) ou d'une décision prise par le Conseil en vertu de l'article 111.15.2 du présent code.

2001, c. 26, a. 61.

SECTION IV

POUVOIRS DE REDRESSEMENT

111.16 [Enquête] Dans les services publics et les secteurs public et parapublic, le Conseil des services essentiels peut, de sa propre initiative ou à la demande d'une personne intéressée, faire enquête sur un lock-out, une grève ou un ralentissement d'activités qui contrevient à une disposition de la loi ou au cours duquel les services essentiels prévus à une liste ou une entente ne sont pas rendus.

[Rapport sur l'état de la situation] Le Conseil peut également tenter d'amener les parties à s'entendre ou charger une personne qu'il désigne de tenter de les amener à s'entendre et de faire rapport sur l'état de la situation.

1985, c. 12, a. 92.

111.17 [Ordonnance du conseil] S'il estime que le conflit porte préjudice ou est vraisemblablement susceptible de porter préjudice à un service auquel le public a droit ou que les services essentiels prévus à une liste ou à une entente ne sont pas rendus lors d'une grève, le Conseil peut, après avoir fourni aux parties l'occasion de présenter leurs observations, rendre une ordonnance pour assurer au public un service auquel il a droit, ou exiger le respect de la loi, de la convention collective, d'une entente ou d'une liste sur les services essentiels.

[Pouvoirs] Le Conseil peut:

[Essential services] The council may also, at any time after receiving the request, determine the essential services that must be maintained in the event of a strike and the manner of maintaining them. In addition, the council may at any time, at the request of either party, modify the decision so made.

111.15.3 [Prohibition] No person shall derogate from any of the provisions of an agreement under section 69 of the Public Service Act (R.S.Q., chapter F-3.1.1) or from a decision made by the council under section 111.15.2 of this Code.

DIVISION IV

REMEDIAL POWERS

111.16 [Inquiry] In public services and in the public and parapublic sectors, the Conseil des services essentiels, of its own initiative or at the request of an interested person, may inquire into a lock-out, a strike or a slowdown that is contrary to law or during which the essential services provided for in a list or agreement are not rendered.

[Agreement] The council may also endeavour to bring the parties to an agreement or entrust a person it designates with attempting to bring them to an agreement and reporting on the situation.

111.17 [Order of council] The council, if it considers that the conflict is or is likely to be prejudicial to a service to which the public is entitled or that the essential services provided for in a list or agreement are not rendered during a strike, may, after giving the parties the opportunity to submit their views, make an order to ensure that a service to which the public is entitled is available, or require compliance with the law, a collective agreement or an agreement or list on essential services.

[Powers] The council may

1° enjoindre à toute personne impliquée dans le conflit ou à toute catégorie de ces personnes qu'il détermine de faire ce qui est nécessaire pour se conformer au premier alinéa du présent article ou de s'abstenir de faire ce qui y contrevient;

2° exiger de toute personne impliquée dans le conflit de réparer un acte ou une omission fait en contravention de la loi, d'une entente ou d'une liste;

3° ordonner à une personne ou à un groupe de personnes impliquées dans un conflit, compte tenu du comportement des parties, l'application du mode de réparation qu'il juge le plus approprié, y compris la constitution et les modalités d'administration et d'utilisation d'un fonds au bénéfice des utilisateurs du service auquel il a été porté préjudice. Un tel fonds comprend, le cas échéant, les intérêts accumulés depuis sa constitution;

4° ordonner à toute personne impliquée dans le conflit de faire ou de s'abstenir de faire toute chose qu'il lui paraît raisonnable d'ordonner compte tenu des circonstances dans le but d'assurer le maintien de services au public;

5° ordonner le cas échéant que soit accélérée ou modifiée la procédure de grief et d'arbitrage à la convention collective;

6° ordonner à une partie de faire connaître publiquement son intention de se conformer à l'ordonnance du Conseil.

1985, c. 12, a. 92; 1998, c. 23, a. 3.

111.18 [Action préjudiciable au public] Le Conseil peut, de la même manière, exercer les pouvoirs que lui confèrent les articles 111.16 et 111.17 si, à l'occasion d'un conflit, il estime qu'une action concertée autre qu'une grève ou un ralentissement d'activités porte préjudice ou est susceptible de porter préjudice à un service auquel le public a droit.

1985, c. 12, a. 92.

111.19 [Engagement d'une personne] Le Conseil peut, plutôt que de rendre une ordonnance, prendre acte de l'engagement d'une personne d'assurer au public le ou les services auxquels il a droit, de respecter la loi, la convention collective, une entente ou une liste sur les services essentiels.

(1) enjoin any person involved in the conflict or any category of these persons it determines to do what is required to comply with the first paragraph of this section, or abstain from doing anything in contravention thereof;

(2) require from any person involved in the conflict to remedy any act or omission done or made in contravention of the law, of an agreement or of a list;

(3) order in respect of a person or group of persons involved in a conflict, taking into consideration the conduct of the parties, the application of the measures of redress it considers best appropriate, including the establishment of a fund for the benefit of the users of the service that has been adversely affected, and the terms and conditions governing the administration and use of that fund, which fund shall include any interest accrued since its establishment;

(4) order every person involved in the conflict to do or abstain from doing anything that it considers reasonable in the circumstances in view of maintaining services for the public;

(5) order, where that is the case, that the grievance or arbitration procedure under a collective agreement be accelerated;

(6) order a party to make known publicly its intention to comply with the order of the council.

111.18 [Prejudicial action] The council may, in the same manner, exercise the powers conferred on it by sections 111.16 and 111.17, if, in the course of a conflict, it considers that a concerted action other than a strike or a slowdown is or is likely to be prejudicial to a service to which the public is entitled.

111.19 [Recording of a person's undertaking] The council may, instead of making an order, record a person's undertaking to ensure to the public the service or services to which it is entitled or to comply with the law, the collective agreement or an agreement or list on essential services.

[Non-respect de l'engagement] Le non-respect de cet engagement est réputé constituer une violation d'une ordonnance du Conseil.

1985, c. 12, a. 92.

111.20 [Copie conforme de l'ordonnance ou de l'engagement] Le Conseil peut déposer une copie conforme d'une ordonnance rendue suivant les articles 111.0.19, 111.17 et 111.18 ou, le cas échéant, d'un engagement pris en vertu de l'article 111.19 au bureau du greffier de la Cour supérieure du district de Montréal, lorsque le service public ou l'organisme en cause est situé dans les districts de Beauharnois, Bedford, Drummond, Hull, Iberville, Joliette, Labelle, Laval, Longueuil, Mégantic, Montréal, Pontiac, Richelieu, Saint-François, Saint-Hyacinthe ou Terrebonne et, lorsqu'il est situé dans un autre district, au bureau du greffier de la Cour supérieure du district de Québec.

[Dépôt] Le dépôt de l'ordonnance ou de l'engagement lui confère alors la même force et le même effet que s'il s'agissait d'un jugement émanant de la Cour supérieure.

1985, c. 12, a. 92; 1998, c. 23, a. 4; 2001, c. 26, a. 62.

[Violation] Non-observance of an undertaking under this section shall constitute a violation of an order of the council.

111.20 [Filing of true copy] The council may file a true copy of an order made under section 111.0.19, 111.17 or 111.18 or, where applicable, of an undertaking made under section 111.19 at the office of the clerk of the Superior Court of the district of Montréal, where the public service or the body involved is situated in the districts of Beauharnois, Bedford, Drummond, Hull, Iberville, Joliette, Labelle, Laval, Longueuil, Mégantic, Montréal, Pontiac, Richelieu, Saint-François, Saint-Hyacinthe ou Terrebonne and, where it is situated in another district, at the office of the clerk of the Superior Court of the district of Québec.

[Effect] Every order or undertaking filed under the first paragraph has the same force and effect as if it were a judgment of the Superior Court.

CHAPITRE VI

COMMISSION DES RELATIONS
DU TRAVAIL

SECTION I

INSTITUTION, OBJET
ET COMPÉTENCE

112. [Institution] Est instituée la « Commission des relations du travail ».

CHAPTER VI

COMMISSION DES RELATIONS
DU TRAVAIL

DIVISION I

ESTABLISHMENT, OBJECT
AND JURISDICTION

112. [Establishment] A labour relations commission is hereby established under the name "Commission des relations du travail".

S.R. 1964, c. 141, a. 100; 1969, c. 47, a. 38; 1999, c. 40, a. 59; 2001, c. 26, a. 63.

113. [Siège] Le siège de la Commission est situé sur le territoire de la Ville de Québec, à l'endroit déterminé par le gouvernement; un avis de l'adresse du siège ou de tout changement de cette adresse est publié à la *Gazette officielle du Québec*.

[Bureaux] La Commission a un bureau situé sur le territoire de la Ville de Montréal et un situé sur le territoire de la Ville de Québec; un avis de l'adresse de chaque bureau ou de tout changement de cette adresse est publié à la *Gazette officielle du Québec*.

113. [Head office] The head office of the Commission shall be situated in the territory of Ville de Québec, at the place determined by the Government. Notice of the address of the head office and of any change of address shall be published in the *Gazette officielle du Québec*.

[Offices] The Commission shall have an office in the territory of Ville de Montréal and an office in the territory of Ville de Québec. Notice of the address of each office and of any change of address shall be published in the *Gazette officielle du Québec*.

S.R. 1964, c. 141, a. 101; 1969, c. 47, a. 38, 1969, c. 48, a. 29; 1977, c. 5, a. 14, 229; 1980, c. 11, a. 48; 1988, c. 21, a. 66; 2001, c. 26, a. 63.

*114. [Fonctions] La Commission est chargée d'assurer l'application diligente et efficace du présent code et d'exercer les autres fonctions que celui-ci et toute autre loi lui attribuent.

[Application du code] Sauf pour l'application des dispositions prévues aux articles 111.0.1 à 111.2, 111.10 à 111.20 et au chapitre IX, la Commission connaît et dispose, à l'exclusion de tout tribunal, d'une plainte alléguant une contravention au présent code, de tout recours formé en application des dispositions du présent code ou d'une autre loi et de toute demande qui lui est faite conformément au présent code ou à une autre loi. Les recours formés devant la Commission en application d'une autre loi sont énumérés à l'annexe I.

[Fonctions] À ces fins, la Commission exerce les fonctions, pouvoirs et devoirs qui lui sont attribués par le présent code et par toute autre loi.

S.R. 1964, c. 141, a. 102; 1969, c. 47, a. 38; 1969, c. 48, a. 29; 1978, c. 15, a. 140; 1983, c. 55, a. 161; 2000, c. 8, a. 242; 2001, c. 26, a. 63.

115. [Composition] La Commission est composée d'un président, de deux vice-présidents, de commissaires, ainsi que des membres de son personnel chargés de rendre des décisions en son nom.

1969, c. 48, a. 29; 2001, c. 26, a. 63.

116. [Délai] Toute plainte à la Commission reliée à l'application des articles 12 et 13 et, dans le cas du refus d'employer une personne, à l'application de l'article 14, doit être déposée dans les 30 jours de la connaissance de la contravention alléguée.

---

*114. [Responsibility] The Commission is responsible for ensuring the diligent and efficient application of the provisions of this Code and exercising the other functions assigned to it under this Code or any other Act.

[Proceedings] Except as regards the provisions of sections 111.0.1 to 111.2, sections 111.10 to 111.20 and Chapter IX, the Commission shall hear and dispose, to the exclusion of any court or tribunal, of any complaint for a contravention of this Code, of any proceedings brought pursuant to the provisions of this Code or any other Act and of any application made to the Commission in accordance with this Code or any other Act. Proceedings brought before the Commission pursuant to another Act are listed in Schedule I.

[Functions, powers and duties] For such purposes, the Commission shall exercise the functions, powers or duties assigned to it by this Code or any other Act.

115. [Composition] The Commission is composed of a president, two vice-presidents, and commissioners, and of the members of its personnel who are entrusted with rendering decisions on its behalf.

116. [Complaints] Any complaint related to the application of sections 12 and 13 and, in the case of a refusal to employ a person, the application of section 14, shall be filed with the Commission within 30 days of knowledge of the alleged contravention.

---

*   L'article 114 entre en vigueur le 25 novembre 2002, sauf dans le cas de l'application de l'article 47.2 du Code du travail lorsque cet article est invoqué autrement que dans le cas prévu à l'article 47.3, de ce code i.e. lorsqu'il est invoqué autrement que lors d'un renvoi ou d'une mesure disciplinaire. Ainsi, pour l'application de l'article 47.2, sauf dans le contexte de l'article 47.3, l'entrée en vigueur de l'article 114 est prévue pour le 1er janvier 2004.

*   Section 114 comes into force on 25 November 2002, except with respect to a complaint, other than that provided for in section 47.3 of the Labour Code, alleging a contravention of section 47.2 of the Code. Therefore, for the application of section 47.2, except with respect to a complaint referred to in section 47.3, the coming into force of section 114 will be on 1 January 2004.

D. 1314-2002, (2002) 134 G.O. 2, 8045.   O.C. 1314-2002, (2002) 134 G.O. 2, 6129.

[**Délai**] Le délai prévu à l'article 47.3 s'applique à une plainte à la Commission reliée à l'application de l'article 47.2, même lorsque la plainte ne porte pas sur un renvoi ou une sanction disciplinaire.

[**Time limit**] The time limit provided for in section 47.3 applies to any complaint filed with the Commission that is related to the application of section 47.2 even where the complaint does not pertain to a dismissal or disciplinary sanction.

1969, c. 48, a. 29; 1999, c. 40, a. 59; 2001, c. 26, a. 63.

SECTION II
DEVOIRS ET POUVOIRS

DIVISION II
DUTIES AND POWERS

117. [**Audition des parties**] Avant de rendre une décision, la Commission permet aux parties de se faire entendre. Elle peut toutefois procéder sur dossier si elle le juge approprié et si les parties y consentent.

[**Accréditation**] En matière d'accréditation, l'obligation prévue au premier alinéa ne s'applique pas au regard d'une décision prise par un agent de relations du travail. Celui-ci permet cependant aux parties intéressées de présenter leurs observations et, s'il y a lieu, de produire des documents pour compléter leur dossier.

117. [**Decision**] Before rendering a decision, the Commission shall allow the parties to be heard. The Commission may, however, proceed on the record, if it considers it appropriate and if the parties consent thereto.

[**Observations**] In respect of certification, the obligation imposed by the first paragraph does not apply in respect of a decision made by a labour relations officer. The labour relations officer shall, however, allow the interested parties to present observations and, if appropriate, to produce documents to complete their file.

1969, c. 48, a. 29; 1970, c. 9, a. 3; 2001, c. 26, a. 63.

118. [**Pouvoirs**] La Commission peut notamment:

1° rejeter sommairement toute demande, plainte ou procédure qu'elle juge abusive ou dilatoire;

2° refuser de statuer sur le mérite d'une plainte lorsqu'elle estime que celle-ci peut être réglée par une sentence arbitrale disposant d'un grief, sauf s'il s'agit d'une plainte visée à l'article 16 de ce code ou aux articles 123 et 123.1 de la Loi sur les normes du travail (L.R.Q., chapitre N-1.1) ou d'une plainte portée en vertu d'une autre loi;

3° rendre toute ordonnance, y compris une ordonnance provisoire, qu'elle estime propre à sauvegarder les droits des parties;

4° décider de toute question de droit ou de fait nécessaire à l'exercice de sa compétence;

5° confirmer, modifier ou infirmer la décision, l'ordre ou l'ordonnance contesté et, s'il y a lieu, rendre la décision, l'ordre ou l'ordonnance qui, à son avis, aurait dû être rendu en premier lieu;

6° rendre toute décision qu'elle juge appropriée;

118. [**Powers**] The Commission may, in particular,

(1) summarily reject any motion, application, complaint or procedure it considers to be improper or dilatory;

(2) refuse to rule on the merits of a complaint where it considers that the complaint may be settled by an arbitration award disposing of a grievance, except in the case of a complaint referred to in section 16 of that Code or in sections 123 and 123.1 of the Act respecting labour standards (R.S.Q., chapter N-1.1) or a complaint filed under another Act;

(3) make any order, including a provisional order, it considers appropriate to safeguard the rights of the parties;

(4) determine any question of law or fact necessary for the exercise of its jurisdiction;

(5) confirm, modify or quash the contested decision or order and, if appropriate, render the decision or order which, in its opinion, should have been rendered or made initially;

(6) render any decision it considers appropriate;

7° entériner un accord de conciliation, s'il est conforme à la loi.

(7) ratify a conciliation agreement, if in conformity with the law.

S.R. 1964, c. 141, a. 103; 1969, c. 47, a. 38; 1969, c. 48, a. 30; 1977, c. 41, a. 1; 1985, c. 6, a. 493; 1990, c. 4, a. 229; 1999, c. 40, a. 59; 2001, c. 26, a. 63.

119. [Pouvoirs] Sauf au regard d'une grève, d'un ralentissement d'activités, d'une action concertée autre qu'une grève ou un ralentissement d'activités ou encore d'un lock-out, réels ou appréhendés, dans un service public ou dans les secteurs public et parapublic au sens du chapitre V.1, la Commission peut aussi:

1° ordonner à une personne, à un groupe de personnes, à une association ou à un groupe d'associations de cesser de faire, de ne pas faire ou d'accomplir un acte pour se conformer au présent code;

2° exiger de toute personne de réparer un acte ou une omission fait en contravention d'une disposition du présent code;

3° ordonner à une personne ou à un groupe de personnes, compte tenu du comportement des parties, l'application du mode de réparation qu'elle juge le plus approprié;

4° ordonner de ne pas autoriser ou participer ou de cesser d'autoriser ou de participer à une grève, à un ralentissement d'activités au sens de l'article 108 ou à un lock-out qui contrevient ou contreviendrait au présent code ou de prendre des mesures qu'elle juge appropriées pour amener les personnes que représente une association à ne pas y participer ou à cesser d'y participer;

5° ordonner, le cas échéant, que soit accélérée ou modifiée la procédure de grief et d'arbitrage prévue à la convention collective.

S.R. 1964, c. 141, a. 104; 1969, c. 47, a. 38; 1969, c. 48, a. 30; 2001, c. 26, a. 63.

119. [Powers] Except with regard to an actual or apprehended strike, slowdown, concerted action, other than a strike or slowdown, or lock-out in a public service or in the publicand parapublic sectors within the meaning of Chapter V.1, the Commission may also

(1) order a person, group of persons, association or group of associations to cease performing, not to perform or to perform an act in order to be in compliance with this Code;

(2) require any person to redress any act or remedy any omission made in contravention of a provision of this Code;

(3) order a person or group of persons, in light of the conduct of the parties, to apply the measures of redress it considers the most appropriate;

(4) issue an order not to authorize or participate in, or to cease authorizing or participating in, a strike or slowdown within the meaning of section 108 or a lock-out that is or would be contrary to this Code, or to take measures considered appropriate by the Commission to induce the persons represented by an association not to participate, or to cease participating, in such a strike, slowdown or lock-out;

(5) order, where applicable, that the grievance and arbitration procedure under a collective agreement be accelerated or modified.

120. [Pouvoirs et immunité des commissaires] La Commission et ses commissaires sont investis des pouvoirs et de l'immunité des commissaires nommés en vertu de la Loi sur les commissions d'enquête (L.R.Q., chapitre C-37), sauf du pouvoir d'ordonner l'emprisonnement.

1982, c. 16, a. 4; 2001, c. 26, a. 63.

120. [Powers and immunity] The Commission and its commissioners are vested with the powers and immunity of commissioners appointed under the Act respecting public inquiry commissions (R.S.Q., chapter C-37), except the power to order imprisonment.

SECTION III

CONCILIATION PRÉ-DÉCISIONNELLE

DIVISION III

PRE-DECISION CONCILIATION

121. [Conciliation] Si les parties à une afffaire y consentent, le président de la Com-

121. [Conciliation] If the parties to a case consent thereto, the president of the

mission peut charger un membre du personnel de les rencontrer et de tenter d'en arriver à un accord.

1969, c. 48, a. 30; 2001, c. 26, a. 63.

122. [**Confidentialité**] À moins que les parties n'y consentent, rien de ce qui a été dit ou écrit au cours d'une séance de conciliation n'est recevable en preuve.

1969, c. 48, a. 30; 1977, c. 41, a. 1; 1992, c. 61, a. 177; 2001, c. 26, a. 63.

123. [**Accord écrit**] Tout accord est constaté par écrit et les documents auxquels il réfère y sont annexés, le cas échéant. Il est signé par le conciliateur et les parties et lie ces dernières.

[**Approbation de la Commission**] Cet accord peut être soumis à l'approbation de la Commission à la demande de l'une ou l'autre des parties.

[**Fin à l'affaire**] Si aucune demande d'approbation n'est soumise à la Commission dans un délai de six mois à compter de la date de l'accord, ce dernier met fin à l'affaire à l'expiration de ce délai.

1969, c. 48, a. 30; 1990, c. 4, a. 230; 2001, c. 26, a. 63.

SECTION IV
DÉCISION

124. [**Instruction et décision par un commissaire**] Une plainte, un recours ou toute demande est instruit et décidé par un commissaire, sauf au regard d'une accréditation accordée en application de l'article 28.

[**Formation de trois commissaires**] Le président peut, lorsqu'il le juge approprié, assigner une affaire à une formation de trois commissaires, dont au moins un est avocat ou notaire et la préside.

[**Majorité**] Lorsqu'une affaire est entendue par plus d'un commissaire, la décision est prise à la majorité des commissaires qui l'ont entendue.

1969, c. 48, a. 30; 1994, c. 6, a. 30; 1999, c. 40, a. 59; 2001, c. 26, a. 63.

125. [**Dessaisissement**] Lorsqu'un commissaire saisi d'une affaire ne rend pas sa décision dans le délai applicable, le président de la Commission peut, d'office ou sur demande d'une des parties, dessaisir ce commissaire de cette affaire.

Commission may ask a personnel member to meet with the parties and attempt to bring them to an agreement.

122. [**Evidence**] Nothing said or written in the course of conciliation may be admitted as evidence, unless the parties consent thereto.

123. [**Agreements**] Every agreement shall be recorded in writing and the documents, if any, to which it refers shall be attached thereto. The agreement must be signed by the conciliation officer and by the parties, and is binding on the parties.

[**Approval**] The agreement may be submitted to the Commission for approval at the request of either party.

[**Termination**] If no request for approval is submitted to the Commission within six months from the date of the agreement, the agreement terminates the matter at the expiry of that time.

DIVISION IV
DECISION

124. [**Hearings and decisions**] A complaint, a proceeding or an application shall be heard and decided by one commissioner, except as regards certification granted under section 28.

[**Panel**] The president may, where he considers it appropriate, assign a matter to a panel of three commissioners that includes at least one advocate or notary who shall preside the sitting.

[**Majority**] Where a case is heard by more than one commissioner, the case is decided by a majority of the commissioners having heard it.

125. [**Removal**] If a commissioner to whom a case is referred does not render a decision within the applicable time, the president of the Commission may, by virtue of his office or at the request of a party, remove the commissioner from the case.

[Considérations] Avant de dessaisir le commissaire qui n'a pas rendu sa décision dans le délai applicable, le président doit tenir compte des circonstances et de l'intérêt des parties.

1969, c. 48, a. 30; 1992, c. 61, a. 178; 2001, c. 26, a. 63.

126. [Erreur matérielle] La décision entachée d'une erreur d'écriture ou de calcul ou de quelque autre erreur matérielle peut être rectifiée, sur dossier et sans autre formalité, par la personne qui l'a rendue.

[Décideur empêché] Si la personne est empêchée ou a cessé d'exercer ses fonctions, un autre agent de relations du travail ou commissaire, selon le cas, désigné par le président de la Commission peut rectifier la décision.

1969, c. 48, a. 30; 1992, c. 61, a. 179; 1999, c. 40, a. 59; 2001, c. 26, a. 63.

127. [Motifs de révision ou de révocation] La Commission peut, sur demande, réviser ou révoquer une décision, un ordre ou une ordonnance qu'elle a rendu:

1° lorsqu'est découvert un fait nouveau qui, s'il avait été connu en temps utile, aurait pu justifier une décision différente;

2° lorsqu'une partie intéressée n'a pu, pour des raisons jugées suffisantes, présenter ses observations ou se faire entendre;

3° lorsqu'un vice de fond ou de procédure est de nature à l'invalider.

[Formation de trois commissaires] Dans le cas visé au paragraphe 3° du premier alinéa, la décision, l'ordre ou l'ordonnance ne peut être révisé ou révoqué par le commissaire qui l'a rendu. Une telle décision, un tel ordre ou une telle ordonnance ne peut être révisé ou révoqué que par une formation de trois commissaires, dont au moins un est avocat ou notaire et la préside.

1969, c. 48, a. 30; 2001, c. 26, a. 63.

128. [Requête en révision ou en révocation] La demande de révision ou de révocation est formée par requête déposée à l'un des bureaux de la Commission, dans un délai raisonnable à partir de la décision visée ou de la connaissance du fait nouveau susceptible de justifier une décision différente. La requête indique la décision visée et les motifs invoqués à son soutien. Elle contient tout autre renseignement exigé par les règles de preuve et de procédure.

[Circumstances] Before removing a commissioner who has not rendered a decision within the applicable time, the president must take the circumstances and the interest of the parties into account.

126. [Clerical errors] A decision containing an error in writing or in calculation or any other clerical error may be corrected, on the record and without further formality, by the person who rendered the decision.

[Correction] Where the person is unable to act or has ceased to hold office, another labour relations agent or commissioner, as the case may be, designated by the president of the Commission may correct the decision.

127. [Review or revocation] The Commission may, on application, review or revoke any decision or order it has made

(1) if a new fact is discovered which, had it been known in time, could have warranted a different decision;

(2) if an interested party, owing to reasons considered sufficient, could not present observations or be heard; or

(3) if a substantive or procedural defect is of a nature likely to invalidate the decision.

[Panel] In the case described in subparagraph 3 of the first paragraph, the decision or order may not be reviewed or revoked by the commissioner who made it. Such a decision or order may be reviewed or revoked only by a panel of three commissioners that includes at least one advocate or notary who shall preside the sitting.

128. [Motions] Review or revocation proceedings are brought by a motion filed at one of the offices of the Commission within a reasonable time following the decision concerned or following the discovery of a new fact that may warrant a different decision. The motion shall refer to the decision concerned and state the grounds invoked in support of the motion. It shall contain any other information required by the rules of evidence and procedure.

[Copie aux parties] Le secrétaire de la Commission transmet une copie de la requête aux autres parties qui peuvent y répondre, par écrit, dans un délai de 30 jours de sa réception.

[Dossier] La Commission procède sur dossier, sauf si l'une des parties demande d'être entendue ou si, de sa propre initiative, elle juge approprié de les entendre.

S.R. 1964, c. 141 a. 105; 1969, c. 47, a. 38; 1969, c. 48, a. 31; 1990, c. 4, a. 231; 1992, c. 61, a. 180; 2001, c. 26, a. 63.

129. [Dépôt au greffe de la Cour supérieure] Dans un délai de six mois de la date de sa décision, la Commission peut, à la demande d'une partie intéressée, autoriser son dépôt au bureau du greffier de la Cour supérieure du district du domicile de l'une des parties visées par la décision.

[Décision exécutoire] La décision de la Commission devient alors exécutoire comme un jugement final de la Cour supérieure et en a tous les effets.

[Outrage au tribunal] Si cette décision contient une ordonnance de faire ou de ne pas faire, toute personne nommée ou désignée dans cette décision qui la transgresse ou refuse d'y obéir, de même que toute personne non désignée qui y contrevient sciemment, se rend coupable d'outrage au tribunal et peut être condamnée par le tribunal compétent, selon la procédure prévue aux articles 53 à 54 du Code de procédure civile (L.R.Q., chapitre C-25), à une amende n'excédant pas 50 000 $ avec ou sans emprisonnement pour une durée d'au plus un an. Ces pénalités peuvent être infligées de nouveau jusqu'à ce que le contrevenant se soit conformé à la décision.

S.R. 1964, c. 141, a. 106; 1969, c. 47, a. 38; 1969, c. 48, a. 32; 1977, c. 41, a. 1; 2001, c. 26, a. 63.

SECTION V
RÈGLES DE PREUVE ET DE PROCÉDURE

§ 1. — *Dispositions générales*

130. [Introduction] Une demande ou une plainte faite à la Commission ainsi que tout recours est introduit par son dépôt à l'un des bureaux de la Commission.

[Date du dépôt] Sous réserve du deuxième alinéa de l'article 27.1, pour l'application du premier alinéa, une demande, une plainte ou un recours est réputé avoir été

[Copy] The secretary of the Commission shall send a copy of the motion to the other parties, who may respond to it in writing within 30 days after receiving it.

[Record] The Commission shall proceed on the record, unless a party demands to be heard or if, on its own initiative, the Commission considers it appropriate.

129. [Filing] The Commission may, within six months after the date of the decision, on application by an interested party, authorize the filing of the decision at the office of the clerk of the Superior Court of the district of the domicile of one of the parties to whom the decision applies.

[Final judgment] The decision of the Commission becomes enforceable as if it were a final judgment of the Superior Court and has all the effects of such a judgment.

[Contempt of court] If the decision contains an order to do or not to do something, any person named or designated in the decision who transgresses the order or refuses to comply therewith, and any person not designated who knowingly contravenes the order, is guilty of contempt of court and may be condemned by the court having jurisdiction, in accordance with the procedure provided for in articles 53 to 54 of the Code of Civil Procedure (R.S.Q., chapter C-25), to a fine not exceeding $50,000 with or without imprisonment for not over one year. These penalties may be imposed again until the offender complies with the decision.

DIVISION V
RULES OF EVIDENCE AND PROCEDURE

§ 1. — *General provisions*

130. [Introduction] Applications or complaints made to the Commission as well as any proceedings are introduced by filing a copy at one of the offices of the Commission.

[Presumption] Subject to the second paragraph of section 27.1, for the purposes of the first paragraph, applications, complaints, motions or proceedings are deemed to have

déposé le jour de sa mise à la poste par courrier recommandé ou certifié ou le jour de sa réception s'il est déposé en vertu de tout autre mode de transmission déterminé par un règlement de la Commission.

been filed on the day they were mailed by registered or certified mail or on the day they were received if they were filed under any other mode of transmission determined by regulation of the Commission.

S.R. 1964, c. 141, a. 107; 1969, c. 47, a. 38; 1969, c. 48, a. 33; 1977, c. 41, a. 55; 1983, c. 22, a. 91; 1994, c. 6, a. 31; 2001, c. 26, a. 63.

130.1 Remplacé.

2001, c. 26, a. 63.

130.1 Replaced.

131. [Affaires jointes] Plusieurs affaires dans lesquelles les questions en litige sont en substance les mêmes ou dont les matières pourraient être convenablement réunies, qu'elles soient mues ou non entre les mêmes parties, peuvent être jointes par ordre du président ou d'une personne désignée par celui-ci, dans les conditions qu'il fixe.

[Révocation] L'ordonnance rendue en vertu du premier alinéa peut être révoquée par la Commission lorsqu'elle entend l'affaire, si elle est d'avis que les fins de la justice seront ainsi mieux servies.

131. [Combined cases] Cases in which the matters in dispute are substantially the same or whose subject-matters could suitably be combined, whether or not the same parties are involved, may be joined by order of the president or of a person designated by the president, on the conditions fixed by the president.

[Revocation] An order made under the first paragraph may be revoked by the Commission hearing the matter if the Commission believes that the interests of justice will be better served.

S.R. 1964, c. 141, a. 108; 1969, c. 47, a. 38; 1977, c. 41, a. 1; 1994, c. 6, a. 33; 2001, c. 26, a. 63.

132. [Décision] Toute décision de la Commission doit être écrite, motivée, signée et notifiée aux personnes ou parties intéressées.

132. [Decisions] Every decision of the Commission must be recorded in writing, signed and notified to the interested persons or parties and must give the reasons on which it is based.

S.R. 1964, c. 141, a. 109; 1969, c. 47, a. 38; 1969, c. 48, a. 34; 2001, c. 26, a. 63.

133. [Délai] Dans le cas d'une requête en accréditation, la décision de la Commission doit être rendue dans les 60 jours du dépôt de la requête à la Commission. Toutefois, dans le cas d'une requête visée à l'article 111.3, la décision de la Commission doit être rendue dans le délai compris entre la fin de l'époque d'une demande d'accréditation et la date d'expiration d'une convention collective ou de ce qui en tient lieu.

[Délai] Dans le cas d'une demande visée à l'article 45.1, la décision de la Commission doit être rendue dans les 90 jours du dépôt de la demande à la Commission.

[Délai] Dans toute autre affaire, de quelque nature qu'elle soit, la décision doit être rendue dans les 90 jours de la prise de l'affaire en délibéré.

133. [Decisions] In the case of a petition for certification, the decision of the Commission must be rendered within 60 days of the filing of the petitition with the Commission. However, in the case of a petition under section 111.3, the decision of the Commission must be rendered within the period comprised between the end of the period for filing a petition for certification and the date of expiry of the collective agreement or anything in lieu thereof.

[Time limit] In the case of an application referred to in section 45.1, the Commission must render its decision within 90 days after the filing of the application with the Commission.

[Time limit] In any other case, of any nature whatsoever, the Commission must render its decision within 90 days after the case is taken under advisement.

[Prolongation] Le président de la Commission peut prolonger ces délais. Il doit, avant de prolonger un délai, tenir compte des circonstances et de l'intérêt des personnes ou parties intéressées.

[Extension] The president may grant an extension. Before granting an extension, the president must take the circumstances and the interest of interested persons or parties into account.

S.R. 1964, c. 141, a. 110; 1969, c. 47, a. 38; 1969, c. 48, a. 34; 2001, c. 26, a. 63; 2003, c. 26, a. 9.

134. [Décision sans appel] Une décision de la Commission est sans appel et toute personne visée doit s'y conformer sans délai.

134. [Decision without appeal] A decision of the Commission is without appeal and must be complied with without delay by every person to whom it applies.

S.R. 1964, c. 141, a. 111; 1969, c. 47, a. 38; 1969, c. 48, a. 34; 1994, c. 6, a. 34; 2001, c. 26, a. 63.

§ 2. — Dispositions applicables lors de la tenue d'une audition

§ 2. — Provisions applicable at the time of a hearing

135. [Conférence préparatoire] S'il le considère utile et si les circonstances d'une affaire le permettent, le commissaire saisi d'une affaire peut convoquer les parties à une conférence préparatoire.

135. [Pre-hearing conference] The commissioner to whom a case has been referred may call the parties to a pre-hearing conference if it is considered useful and the circumstances of the case allow it.

S.R. 1964, c. 141, a. 112; 1969, c. 47, a. 38; 1969, c. 48, a. 34; 2001, c. 26, a. 63.

135.1-135.2 Remplacés.

2001, c. 26, a. 63.

135.1-135.2 Replaced.

136. [Objet] La conférence préparatoire est tenue par le commissaire. Elle a pour objet:

1° de définir les questions à débattre lors de l'audience;

2° d'évaluer l'opportunité de clarifier et préciser les prétentions des parties ainsi que les conclusions recherchées;

3° d'assurer l'échange entre les parties de toute preuve documentaire;

4° de planifier le déroulement de la procédure et de la preuve lors de l'audience;

5° d'examiner la possibilité pour les parties d'admettre certains faits ou d'en faire la preuve par déclaration sous serment;

6° d'examiner toute autre question pouvant simplifier ou accélérer le déroulement de l'audience.

[Entente] La conférence préparatoire peut également permettre aux parties d'en arriver à une entente et de terminer ainsi une affaire.

136. [Purposes] The pre-hearing conference is held by the commissioner for the purpose of

(1) defining the questions to be dealt with at the hearing;

(2) assessing the advisability of clarifying and specifying the pretensions of the parties and the conclusions sought;

(3) ensuring that all documentary evidence is exchanged by the parties;

(4) planning the conduct of the proceedings and proof at the hearing;

(5) examining the possibility for the parties of admitting certain facts or of proving them by means of sworn statements; and

(6) examining any other question likely to simplify or accelerate the conduct of the hearing.

[Agreement] A pre-hearing conference may also enable the parties to reach an agreement and thus terminate a case.

S.R. 1964, c. 141, a. 113; 1969, c. 47, a. 38; 1969, c. 48, a. 34; 2001, c. 26, a. 63.

137. [Procès-verbal] Le commissaire fait consigner au procès-verbal de la conférence préparatoire les points sur lesquels les parties s'entendent, les faits admis et les décisions qu'il prend. Le procès-verbal est versé au dossier et une copie en est transmise aux parties.

[Déroulement de l'instance] Les ententes, admissions et décisions qui y sont rapportées gouvernent pour autant le déroulement de l'instance, à moins que la Commission, lorsqu'elle entend l'affaire, ne permette d'y déroger pour prévenir une injustice.

137. [Minutes] The commissioner shall cause matters on which the parties have reached an agreement, admissions and decisions made by the commissioner to be recorded in the minutes of the pre-hearing conference. The minutes shall be filed in the record and a copy shall be sent to the parties.

[Agreements, admissions and decisions] The agreements, admissions and decisions recorded in the minutes shall, as far as they may apply, govern the conduct of the proceeding, unless the Commission, when hearing the matter, permits a derogation therefrom to prevent an injustice.

S.R. 1964, c. 141, a. 114; 1969, c. 47, a. 38; 1969, c. 48, a. 34; 2001, c. 26, a. 63.

137.1 [Absence d'une partie] Si une partie dûment avisée ne se présente pas au temps fixé pour l'audition et qu'elle n'a pas fait connaître un motif valable justifiant son absence ou refuse de se faire entendre, la Commission peut néanmoins procéder à l'instruction de l'affaire et rendre une décision.

2001, c. 26, a. 63.

137.1 [Failure to appear] If a party duly notified fails to appear at the time fixed for the hearing without having provided a valid excuse, or chooses not be heard, the Commission may nonetheless proceed with the hearing and render a decision.

137.2 [Procédure supplétive] En l'absence de dispositions applicables à un cas particulier, la Commission peut y suppléer par toute procédure compatible avec le présent code et ses règles de procédure.

2001, c. 26, a. 63.

137.2 [Procedures] In the absence of provisions applicable to a particular case, the Commission may supply any procedure consistent with this Code and its rules of procedure.

137.3 [Avis d'audition] Un avis est transmis aux parties dans un délai raisonnable avant l'audience mentionnant:

1° l'objet, la date, l'heure et le lieu de l'audience;

2° le droit des parties d'y être assistées ou représentées;

3° le pouvoir de la Commission de procéder, sans autre avis ni délai, malgré le défaut d'une partie de se présenter au temps et au lieu fixés, s'il n'est pas justifié valablement.

2001, c. 26, a. 63.

137.3 [Notices] Notice shall be sent to the parties within a reasonable time before the hearing, stating

(1) the purpose, date, time and place of the hearing;

(2) that the parties have the right to be assisted or represented; and

(3) that the Commission has the authority to proceed, without further delay or notice, despite the failure of a party to appear at the time and place fixed, if no valid excuse is provided.

137.4 [Audition] La Commission peut entendre les parties par tout moyen prévu à ses règles de preuve et de procédure.

2001, c. 26, a. 63.

137.4 [Hearing] The Commission may hear the parties by any means provided for in its rules of evidence and procedure.

137.5 [Rapport d'enquête] Lorsqu'une enquête a été effectuée par la Commission, le rapport d'enquête produit est versé au dossier de cette affaire et une copie en est transmise à toutes les parties intéressées.

[Inhabilité] Dans un tel cas, le président et les vice-présidents de la Commission ne peuvent entendre ni décider seuls de cette affaire.

2001, c. 26, a. 63.

137.6 [Témoins et documents] Une partie qui désire faire entendre des témoins et produire des documents procède en la manière prévue aux règles de preuve et de procédure de la Commission.

2001, c. 26, a. 63.

137.7 [Taxe des témoins] Toute personne assignée à témoigner devant la Commission dans une affaire prévue au présent code ou dans toute autre loi a droit à la même taxe que les témoins en Cour supérieure et au remboursement de ses frais de déplacement et de séjour.

[Paiement] Cette taxe est payable par la partie qui a proposé l'assignation, mais la personne qui bénéficie de son salaire durant cette période n'a droit qu'au remboursement des frais de déplacement et de séjour.

[Assignation par la Commission] Lorsqu'une personne est dûment assignée à l'initiative de la Commission, cette taxe est payable par la Commission.

2001, c. 26, a. 63.

137.8 [Empêchement d'un commissaire] Lorsque, par suite d'un empêchement, un commissaire ne peut poursuivre une audition, un autre commissaire désigné par le président de la Commission peut, avec le consentement des parties, poursuivre cette audition et s'en tenir, quant à la preuve testimoniale, aux notes et au procès-verbal de l'audience ou, le cas échéant, aux notes sténographiques ou à l'enregistrement de l'audition, sous réserve, dans le cas où il les juge insuffisants, de rappeler un témoin ou de requérir toute autre preuve.

[Cessation de fonction ou dessaisissement] La même règle s'applique pour la poursuite d'une audition après la cessation de

137.5 [Investigation report] Where an investigation is conducted by the Commission, the investigation report shall be filed in the record of the case and a copy thereof shall be transmitted to all interested parties.

[Case] In such a case, the president and the vice-presidents of the Commission may neither hear nor decide alone the case.

137.6 [Witnesses and documents] A party who wishes to cause witnesses to be heard and to produce documents shall proceed in the manner prescribed in the rules of evidence and procedure of the Commission.

137.7 [Taxation] Every person summoned to testify before the Commission in any case governed by this Code or any other Act is entitled to the same taxation as witnesses before the Superior Court and to the reimbursement of travelling and living expenses.

[Payment] Such taxation is payable by the party who proposed the summons, but a person who receives his or her salary during such period is entitled only to the reimbursement of travelling and living expenses.

[Payment by Commission] Where a person is duly summoned on the initiative of the Commission, the taxation is payable by the Commission.

137.8 [Replacement] Where, by reason of inability to act, a commissioner is unable to continue a hearing, another commissioner designated by the president of the Commission may, with the consent of the parties, continue the hearing and rely, as regards oral evidence, on the notes and minutes of the hearing or, as the case may be, on the stenographer's notes or on the recording of the hearing, subject to a witness being recalled or other evidence required where the commissioner finds the notes or the recording insufficient.

[Continuance of hearing] The same rule applies to the continuance of a hearing after a commissioner ceases to hold office

fonction d'un commissaire siégeant à l'audience et pour toute affaire entendue par un commissaire et sur laquelle il n'a pas encore statué au moment où il est dessaisi.

[Audition par plusieurs commissaires] Si une affaire est entendue par plus d'un commissaire, celle-ci est poursuivie par les autres commissaires. Lorsque les opinions se partagent également sur une question, celle-ci est déférée au président de la Commission ou à un commissaire désigné par celui-ci parmi les commissaires pour qu'il en décide selon la loi.

2001, c. 26, a. 63.

137.9 [Récusation] Tout commissaire qui connaît en sa personne une cause valable de récusation est tenu de la déclarer dans un écrit versé au dossier et d'en aviser les parties.

2001, c. 26, a. 63.

137.10 [Récusation] Toute partie peut, à tout moment avant la décision et à la condition d'agir avec diligence, demander la récusation d'un commissaire saisi de l'affaire si elle a des motifs sérieux de croire qu'il existe une cause de récusation.

[Demande] La demande de récusation est adressée au président de la Commission. Sauf si le commissaire se récuse, la demande est décidée par le président ou par un commissaire désigné par celui-ci.

2001, c. 26, a. 63.

SECTION VI
COMMISSAIRES

§ 1. — *Nomination*

137.11 [Nomination] Les commissaires de la Commission sont nommés par le gouvernement qui en détermine le nombre. Ils sont nommés après consultation des associations de travailleurs et des associations d'employeurs les plus représentatives.

2001, c. 26, a. 63.

and to any case heard but not yet decided at the time a commissioner is removed from the case.

[Continuance of hearing] Where a case is heard by more than one commissioner, the hearing is continued by the remaining commissioners. Where opinions are equally divided on a question, the matter is referred to the president of the Commission or to a commissioner designated by the president, to be decided according to law.

137.9 [Recusation] A commissioner who has knowledge of a valid cause for recusation must declare that cause in a writing filed in the record and must advise the parties of it.

137.10 [Recusation] A party may, at any time before the decision and provided the party acts with dispatch, apply for the recusation of a commissioner seized of the case if the party has good reason to believe that a cause for recusation exists.

[Application] The application for recusation shall be addressed to the president of the Commission. Unless the commissioner removes himself or herself from the case, the application shall be decided by the president or by a commissioner designated by the president.

DIVISION VI
COMMISSIONERS

§ 1. — *Appointment*

137.11 [Appointment] The commissioners of the Commission shall be appointed by the Government, in the number determined by the Government. Commissioners shall be appointed after consultation with the most representative associations of workers and employers' associations.

137.12 [Exigences] Seule peut être commissaire de la Commission la personne qui possède une connaissance de la législation applicable et dix ans d'expérience pertinente dans les matières qui sont de la compétence de la Commission.

2001, c. 26, a. 63.

137.13 [Procédure de recrutement et de sélection] Les commissaires sont nommés parmi les personnes déclarées aptes suivant la procédure de recrutement et de sélection établie par règlement du gouvernement. Un tel règlement doit notamment:

1° déterminer la publicité qui doit être faite pour procéder au recrutement, ainsi que les éléments qu'elle doit contenir;

2° déterminer la procédure à suivre pour se porter candidat;

3° autoriser la formation de comités de sélection chargés d'évaluer l'aptitude des candidats et de fournir un avis sur eux;

4° fixer la composition des comités et le mode de nomination de leurs membres;

5° déterminer les critères de sélection dont le comité tient compte;

6° déterminer les renseignements que le comité peut requérir d'un candidat et les consultations qu'il peut effectuer.

2001, c. 26, a. 63.

137.14 [Registre des personnes aptes] Le nom des personnes déclarées aptes est consigné dans un registre au ministère du Conseil exécutif.

2001, c. 26, a. 63.

137.15 [Durée] La déclaration d'aptitudes est valide pour une période de 18 mois ou pour toute autre période fixée par règlement du gouvernement.

2001, c. 26, a. 63.

137.16 [Comité de sélection] Les membres d'un comité de sélection ne sont pas rémunérés, sauf dans les cas, aux conditions et dans la mesure que peut déterminer le gouvernement.

137.12 [Requirements] Only a person who has knowledge of the applicable legislation and ten years' experience pertinent to the matters under the jurisdiction of the Commission may be a commissioner of the Commission.

137.13 [Regulation] The commissioners shall be appointed from among persons declared to be qualified according to the recruiting and selection procedure established by government regulation. The regulation shall, in particular,

(1) determine the publicity that must be given to the recruiting procedure and the content of such publicity;

(2) determine the procedure by which a person may seek nomination as a candidate;

(3) authorize the establishment of selection committees to assess the qualifications of candidates and formulate an opinion concerning them;

(4) fix the composition of the committees and the mode of appointment of committee members;

(5) determine the selection criteria to be taken into account by the committees; and

(6) determine the information a committee may require from a candidate and the consultations it may hold.

137.14 [Register] The names of the persons declared to be qualified shall be recorded in a register kept at the Ministère du Conseil exécutif.

137.15 [Period of validity] A certificate of qualifications shall be valid for a period of 18 months or for such period as is determined by government regulation.

137.16 [Remuneration] The members of a selection committee shall receive no remuneration except in such cases, subject to such conditions and to such extent as may be determined by the Government.

[Remboursement des dépenses] Ils ont cependant droit au remboursement des dépenses faites dans l'exercice de leurs fonctions, aux conditions et dans la mesure que détermine le gouvernement.

2001, c. 26, a. 63.

[Reimbursement] They are, however, entitled to the reimbursement of expenses incurred in the exercise of their functions, subject to the conditions and to the extent determined by the Government.

§ 2. — *Durée du mandat*

§ 2. — *Term of office*

137.17 [Durée du mandat] La durée du mandat d'un commissaire est de cinq ans, sous réserve des exceptions qui suivent.

2001, c. 26, a. 63.

137.17 [Term of office] Subject to the following exceptions, the term of office of a commissioner is five years.

137.18 [Durée fixe moindre] Le gouvernement peut prévoir un mandat d'une durée fixe moindre, indiquée dans l'acte de nomination d'un commissaire, lorsque le candidat en fait la demande pour des motifs sérieux ou lorsque des circonstances particulières indiquées dans l'acte de nomination l'exigent.

2001, c. 26, a. 63.

137.18 [Term of office] The Government may determine a shorter term of office of a fixed duration in the instrument of appointment of a commissioner where the candidate so requests for a valid reason or where required by special circumstances stated in the instrument of appointment.

137.19 [Renouvellement] Le mandat d'un commissaire est, selon la procédure établie en vertu de l'article 137.20, renouvelé pour cinq ans:

1° à moins qu'un avis contraire ne soit notifié au commissaire au moins trois mois avant l'expiration de son mandat par l'agent habilité à cette fin par le gouvernement;

2° à moins que le commissaire ne demande qu'il en soit autrement et notifie sa décision au ministre au plus tard trois mois avant l'expiration de son mandat.

[Dérogation] Une dérogation à la durée du mandat ne peut valoir que pour une durée fixe de moins de cinq ans déterminée par l'acte de renouvellement et, hormis le cas où le commissaire en fait la demande pour des motifs sérieux, que lorsque des circonstances particulières indiquées dans l'acte de renouvellement l'exigent.

2001, c. 26, a. 63; 2002, c. 22, a. 32.

137.19 [Renewal] The term of office of a commissioner shall be renewed for five years, according to the procedure established under section 137.20.

(1) unless the commissioner is notified otherwise at least three months before the expiry of the term by the agent authorized therefor by the Government; or

(2) unless the commissioner requests otherwise and so notifies the Minister at least three months before the expiry of the term.

[Variation] A variation of the term of office is valid only for a fixed period of less than five years determined in the instrument of renewal and, except where requested by the commissioner for a valid reason, only where required by special circumstances stated in the instrument of renewal.

137.20 [Examen du renouvellement] Le renouvellement d'un mandat est examiné suivant la procédure établie par règlement du gouvernement. Un tel règlement peut, notamment:

1° autoriser la formation de comités;

137.20 [Regulation] The renewal of a term of office shall be examined according to the procedure established by gouvernement regulation. The regulation may, in particular,

(1) authorize the establishment of committees;

2° fixer la composition des comités et le mode de nomination de leurs membres, lesquels ne doivent pas faire partie de l'Administration gouvernementale au sens de la Loi sur l'administration publique (L.R.Q., chapitre A-6.01), ni la représenter;

3° déterminer les critères dont le comité tient compte;

4° déterminer les renseignements que le comité peut requérir du commissaire et les consultations qu'il peut effectuer.

Un comité d'examen ne peut faire une recommandation défavorable au renouvellement du mandat d'un commissaire sans, au préalable, informer ce dernier de son intention de faire une telle recommandation et des motifs sur lesquels celle-ci est fondée et sans lui avoir donné l'occasion de présenter ses observations.

Les membres d'un comité d'examen ne peuvent être poursuivis en justice en raison d'actes accomplis de bonne foi dans l'exercice de leurs fonctions.

2001, c. 26, a. 63; 2002, c. 22, a. 32.

137.21 [Comité d'examen] Les membres d'un comité d'examen ne sont pas rémunérés, sauf dans les cas, aux conditions et dans la mesure que peut déterminer le gouvernement.

[Remboursement des dépenses] Ils ont cependant droit au remboursement des dépenses faites dans l'exercice de leurs fonctions, aux conditions et dans la mesure que détermine le gouvernement.

2001, c. 26, a. 63.

137.22 [Fin avant terme] Le mandat d'un commissaire ne peut prendre fin avant terme que par son admission à la retraite ou sa démission, ou s'il est destitué ou autrement démis de ses fonctions, dans les conditions prévues aux articles 137.23 à 137.25.

2001, c. 26, a. 63.

137.23 [Démission] Pour démissionner, le commissaire doit donner au ministre un préavis écrit dans un délai raisonnable et en transmettre une copie au président de la Commission.

2001, c. 26, a. 63.

(2) fix the composition of the committees and the mode of appointment of committee members, who shall neither belong to nor represent the Administration within the meaning of the Public Administration Act (R.S.Q., chapter A-6.01);

(3) determine the criteria to be taken into account by the committees;

(4) determine the information a committee may require from a commissioner and the consultations it may hold.

An examination committee may not make a recommendation against the renewal of a commissioner's term of office without first having informed the commissioner of its intention to make such a recommendation and of the reasons therefor and without having given the commissioner the opportunity to present observations.

No judicial proceedings may be brought against members of an examination committee for any act done in good faith in the performance of their duties.

137.21 [Remuneration] The members of an examination committee shall receive no remuneration except in such cases, subject to such conditions and to such extent as may be determined by the Government.

[Reimbursement] They are, however, entitled to the reimbursement of expenses incurred in the exercise of their functions, subject to the conditions and to the extent determined by the Government.

137.22 [Premature termination] The term of office of a commissioner may terminate prematurely only on the commissioner's retirement or resignation, or on the commissioner's being dismissed or otherwise removed from office, in the circumstances referred to in sections 137.23 to 137.25.

137.23 [Resignation] To resign, a commissioner must give the Minister reasonable notice in writing and send a copy to the president of the Commission.

137.24 [Destitution] Le gouvernement peut destituer un commissaire lorsque le Conseil de la justice administrative le recommande, après enquête tenue à la suite d'une plainte pour un manquement au code de déontologie, à un devoir imposé par le présent code ou aux prescriptions relatives aux conflits d'intérêts ou aux fonctions incompatibles. Il peut également suspendre le commissaire ou lui imposer une réprimande.

[Plainte] La plainte doit être écrite et exposer sommairement les motifs sur lesquels elle s'appuie. Elle est transmise au siège du Conseil.

[Dispositions applicables] Le Conseil, lorsqu'il procède à l'examen d'une plainte formulée contre un commissaire, agit conformément aux dispositions des articles 184 à 192 de la Loi sur la justice administrative (L.R.Q., chapitre J-3), compte tenu des adaptations nécessaires.

[Comité d'enquête] Toutefois, lorsque, en application de l'article 186 de cette loi, le Conseil constitue un comité d'enquête, deux des membres qui le composent sont choisis parmi les membres du Conseil visés aux paragraphes 1° à 4° et 7° à 9° de l'article 167 de cette loi, dont l'un au moins n'exerce pas une profession juridique et n'est pas membre de l'un des organismes de l'Administration dont le président est membre du Conseil. Le troisième est le membre du Conseil visé au paragraphe 6° ou choisi à partir d'une liste établie par le président de la Commission après consultation de l'ensemble de ses commissaires. En ce dernier cas, si le comité juge la plainte fondée, ce membre participe également aux délibérations du Conseil pour déterminer la sanction.

2001, c. 26, a. 63; 2002, c. 22, a. 33.

137.25 [Incapacité permanente] Le gouvernement peut démettre un commissaire s'il est d'avis que son incapacité permanente l'empêche de remplir de manière satisfaisante les devoirs de sa charge. L'incapacité permanente est établie par le Conseil de la justice administrative, après enquête faite sur demande du ministre ou du président de la Commission.

137.24 [Dismissal] The Government may dismiss a commissioner if the Conseil de la justice administrative so recommends, after an inquiry following a complaint for breach of the code of ethics or of the prescriptions governing conflicts of interest or incompatible functions or for a dereliction of duty under this Code. It may also impose a suspension or issue a reprimand.

[Complaint] A complaint must be in writing and must briefly state the grounds on which it is based. The complaint is sent to the seat of the council.

[Provisions applicable] The council shall, when examining a complaint brought against a commissioner, act in conformity with the provisions of sections 184 to 192 of the Act respecting administrative justice (R.S.Q., chapter J-3), with the necessary modifications.

[Inquiry committee] However, where the council, for the purposes of section 186 of the said Act, forms an inquiry committee, two members of the committee shall be chosen from among the members of the council referred to in paragraphs 1 to 4 and 7 to 9 of section 167 of that Act, at least one of whom shall neither practise a legal profession nor be a member of a body of the Administration whose president or chairman is a member of the council. The third member of the inquiry committee shall be the member of the council referred to in paragraph 6 of that section or shall be chosen from a list drawn up by the president of the Commission, after consulting all the commissioners of the Commission. In the latter case and if the inquiry committee finds the complaint to be justified, the third member shall take part in the deliberations of the council for the purpose of determining a penalty.

137.25 [Permanent disability] The Government may remove a commissioner from office if, in the opinion of the Government, a permanent disability prevents the commissioner from performing the duties of a commissioner satisfactorily. Permanent disability is ascertained by the Conseil de la justice administrative after an inquiry is conducted at the request of the Minister or of the president of the Commission.

[Dispositions applicables] Le Conseil, lorsqu'il fait enquête pour déterminer si un commissaire est atteint d'une incapacité permanente, agit conformément aux dispositions des articles 193 à 197 de la Loi sur la justice administrative (L.R.Q., chapitre J-3), compte tenu des adaptations nécessaires; toutefois, la formation du comité d'enquête obéit aux règles prévues par l'article 137.24.

2001, c. 26, a. 63.

137.26 [Commissaire en surnombre] Tout commissaire peut, à la fin de son mandat, avec l'autorisation du président de la Commission et pour la période que celui-ci détermine, continuer à exercer ses fonctions pour terminer les affaires qu'il a déjà commencé à entendre et sur lesquelles il n'a pas encore statué; il est alors, pendant la période nécessaire, un commissaire en surnombre.

[Exception] Le premier alinéa ne s'applique pas au commissaire destitué ou autrement démis de ses fonctions.

2001, c. 26, a. 63.

§ 3. — *Rémunération et autres conditions de travail*

137.27 [Conditions de travail] Le gouvernement détermine par règlement:

1° le mode, les normes et barèmes de la rémunération des commissaires ainsi que la façon d'établir le pourcentage annuel de la progression du traitement des commissaires jusqu'au maximum de l'échelle salariale et de l'ajustement de la rémunération des commissaires dont le traitement est égal à ce maximum;

2° les conditions et la mesure dans lesquelles les dépenses faites par un commissaire dans l'exercice de ses fonctions lui sont remboursées.

[Conditions de travail] Il peut pareillement déterminer d'autres conditions de travail pour tous les commissaires ou pour certains d'entre eux, y compris leurs avantages sociaux autres que le régime de retraite.

[Variations] Les dispositions réglementaires peuvent varier selon qu'il s'agit d'un

[Provisions applicable] The council shall, when conducting an inquiry to determine whether a commissioner is suffering from a permanent disability, act in conformity with the provisions of sections 193 to 197 of the Act respecting administrative justice (R.S.Q. chapter J-3), with the necessary modifications; however, the inquiry committee shall be formed in accordance with the rules set out in section 137.24.

137.26 [Supernumerary commissioner] A commissioner may, with the authorization of and for the time determined by the president of the Commission, continue to exercise the functions of a commissioner after the expiry of his or her term of office in order to conclude the cases the commissioner has begun to hear but has yet to determine; the commissioner shall be considered to be a supernumerary commissioner for the time required.

[Exception] The first paragraph does not apply to a commissioner who has been dismissed or otherwise removed from office.

§ 3. — *Remuneration and other conditions of employment*

137.27 [Regulations] The Government shall make regulations determining

(1) the mode of remuneration of the commissioners and the applicable standards and scales and the method for determining the annual percentage of salary advancement up to the maximum salary rate and of the adjustment of the remuneration of commissioners whose salary has reached the maximum rate;

(2) the conditions subject to which and the extent to which a commissioner may be reimbursed for the expenses incurred in the performance of his or her duties.

[Conditions of employment] The Government may make regulations determining other conditions of employment applicable to all or certain commissioners, including employment benefits other than a pension plan.

[Variations] The regulatory provisions may vary according to whether they apply to

commissaire à temps plein ou à temps partiel ou selon que le commissaire occupe une charge administrative au sein de la Commission.

[Entrée en vigueur des règlements] Les règlements entrent en vigueur le quinzième jour qui suit la date de leur publication à la *Gazette officielle du Québec* ou à une date ultérieure qui y est indiquée.

2001, c. 26, a. 63; 2002, c. 22, a. 34.

137.28 [Fixation des conditions de travail] Le gouvernement fixe, conformément au règlement, la rémunération, les avantages sociaux et les autres conditions de travail des commissaires.

2001, c. 26, a. 63.

137.29 [Réduction interdite] La rémunération d'un commissaire ne peut être réduite une fois fixée.

[Cessation d'une charge] Néanmoins, la cessation d'exercice d'une charge administrative au sein de la Commission entraîne la suppression de la rémunération additionnelle afférente à cette charge.

2001, c. 26, a. 63.

137.30 [Régime de retraite] Le régime de retraite des commissaires est déterminé en application de la Loi sur le régime de retraite du personnel d'encadrement (2001, chapitre 31) ou de la Loi sur le régime de retraite des fonctionnaires (L.R.Q., chapitre R-12), selon le cas.

2001, c. 26, a. 63; 2001, c. 49, a. 2.

137.31 [Congé sans solde] Le fonctionnaire nommé commissaire de la Commission cesse d'être assujetti à la Loi sur la fonction publique (L.R.Q., chapitre F-3.1.1) pour tout ce qui concerne sa fonction de commissaire; il est, pour la durée de son mandat et dans le but d'accomplir les devoirs de sa fonction, en congé sans solde total.

2001, c. 26, a. 63.

§ 4. — *Déontologie et impartialité*

137.32 [Serment] Avant d'entrer en fonction, le commissaire prête serment en affirmant solennellement ce qui suit: «Je (...)

a full-time or part-time commissioner or to a commissioner holding an administrative office within the Commission.

[Coming into force] The regulations come into force on the fifteenth day following the date of their publication in the *Gazette officielle du Québec* or on any later date indicated therein.

137.28 [Conditions of employment] The Government shall fix, in accordance with the regulations, the remuneration, employment benefits and other conditions of employment of the commissioners.

137.29 [Remuneration] Once fixed, a commissioner's remuneration may not be reduced.

[Termination] However, additional remuneration attaching to an administrative office within the Commission shall cease upon termination of such office.

137.30 [Pension plan] The pension plan of commissioners shall be determined pursuant to the Act respecting the Pension Plan of Management Personnel (2001, chapter 31) or the Act respecting the Civil Service Superannuation Plan (R.S.Q., chapter R-12), as the case may be.

137.31 [Public servant] A public servant appointed as a commissioner of the Commission ceases to be subject to the Public Service Act (R.S.Q., chapter F-3.1.1) in all matters concerning his office as commissioner; the public servant is, for the duration of his appointment and to discharge the duties of commissioner, on full leave without pay.

§ 4. — *Ethics and impartiality*

137.32 [Oath] Each commissioner shall, before acting as such, take an oath, solemnly affirming the following: "I (...) swear that I

jure que j'exercerai et accomplirai impartialement et honnêtement, au meilleur de ma capacité et de mes connaissances, les pouvoirs et les devoirs de ma charge.».

[Président] Cette obligation est exécutée devant le président de la Commission. Ce dernier doit prêter serment devant un juge de la Cour du Québec.

[Transmission] L'écrit constatant le serment est transmis au ministre.

2001, c. 26, a. 63.

137.33 [Code de déontologie] Le gouvernement édicte, après consultation du président, un code de déontologie applicable aux commissaires.

[Entrée en vigueur] Ce code entre en vigueur le quinzième jour qui suit la date de sa publication à la *Gazette officielle du Québec* ou à une date ultérieure qui y est indiquée.

2001, c. 26, a. 63.

137.34 [Contenu] Le Code de déontologie énonce les règles de conduite et les devoirs des commissaires envers le public, les parties, leurs témoins et les personnes qui les représentent; il indique, notamment, les comportements dérogatoires à l'honneur, à la dignité ou à l'intégrité des commissaires. Il peut en outre déterminer les activités ou situations incompatibles avec la charge qu'ils occupent, leurs obligations concernant la révélation de leurs intérêts ainsi que les fonctions qu'ils peuvent exercer à titre gratuit.

[Temps partiel] Ce code de déontologie peut prévoir des règles particulières pour les commissaires à temps partiel.

2001, c. 26, a. 63.

137.35 [Conflit d'intérêts] Un commissaire ne peut, sous peine de déchéance de sa charge, avoir un intérêt direct ou indirect dans une entreprise susceptible de mettre en conflit son intérêt personnel et les devoirs de sa charge, sauf si un tel intérêt lui échoit par succession ou donation pourvu qu'il y renonce ou en dispose avec diligence.

2001, c. 26, a. 63.

will exercise the powers and fulfil the duties of my office impartially and honestly and to the best of my knowledge and abilities."

[President] The oath shall be taken before the president of the Commission. The president of the Commission shall take the oath before a judge of the Court of Québec.

[Writing] The writing evidencing the oath shall be sent to the Minister.

137.33 [Code of ethics] The Government shall, after consultation with the president, establish a code of ethics applicable to the commissioners.

[Coming into force] The code comes into force on the fifteenth day following the date of its publication in the *Gazette officielle du Québec*, or on any later date indicated therein.

137.34 [Content] The code of ethics shall set out the rules of conduct and the duties of the commissioners towards the public, the parties, their witnesses and the persons representing them; it shall, in particular, define the conduct that is derogatory to the honour, dignity or integrity of a commissioner. In addition, the code of ethics may determine the activities or situations that are incompatible with their office, their obligations concerning the disclosure of interests, and the functions they may exercise gratuitously.

[Special rules] The code of ethics may provide for special rules governing part-time commissioners.

137.35 [Conflict of interest] A commissioner may not, on pain of forfeiture of office, have a direct or indirect interest in any enterprise that could cause a conflict between the commissioner's personal interest and the commissioner's duties of office, unless the interest devolves to the commissioner by succession or gift and the commissioner renounces it or disposes of it with dispatch.

137.36 [Incompatibilité] Outre le respect des prescriptions relatives aux conflits d'intérêts ainsi que des règles de conduite et des devoirs imposés par le Code de déontologie pris en application de la présente loi, un commissaire ne peut poursuivre une activité ou se placer dans une situation incompatible, au sens de ce code, avec l'exercice de ses fonctions.

2001, c. 26, a. 63.

137.36 [Incompatible situations] In addition to observing conflict of interest requirements and the rules of conduct and duties imposed by the code of ethics established under this Code, a commissioner must refrain from pursuing an activity or placing himself or herself in a situation incompatible, within the meaning of the code of ethics, with the exercise of the commissioner's functions.

137.37 [Exercice exclusif des fonctions] Les commissaires à temps plein sont tenus à l'exercice exclusif de leurs fonctions.

[Mandat du gouvernement] Ceux-ci peuvent néanmoins exécuter tout mandat que leur confie par décret le gouvernement après consultation du président de la Commission.

2001, c. 26, a. 63.

137.37 [Exclusive duties] Full-time commissioners shall devote themselves exclusively to their office.

[Mandate] They may, however, carry out any mandate entrusted to them by order of the Government after consultation with the president of the Commission.

SECTION VII

CONDUITE DES AFFAIRES
DE LA COMMISSION

DIVISION VII

CONDUCT OF THE COMMISSION'S AFFAIRS

§ 1. — *Régie interne*

§ 1. — *Internal management*

137.38 [Règles de régie interne] Les affaires administratives de la Commission sont conduites selon des règles de régie interne édictées par son président, après consultation des vice-présidents. Ces règles sont soumises à l'approbation du gouvernement.

2001, c. 26, a. 63.

137.38 [Internal management rules] The administrative affairs of the Commission shall be conducted in accordance with rules of internal management established by the president of the Commission, after consultation with the vice-presidents. The rules shall be submitted to the Government for approval.

137.39 [Entente] La Commission peut conclure, conformément à ses règles de régie interne, une entente avec toute personne, association, société ou organisme ainsi qu'avec le gouvernement, l'un de ses ministères ou organismes.

[Entente] Elle peut également, conformément à la loi, conclure une entente avec un gouvernement au Canada ou à l'étranger, l'un de ses ministères ou organismes, une organisation internationale ou un organisme de cette organisation.

2001, c. 26, a. 63.

137.39 [Agreement] The Commission may, in accordance with its rules of internal management, enter into an agreement with any person, association, partnership or body, and with the Government or a department or body of the Government.

[Agreement] The Commission may also, subject to the applicable legislative provisions, enter into an agreement with a government in Canada or abroad, a department or agency of such a government, an international organization or an agency of such an organization.

§ 2. — *Mandat administratif*

137.40 [Président] Le gouvernement nomme un président et deux vice-présidents.

[Exigences] Ces personnes doivent remplir les exigences prévues à l'article 137.12 et sont nommées après consultation des associations de travailleurs et des associations d'employeurs les plus représentatives.

[Commissaire avec charge] Les personnes nommées en vertu du premier alinéa deviennent, à compter de leur nomination, commisssaires de la Commission avec charge administrative.

2001, c. 26, a. 63.

137.41 [Durée] Le mandat administratif du président et des vice-présidents est d'une durée d'au plus cinq ans, déterminée par l'acte de nomination.

[Expiration du mandat] À l'expiration de leur mandat, le président et les vice-présidents demeurent en fonction à ce titre jusqu'à ce qu'ils soient remplacés ou nommés de nouveau.

[Commissaires en surnombre] Ils peuvent continuer à exercer leur fonction de commissaire pour terminer les affaires qu'ils ont déjà commencé à entendre et sur lesquelles ils n'ont pas encore statué; ils sont alors, pendant la période nécessaire, des commissaires en surnombre.

2001, c. 26, a. 63.

137.42 [Conditions de travail] Le gouvernement fixe la rémunération, les avantages sociaux et les autres conditions de travail du président et des vice-présidents.

2001, c. 26, a. 63.

137.43 [Temps plein] Le président et les vice-présidents doivent exercer leurs fonctions à temps plein.

2001, c. 26, a. 63.

137.44 [Vice-président suppléant] Le ministre désigne le vice-président chargé d'assurer la suppléance du président ou d'un vice-président.

2001, c. 26, a. 63.

§ 2. — *Administrative mandate*

137.40 [Appointment] The Government shall appoint a president and two vice-presidents.

[Compliance] Those persons must comply with the requirements provided for in section 137.12 and shall be appointed after consultation with the most representative associations of workers and employers' associations.

[Commissioners] The persons appointed under the first paragraph become, upon their appointment, commissioners of the Commission charged with an administrative office.

137.41 [Mandates] The administrative mandates of the president and vice-presidents shall not exceed five years and shall be determined in the instrument of appointment.

[Expiry of mandate] At the expiry of their mandate, the president and the vice-presidents shall remain in office until replaced or reappointed.

[Supernumerary commissioners] They may continue to exercise their functions as commissioners in order to dispose of the matters they have begun to hear; they shall be considered to be supernumerary commissioners during such time as is necessary.

137.42 [Conditions of employment] The Government shall fix the remuneration, employment benefits and other conditions of employment of the president and vice-presidents.

137.43 [Functions] The president and the vice-presidents shall exercise their functions on a full-time basis.

137.44 [Replacement] The Minister shall designate a vice-president to replace the president or another vice-president.

137.45 [Fin avant terme] Le mandat administratif du président ou d'un vice-président ne peut prendre fin avant terme que si ce dernier renonce à cette charge administrative, si son mandat de commissaire prend fin prématurément ou s'il est révoqué ou autrement démis de sa charge administrative dans les conditions prévues à l'article 137.46.

2001, c. 26, a. 63.

137.46 [Révocation] Le gouvernement peut révoquer le président ou un vice-président de sa charge administrative lorsque le Conseil de la justice administrative le recommande, après enquête faite sur demande du ministre pour un manquement ne concernant que l'exercice de ses attributions administratives. Le Conseil agit conformément aux dispositions des articles 193 à 197 de la Loi sur la justice administrative (L.R.Q., chapitre J-3), compte tenu des adaptations nécessaires; toutefois, la formation du comité d'enquête obéit aux règles prévues par l'article 137.24.

2001, c. 26, a. 63.

§ 3. — *Direction et administration*

137.47 [Président] Outre les attributions qui peuvent lui être dévolues par ailleurs, le président est chargé de l'administration et de la direction générale de la Commission.

[Fonctions] Il a notamment pour fonctions:

1° de diriger le personnel de la Commission et de voir à ce que celui-ci exécute ses fonctions;

2° de promouvoir le perfectionnement du personnel de la Commission et des commissaires quant à l'exercice de leurs fonctions;

3° de favoriser la participation des commissaires à l'élaboration d'orientations générales en vue de maintenir un niveau élevé de qualité et de cohérence des décisions de la Commission;

4° de coordonner et de répartir le travail des commissaires qui, à cet égard, doivent se soumettre à ses ordres et à ses directives;

137.45 [Premature termination] The administrative mandate of the president or of a vice-president may terminate prematurely only if the president or vice-president relinquishes his or her administrative office, on the premature termination of his or her term of office as commisioner, or on his or her dismissal or removal from administrative office in circumstances referred to in section 137.46.

137.46 [Removal] The Government may remove the president or a vice-president from administrative office if the Conseil de la justice administrative so recommends, after an inquiry is conducted at the Minister's request concerning a lapse pertaining only to administrative duties. The council shall act in accordance with the provisions of sections 193 to 197 of the Act respecting administrative justice (R.S.Q., chapter J-3), with the necessary modifications; however, the formation of an inquiry committee is subject to the rules set out in section 137.24.

§ 3. — *Management and administration*

137.47 [President] In addition to the exercise of the powers and duties that may otherwise b assigned to the president, the president is charged with the administration and general management of the Commission.

[Functions] The functions of the president include

(1) directing the personnel of the Commission and seeing to it that the personnel's functions are carried out;

(2) promoting the professional development of the personnel of the Commission and the commissioners as regards the exercise of their functions;

(3) fostering the participation of commissioners in the formulation of guiding principles so as to maintain a high level of quality and coherence in the decisions of the Commission;

(4) coordinating and assigning the work of the commissioners who, in that respect, must comply with the president's orders and directives;

5° de veiller au respect de la déontologie.

2001, c. 26, a. 63.

137.48 [Agents de relations du travail] Pour l'exercice des fonctions, devoirs et pouvoirs de la Commission, le président peut nommer des agents de relations du travail, qui sont chargés:

a) de tenter d'amener les parties à s'entendre;

b) de s'assurer du caractère représentatif d'une association de salariés ou de son droit à l'accréditation;

c) d'effectuer, à la demande du président de la Commission, ou de leur propre initiative dans les affaires dont ils sont saisis, une enquête sur une contravention appréhendée à l'article 12, un sondage ou une recherche sur toute question relative à l'accréditation et à la protection ou à l'exercice du droit d'association.

[Fonction] Ces personnes sont également chargées d'exercer toute autre fonction qui leur est confiée par le président.

2001, c. 26, a. 63.

137.49 [Répartition du travail] Dans la répartition du travail des commissaires, le président peut tenir compte des connaissances et de l'expérience spécifique de ces derniers.

2001, c. 26, a. 63.

137.50 [Délégation aux vice-présidents]Le président peut déléguer tout ou partie de ses attributions aux vice-présidents.

2001, c. 26, a. 63.

137.51 [Vice-présidents] Outre les attributions qui peuvent leur être dévolues par ailleurs ou déléguées par le président, les vice-présidents assistent et conseillent le président dans l'exercice de ses fonctions et exercent leurs fonctions administratives sous l'autorité de ce dernier.

2001, c. 26, a. 63.

§ 4. — *Immunités*

137.52 [Immunité] La Commission, ses commissaires et les membres de son person-

(5) seeing to the observance of the standards of ethics.

137.48 [Labour relations officers] For the exercise of the Commission's functions, duties and powers, the president may appoint labour relations officers charged with

(a) attempting to bring the parties to an agreement;

(b) ascertaining the representative character of an association of employees or its rights to be granted certification;

(c) conducting, at the request of the president of the Commission, or on their own initiative in matters referred to them, an investigation into an apprehended contravention of section 12, a survey or research on any matter relating to certification and the safeguarding or exercise of the freedom of association.

[Functions] Those persons are also charged with exercising any other functions entrusted to them by the president.

137.49 [Commissioners] In assigning work to commissioners, the president may take the commissioners' specific knowledge and experience into account.

137.50 [Delegation] The president may delegate all or part of the president's powers and duties to the vice-presidents.

137.51 [Vice-presidents] In addition to the powers and duties that may otherwise be assigned to them or delegated to them by the president, the vice-presidents shall assist and advise the president in the exercise of his or her functions and perform their administrative functions under the president's authority.

§ 4. — *Immunity*

137.52 [Immunity] The Commission, its commissioners and the members of its per-

nel ne peuvent être poursuivis en justice en raison d'un acte accompli de bonne foi dans l'exercice de leurs fonctions.

2001, c. 26, a. 63.

sonnel may not be prosecuted for an act done in good faith in the exercise of their functions.

137.53 [Non contraignabilité] Une personne désignée par la Commission afin de tenter d'amener les parties à s'entendre ne peut être contrainte de divulguer ce qui lui a été révélé ou ce dont elle a eu connaissance dans l'exercice de ses fonctions ni de produire des notes personnelles ou un document fait ou obtenu dans cet exercice devant un tribunal ou un arbitre ou devant un organisme ou une personne exerçant des fonctions judiciaires ou quasi judiciaires.

137.53 [Disclosure] No person designated by the Commission to attempt to bring the parties to an agreement may be compelled to disclose anything revealed to or learned by the person in the exercise of his functions, or to produce personal notes or a document made or obtained in the exercise of his functions before a court or tribunal or an arbitrator or before a body or person exercising judicial or quasi-judicial functions.

[Accès restreint] Malgré l'article 9 de la Loi sur l'accès aux documents des organismes publics et sur la protection des renseignements personnels (L.R.Q., chapitre A-2.1), nul n'a droit d'accès à un tel document, à moins que ce document ne serve à motiver l'accord et la décision qui l'entérine suite à une conciliation.

[Restricted access] Notwithstanding section 9 of the Act respecting Access to documents held by public bodies and the Protection of personal information (R.S.Q., chapter A-2.1), no person shall have access to such a document unless the document is used as the basis for an agreement and for the decision confirming an agreement following conciliation.

2001, c. 26, a. 63.

§ 5. — Personnel et ressources matérielles et financières

§ 5. — Personnel and material and financial resources

137.54 [Personnel] Le secrétaire et les autres membres du personnel de la Commission sont nommés suivant la Loi sur la fonction publique (L.R.Q., chapitre F-3.1.1).

137.54 [Appointment] The secretary and the other members of the personnel of the Commission shall be appointed in accordance with the Public Service Act (R.S.Q., chapter F-3.1.1).

2001, c. 26, a. 63.

137.55 [Secrétaire] Le secrétaire a la garde des dossiers de la Commission.

137.55 [Custody] The secretary shall have custody of the records of the Commission.

2001, c. 26, a. 63.

137.56 [Authenticité] Les documents émanant de la Commission sont authentiques lorsqu'ils sont signés ou, s'il s'agit de copies, lorsqu'elles sont certifiées conformes par le président, un vice-président, le secrétaire ou, le cas échéant, la personne désignée par le président pour exercer cette fonction.

2001, c. 26, a. 63.

137.56 [Authenticity] The documents emanating from the Commission are authentic if they are signed, as are copies if they are certified true, by the president, a vice-president or the secretary or, as the case may be, by any person designated by the president for that purpose.

137.57 [Reprise des pièces] Les parties doivent, une fois l'affaire terminée, reprendre possession des pièces qu'elles ont produites et des documents qu'elles ont transmis.

[Destruction] À défaut, ces pièces et documents peuvent être détruits, à l'expiration d'un délai d'un an après la date de la décision de la Commission ou de l'acte mettant fin à l'affaire, à moins que le président n'en décide autrement.

2001, c. 26, a. 63.

137.58 [Exercice financier] L'exercice financier de la Commission se termine le 31 mars.

2001, c. 26, a. 63.

137.59 [Prévisions budgétaires] Le président soumet chaque année au ministre les prévisions budgétaires de la Commission pour l'exercice financier suivant, selon la forme, la teneur et à l'époque déterminées par ce dernier.

[Approbation] Ces prévisions sont soumises à l'approbation du gouvernement.

2001, c. 26, a. 63.

137.60 [Vérification] Les livres et comptes de la Commission sont vérifiés chaque année par le vérificateur général et chaque fois que le décrète le gouvernement.

2001, c. 26, a. 63.

137.61 [Rapport d'activités] La Commission transmet au ministre un rapport des ses activités pour l'exercice financier précédent au moins 15 jours avant l'expiration du délai prévu au deuxième alinéa.

[Dépôt à l'Assemblée nationale] Le ministre dépose ce rapport à l'Assemblée nationale dans les quatre mois de la fin de cet exercice financier ou, si l'Assemblée ne siège pas, dans les 15 jours de la reprise de ses travaux.

2001, c. 26, a. 63.

137.62 [Fonds de la Commission des relations du trvail] Les sommes requises pour l'application du présent chapitre sont prises sur le fonds de la Commission des relations du travail.

137.57 [Exhibits and documents] Once proceedings have been completed, the parties shall reclaim the exhibits they produced and the documents they filed.

[Destruction] The exhibits or documents not reclaimed by the parties may be destroyed after the expiry of one year from the date of the decision of the Commission or of the proceeding terminating the proceedings, unless the president decides otherwise.

137.58 [Fiscal year] The fiscal year of the Commission shall end on 31 March.

137.59 [Budgetary estimates] Each year, the president shall submit the budgetary estimates of the Commission for the following fiscal year to the Minister according to the form, tenor and schedule determined by the Minister.

[Approval] The estimates shall be submitted to the Government for approval.

137.60 [Audit] The books and accounts of the Commission shall be audited by the Auditor General each year and whenever ordered by the Government.

137.61 [Report of activities] Not later than 15 days before the expiry of the time limit provided for in the second paragraph, the Commission shall submit a report of activities for the preceding fiscal year to the Minister.

[Tabling] The Minister shall table the report in the National Assembly within four months of the end of such fiscal year or, if the Assembly is not in session, within 15 days of resumption.

137.62 [Fund] The sums required for the purposes of this chapter shall be taken out of the fund of the Commission des relations du travail.

[**Constitution**] Ce fonds est constitué des sommes suivantes:

1° les sommes versées par le ministre sur les crédits alloués à cette fin par le Parlement;

2° les sommes versées par la Commission des normes du travail en vertu de l'article 28.1 de la Loi sur les normes du travail (L.R.Q., chapitre N-1.1);

3° les sommes perçues en application du tarif des droits, honoraires et autres frais afférents aux demandes, plaintes, recours ou documents déposés auprès de la Commission ou aux services rendus par celle-ci.

2001, c. 26, a. 63.

137.63 [**Avance**] Le gouvernement peut, aux conditions qu'il détermine, autoriser le ministre des Finances à avancer au fonds de la Commission des sommes prélevées sur le fonds consolidé du revenu. L'avance versée est remboursable sur le fonds de la Commission.

2001, c. 26, a. 63.

CHAPITRE VII

DE LA RÉGLEMENTATION

138. [**Réglementation du gouvernement**] Le gouvernement peut faire tout règlement qu'il juge approprié pour donner effet aux dispositions du présent code, et en particulier pour:

a) la délivrance des permis prévus aux articles 8 et 9;

b) pourvoir à un régime d'accréditation approprié au caractère temporaire et saisonnier des exploitations forestières et des industries de la pêche et de la préparation du poisson et en particulier décider qu'une période de trente jours visée au paragraphe *d* ou *e* du premier alinéa ou au deuxième alinéa de l'article 22 se situe à un autre moment;

c) modifier le nombre d'exemplaires ou de copies conformes à déposer suivant l'article 72 et établir la procédure à suivre pour ce dépôt et les renseignements que les parties doivent lui fournir à cette occasion;

d) établir des modalités particulières pour le dépôt d'une convention collective applicable à plusieurs employeurs ou à plusieurs associations accréditées;

[**Composition**] The fund shall be made up of

(1) the sums paid by the Minister out of the appropriations allocated for that purpose by Parliament;

(2) the sums paid by the Commission des normes du travail under section 28.1 of the Act respecting labour standards (R.S.Q., chapter N-1.1);

(3) the sums collected in accordance with the tariff of administrative fees, professional fees and other charges attached to applications, complaints, proceedings or documents filed with or services provided by the Commission.

137.63 [**Advances**] The Government may, subject to the conditions it determines, authorize the Minister of Finance to advance to the fund of the Commission sums taken out of the consolidated revenue fund. Any advance paid shall be repayable out of the fund of the Commission.

CHAPTER VII

REGULATIONS

138. [**Regulations**] The Government may make any regulation it deems proper to give effect to the provisions of this Code, in particular:

(*a*) for the issue of the permits provided for in section 8 or 9;

(*b*) to provide for a certification system suitable to the temporary and seasonal nature of logging operations and the fishing and fish preparation industries and in particular decide that a thirty-day period referred to in subparagraph *d* or *e* of the first or second paragraph of section 22 is at another time;

(*c*) to change the number of duplicates or true copies to be filed in accordance with section 72 and to establish the procedure to be followed for such filing and the information which the parties must furnish him on such occasion;

(*d*) to determine the special terms and conditions of filing of a collective agreement applicable to several employers or to several certified associations;

e) exiger tout document, renseignement ou information qui doit accompagner une requête d'une association;

f) déterminer le tarif des droits, honoraires ou frais afférents aux demandes, plaintes, recours ou documents déposés auprès de la Commission ou aux services rendus par celle-ci. Ce règlement peut aussi:

i. prévoir que les droits, honoraires ou frais peuvent varier en fonction des demandes, plaintes, recours, documents ou services ou en fonction des personnes ou des catégories ou sous-catégories de personnes;

ii. déterminer les personnes ou les catégories ou sous-catégories de personnes qui sont exemptées du paiement de ces droits, honoraires ou frais ainsi que les demandes, plaintes, recours, documents ou services visés par cette exemption;

iii. prescrire, pour les demandes, plaintes, recours, documents ou services qu'il désigne, les modalités de paiement de ces droits, honoraires ou frais;

NON EN VIGUEUR

g) déterminer les renseignements qui doivent figurer sur la formule d'adhésion visée au paragraphe *b* du premier alinéa de l'article 36.1;

h) fixer le montant minimal de la cotisation syndicale visée au paragraphe *c* du premier alinéa de l'article 36.1.

[Réglementation de la Commission] La Commission peut, par règlement adopté à la majorité des commissaires, édicter des règles de preuve et de procédure précisant les modalités d'application des règles établies par le présent code ou par les lois particulières en vertu desquelles les recours sont formés, ainsi que des règles concernant le mode de transmission et l'endroit du dépôt de tout document à la Commission.

[Approbation] Un règlement adopté en vertu du deuxième alinéa doit être soumis, pour approbation, au gouvernement.

(*e*) to require any document or information that must be submitted with a petition or motion from an association;

(*f*) to determine a tariff of administrative fees, professional fees or charges attached to applications, complaints, proceedings or documents filed with or services provided by the Commission. The regulation may also

i. provide that the administrative fees, professional fees or charges may vary according to the applications, complaints, proceedings, documents or services or according to the persons or categories or subcategories of persons;

ii. determine the persons and categories or subcategories of persons who are exempt from the payment of duties, fees or charges and the applications, complaints, proceedings, documents or services to which the exemption applies;

iii. prescribe, for the applications, complaints, proceedings, documents or services it designates, the terms and conditions of payment of the administrative fees, professional fees and charges;

NOT IN FORCE

(*g*) to determine the information to be included in the application for membership referred to in subparagraph *b* of the first paragraph of section 36.1;

(*h*) to fix the minimum amount of union dues referred to in subparagraph *c* of the first paragraph of section 36.1.

[Rules of evidence and procedure] The Commission may, in a regulation passed by a majority of the commissioners, make rules of evidence and procedure specifying the manner in which the rules established under this Code or the special Acts pursuant to which the proceedings are brought are to be implemented, and rules concerning the mode of transmission of documents and the place where a document may be filed with the Commission.

[Approval] A regulation made under the second paragraph must be submitted to the Government for approval.

S.R. 1964, c. 141, a. 115; 1969, c. 47, a. 38; 1969, c. 48, a. 34; 1977, c. 5, a. 14; 1977, c. 41, a. 56; 1983, c. 22, a. 92; 1994, c. 6, a. 36; 1999, c. 40, a. 59; 2001, c. 26, a. 64.

CHAPITRE VIII

DES RECOURS

CHAPTER VIII

RECOURSES

139. [Recours prohibés] Sauf sur une question de compétence, aucun des recours extraordinaires prévus aux articles 834 à 846 du Code de procédure civile (L.R.Q., chapitre C-25) ne peut être exercé ni aucune injonction accordée contre un arbitre, le Conseil des services essentiels, la Commission, un de ses commissaires ou un agent de relations du travail de la Commission agissant en leur qualité officielle.

139. [Prohibited recourses] Except on a question of jurisdiction, none of the extraordinary recourses provided for in articles 834 to 846 of the Code of Civil Procedure (R.S.Q., chapter C-25) may be exercised and no injuction may be granted against an arbitrator, the Conseil des services essentiels, the Commission, any of its commissioners or a labour relations officer of the Commission acting in their official capacity.

S.R. 1964, c. 141, a. 121; 1969, c. 47, a. 39; 1977, c. 41, a. 1, a. 57; 1982, c. 16, a. 5; 1983, c. 22, a. 93; 1985, c. 12, a. 93; 1990, c. 4, a. 232; 1998, c. 46, a. 59; 2001, c. 26, a. 66.

139.1 [Exception] Sauf sur une question de compétence, l'article 33 du Code de procédure civile (L.R.Q., chapitre C-25) ne s'applique pas aux personnes ni aux organismes visés à l'article 139 agissant en leur qualité officielle.

139.1 [Exception] Except on a question of jurisdiction, article 33 of the Code of Civil Procedure (R.S.Q., chapter C-25) does not apply to any person, body or agency mentioned in section 139 acting in their official capacities.

1982, c. 16, a. 6.

140. [Annulation de bref, d'ordonnance ou d'injonction] Un juge de la Cour d'appel peut, sur requête, annuler sommairement tout bref délivré et toute ordonnance ou injonction prononcées à l'encontre des articles 139 et 139.1.

140. [Annulment of writ, order or injunction] A judge of the Court of Appeal may annul summarily, upon petition, any writ, order or injunction issued or granted contrary to sections 139 and 139.1.

S.R. 1964, c. 141, a. 122; 1974, c. 11, a. 2; 1979, c. 37, a. 43; 1982, c. 16, a. 7.

140.1 [Recours prohibé] Aucun recours ne peut être intenté en raison ou en conséquence d'un rapport fait ou d'une ordonnance rendue par le Conseil en vertu du chapitre V.1 ou des publications s'y rapportant le cas échéant, ou en raison d'actes accomplis de bonne foi et dans l'exercice de leurs fonctions par les membres du Conseil ou par des personnes nommées par lui conformément aux articles 111.0.10 ou 111.0.13.

140.1 [Prohibited recourse] No recourse may be exercised by reason or as a result of a report or an order made by the council under Chapter V.1 or publications relating thereto, as the case may be, or by reason of acts performed in good faith and in the exercise of their functions by the members of the council or by persons appointed by it in accordance with sections 111.0.10 or 111.0.13.

1982, c. 37, a. 16; 1985, c. 12, a. 94.

CHAPITRE IX

DISPOSITIONS PÉNALES

CHAPTER IX

PENAL PROVISIONS

141. [Défaut de reconnaître une association de salariés] Tout employeur qui, ayant reçu l'avis prescrit, fait défaut de reconnaître comme représentants de salariés à

141. [Failure to acknowledge employees' association] An employer who or which, having received the prescribed notice, fails to acknowledge as representing

son emploi les représentants d'une association de salariés accréditée ou de négocier de bonne foi avec eux une convention collective de travail, commet une infraction et est passible d'une amende de cent à mille dollars pour chaque jour ou fraction de jour que dure l'infraction.

S.R. 1964, c. 141, a. 123.

142. [Grève ou lock-out illégaux] Quiconque déclare ou provoque une grève ou un lock-out contrairement aux dispositions du présent code, ou y participe, est passible pour chaque jour ou partie de jour pendant lequel cette grève ou ce lock-out existe, d'une amende:

1° de 25 $ à 100 $, s'il s'agit d'un salarié;

2° de 1 000 $ à 10 000 $, s'il s'agit d'un dirigeant ou employé d'une association de salariés, ou d'un administrateur, agent ou conseiller d'une association de salariés ou d'un employeur;

3° de 5 000 $ à 50 000 $, s'il s'agit d'un employeur, d'une association de salariés ou d'une union, fédération ou confédération à laquelle est affiliée ou appartient une association de salariés.

S.R. 1964, c. 141, a. 124; 1982, c. 37, a. 17.

142.1 [Briseurs de grève] Quiconque contrevient à l'article 109.1 commet une infraction et est passible d'une amende d'au plus $ 1,000 pour chaque jour ou partie de jour pendant lequel dure l'infraction.

1977, c. 41, a. 58.

143. [Intimidation] Quiconque enfreint une disposition des articles 12, 13 ou 14, commet une infraction et est passible d'une amende de cent à mille dollars pour chaque jour ou fraction de jour que dure l'infraction.

S.R. 1964, c. 141, a. 125.

143.1 [Infraction et peine] Quiconque entrave ou fait obstacle à l'action du Conseil constitué par l'article 111.0.1 ou d'une personne nommée par lui ou quiconque les trompe par réticence ou fausse déclaration commet une infraction et est passible, pour chaque jour ou partie de jour pendant lequel dure l'infraction, d'une amende:

employees in his or its employ the representatives of a certified association of employees or to negotiate in good faith a collective labour agreement with them, is guilty of an offence and liable to a fine of one hundred to one thousand dollars for each day or portion of a day during which such offence continues.

142. [Penalty] Any person declaring or instigating a strike or lock-out contrary to the provisions of this Code, or participating therein, is liable, for each day or part of a day during which the strike or lock-out continues, to a fine

(1) of $25 to $100, in the case of an employee;

(2) of $1 000 to $10 000, in the case of a senior officer or employee of an association of employees or of an administrator, agent or advisor of an association of employees or of an employer;

(3) of $5 000 to $50 000, in the case of an employer, an association of employees or a union, federation or confederation to which an association of employees is affiliated or belongs.

142.1 [Strike-breakers] Any person who contravenes section 109.1 is guilty of an offence and is liable to a fine of not more than $1,000 for every day or part of a day during which the offence continues.

143. [Intimidation] Any person who infringes any provision of section 12, 13 or 14, is guilty of an offence and liable to a fine of one hundred to one thousand dollars for each day or portion of a day during which such offence continues.

143.1 [Offence and penalty] Any person who impedes or hinders the action of the council established by section 111.0.1 or of a person appointed by it or any person who misleads them by concealment or misrepresentation is guilty of an offence and liable, for each day or part of a day during which the offence continues, to a fine

1° de 25 $ à 100 $, s'il s'agit d'un salarié;

2° de 100 $ à 500 $, s'il s'agit d'un dirigeant ou employé d'une association de salariés, ou d'un administrateur, agent ou conseiller d'une association de salariés ou d'un employeur;

3° de 500 $ à 1 000 $, s'il s'agit d'un employeur, d'une association de salariés, ou d'une union, fédération ou confédération à laquelle est affiliée ou appartient une association de salariés.

1982, c. 37, a. 18.

144. [Amende à défaut d'autre peine] Quiconque fait défaut de se conformer à une obligation ou à une prohibition imposée par le présent code, ou par un règlement du gouvernement, ou par un règlement ou une décision de la Commission, commet une infraction et est passible, à moins qu'une autre peine ne soit applicable, d'une amende de cent à cinq cents dollars et de mille à cinq mille dollars pour chaque récidive.

S.R. 1964, c. 141, a. 126; 1969, c. 47, a. 40; 1977, c. 41, a. 1, a. 59; 1990, c. 4, a. 233; 2001, c. 26, a. 67.

145. [Complicité] Est partie à toute infraction et passible de la peine prévue au même titre qu'une personne qui la commet toute personne qui aide à la commettre ou conseille de la commettre, et dans le cas où l'infraction est commise par une personne morale ou par une association, est coupable de l'infraction tout administrateur, dirigeant ou gérant qui, de quelque manière, approuve l'acte qui constitue l'infraction ou y acquiesce.

S.R. 1964, c. 141, a. 128; 1999, c. 40, a. 59.

146. [Conspiration] Si plusieurs personnes forment l'intention commune de commettre une infraction, chacune d'elles est coupable de chaque infraction commise par l'une d'elles dans la poursuite de la commune intention.

S.R. 1964, c. 141, a. 129.

146.1 [Défaut d'exécution d'une ordonnance] L'employeur qui n'exécute pas l'ordonnance de réintégration et, le cas échéant, de paiement d'une indemnité

(1) of $25 to $100, in the case of an employee;

(2) of $100 to $500, in the case of a senior officer or employee of an association of employees or of an administrator, agent or adviser of an association of employees or of an employer;

(3) of $500 to $1 000, in the case of an employer, an association of employees or a union, federation or confederation to which an association of employees is affiliated or belongs.

144. [Fine where no other penalty applicable] Any person who fails to comply with any obligation or prohibition imposed by this code, by a regulation of the Gouvernement or by a regulation or decision of the Commission, is guilty of an offence and liable, unless another penalty is applicable, to a fine of one hundred to five hundred dollars and of one thousand to five thousand dollars for any subsequent conviction.

145. [Aiding or abetting] The following shall be party to an offence and liable to the penalty provided in the same manner as the person committing the offence: any person who aids or abets the commission thereof and, when the offence is committed by a legal person or an association, every director, officer or manager shall be guilty of the offence who in any manner approves of the act which constitutes the offence or acquiesces therein.

146. [Conspiracy] If several persons conspire to commit an offence, each of them shall be guilty of each offence committed by any of them in the carrying out of their common intention.

146.1 [Non compliance with order] An employer who does not comply with the order of reinstatement and, where such is the case, of payment of an indemnity, made

rendue en vertu de l'article 15 ou par application de l'article 110.1 commet une infraction et est passible d'une amende de $ 500 par jour de retard.

1977, c. 41, a. 60.

146.2 [Infraction et peine] Une association de salariés ou un employeur qui contrevient à une entente ou à une liste visées aux articles 111.0.18, 111.10, 111.10.1, 111.10.3, 111.10.5, 111.10.7 ou encore à une entente ou à une décision visée à l'article 111.15.3, ou une association de salariés qui ne prend pas les moyens appropriés pour amener les salariés qu'elle représente à se conformer à cette entente ou à cette liste ou encore à cette entente ou à cette décision commet une infraction et est passible d'une amende de 1 000 $ à 10 000 $ pour chaque jour ou partie de jour pendant lequel dure l'infraction.

1982, c. 37, a. 19; 1985, c. 12, a. 95; 2001, c. 26, a. 68.

147. Abrogé.

1990, c. 4, a. 235.

148. [Poursuite pénale] Une poursuite pénale pour une infraction à une disposition des articles 20.2 ou 20.3, intentée conformément à l'article 10 du Code de procédure pénale (L.R.Q., chapitre C-25.1), ne peut l'être que par un membre de l'association accréditée compris dans l'unité de négociation.

S.R. 1964, c. 141, a. 131; 1969, c. 47, a. 42; 1969, c. 48, a. 35; 1977, c. 41, a. 61; 1990, c. 4, a. 236; 1992, c. 61, a. 181.

149. [Dissolution d'association] S'il est prouvé au tribunal qu'une association a participé à une infraction aux dispositions de l'article 12, il peut, sans préjudice de toute autre peine, prononcer la dissolution de cette association après lui avoir donné l'occasion d'être entendue et de faire toute preuve tendant à se disculper.

[Syndicat professionnel] S'il s'agit d'un syndicat professionnel, une copie authentique de la décision est transmise au registraire des entreprises, qui en donne avis dans la *Gazette officielle du Québec*.

S.R. 1964, c. 141, a. 132; 1969, c. 26, a. 20; 1969, c. 47, a. 43; 1975, c. 76, a. 11; 1981, c. 9, a. 24; 1982, c. 52, a. 115; 2002, c. 45, a. 269.

under section 15 or by the application of section 110.1 is guilty of an offence and is liable to a fine of $500 for each day of failure to comply.

146.2 [Offence and penalty] Every association of employees and every employer that contravenes an agreement or a list contemplated in section 111.0.18, 111.10, 111.10.1, 111.10.3, 111.10.5 or 111.10.7 or in an agreement or a decision referred to in section 111.15.3; and every association of employees that fails to take the appropriate means to induce the employees it represents to comply with the agreement or the list or with the agreement or the decision is guilty of an offence and liable to a fine of $1 000 to $10 000 for each day or part of a day during which the offence continues.

147. Repealed.

148. [Penal proceedings] Penal proceedings for an offence under a provision of section 20.2 or 20.3, instituted in accordance with article 10 of the Code of Penal Procedure (R.S.Q., chapter C-25.1), may be instituted only by a member of the certified association included in the bargaining unit.

149. [Dissolution of association] If it be proved to the Court that an association has participated in an infringement of section 12, the Court may, without prejudice to any other penalty, decree the dissolution of such association after giving it an opportunity to be heard and to produce any evidence tending to exculpate it.

[Professional syndicate] In the case of a professional syndicate, an authentic copy of the decision shall be transmitted to the enterprise registrar, who shall give notice thereof in the *Gazette officielle du Québec*.

CHAPITRE X
DE LA PROCÉDURE

CHAPTER X
PROCEDURE

150. **[Mandataires]** Tout employeur, toute association peut se faire représenter pour les fins du présent code par des représentants dûment mandatés.

S.R. 1964, c. 141, a. 133.

150. **[Proxies]** Any employer or association may be represented, for the purposes of this code, by duly empowered representatives.

151. **[Vice de forme]** Aucun acte de procédure fait en vertu du présent code ne peut être rejeté pour vice de forme ou irrégularité de procédure.

151. **[Defect of form]** No proceeding under this Code may be dismissed by reason of any defect of form or irregularity of procedure.

S.R. 1964, c. 141, a. 134; 1969, c. 48, a. 36; 1977, c. 5, a. 14; 1977, c. 41, a. 1, a. 62; 1981, c. 9, a. 34; 1982, c. 53, a. 56; 1994, c. 12, a. 66; 1996, c. 29, a. 43; 1999, c. 40, a. 59; 2001, c. 26, a. 69.

151.1 [Jours non juridiques] Aux fins du présent code, sont jours non juridiques:

a) les dimanches;
b) les 1er et 2 janvier;
c) le vendredi saint;
d) le lundi de Pâques;
e) le 24 juin, jour de la fête nationale;
f) le 1er juillet, anniversaire de la Confédération, ou le 2 juillet si le 1er tombe un dimanche;
g) le premier lundi de septembre, fête du travail;
g.1) le deuxième lundi d'octobre;
h) les 25 et 26 décembre;
i) le jour fixé par proclamation du gouverneur-général pour marquer l'anniversaire de naissance du Souverain;
j) tout autre jour fixé par proclamation du gouvernement comme jour de fête publique ou d'action de grâces.

1977, c. 41, a. 63; 1978, c. 5, a. 14; 1979, c. 37, a. 41; 1984, c. 46, a. 17.

151.1 [Non-juridical days] For the purposes of this code, the following are nonjuridical days:

(*a*) Sundays;
(*b*) 1 and 2 January;
(*c*) Good Friday;
(*d*) Easter Monday;
(*e*) 24 June, the National Holiday;
(*f*) 1 July, the anniversary of Confederation, or 2 July if 1 July is a Sunday;
(*g*) the first Monday of September, Labour Day;
(*g*.1) the second Monday of October;
(*h*) 25 and 26 December;
(*i*) the day fixed by the Governor-General for the celebration of the birthday of the Sovereign;
(*j*) any other day fixed by proclamation of the Gouvernement as a public holiday or as a day of thanksgiving.

151.2 [Jour juridique] Si la date fixée pour faire une chose tombe un jour non juridique, la chose peut être valablement faite le premier jour juridique qui suit.

1977, c. 41, a. 63.

151.2 [Juridical day] If the date fixed for doing anything falls on a nonjuridical day, such thing may validly be done on the next following juridical day.

151.3 [Computation des délais] Dans la computation de tout délai fixé par le présent code, ou imparti en vertu de quelqu'une de ses dispositions, y compris un délai d'appel:

1. le jour qui marque le point de départ n'est pas compté, mais celui de l'échéance l'est;

151.3 [Computation of periods] In computing any period fixed by this code or any of its provisions, including the periods for appeal,

(1) the day which marks the start of the period is not counted, but the terminal day is counted;

2. les jours non juridiques sont comptés; mais lorsque le dernier jour est non juridique, le délai est prorogé au premier jour juridique suivant;

3. le samedi est assimilé à un jour non juridique, de même que le 2 janvier et le 26 décembre.

1977, c. 41, a. 63; 1999, c. 40, a. 59.

151.4 [Computation des délais] Les jours non juridiques ne sont pas comptés dans la computation de tout délai fixé par le présent code pour faire une chose, lorsque ce délai n'excède pas dix jours.

1977, c. 41, a. 63; 1999, c. 40, a. 59.

152. [Dénonciateur] Aucune preuve n'est permise pour établir qu'une enquête ou poursuite prévue par le présent code a été intentée à la suite d'une information d'un dénonciateur ou pour découvrir l'identité de ce dernier.

S.R. 1964, c. 141, a. 135; 1990, c. 4, a. 237.

(2) non-juridical days are counted; but when the last day is a non-juridical day, the period is extended to the next following juridical day;

(3) Saturday is considered a non-juridical day, as are 2 January and 26 December.

151.4 [Computation of periods] Non-juridical days are not counted in computing any period fixed by this code to do anything, when such period does not exceed ten days.

152. [Informer] No evidence shall be admitted to establish that an investigation or prosecution contemplated by this code has been taken on information received from an informer, or to discover the identity of the latter.

CHAPITRE XI
DISPOSITION PARTICULIÈRE

CHAPTER XI
SPECIAL PROVISION

153. (Cet article a cessé d'avoir effet le 17 avril 1987).

1982, c. 21, a. 1; R.-U., 1982, c. 11, ann. B, ptie I, a. 33.

153. (This section ceased to have effect on 17 April 1987).

ANNEXE I
RECOURS FORMÉS EN VERTU D'AUTRES LOIS

En plus des recours formés en vertu du présent code, la Commission connaît et dispose des recours formés en vertu:

1° du deuxième alinéa de l'article 45, du deuxième alinéa de l'article 46 et du troisième alinéa de l'article 137.1 de la Charte de la langue française (L.R.Q., chapitre C-11);

2° du deuxième alinéa de l'article 72 de la Loi sur les cités et villes (L.R.Q., chapitre C-19);

3° du deuxième alinéa de l'article 267.0.2 et du troisième alinéa de l'article 678.0.2.6 du Code municipal du Québec (L.R.Q., chapitre C-27.1);

4° du quatrième alinéa du paragraphe *g* de l'article 48 de la Loi sur la Commission municipale (L.R.Q., chapitre C-35);

5° du premier alinéa de l'article 30.1 de la Loi sur les décrets de convention collective (L.R.Q., chapitre D-2);

6° du deuxième alinéa de l'article 88.1 et du premier alinéa de l'article 356 de la Loi sur les élections et les référendums dans les municipalités (L.R.Q., chapitre E-2.2);

7° de l'article 205 de la Loi sur les élections scolaires (L.R.Q., chapitre E-2.3);

8° du deuxième alinéa de l'article 144 et du premier alinéa de l'article 255 de la Loi électorale (L.R.Q., chapitre E-3.3);

9° des articles 104 à 107, 110, 112 et 121, du deuxième alinéa de l'article 109 et du troisième alinéa de l'article 111 de la Loi sur l'équité salariale (L.R.Q., chapitre E-12.001);

10° de l'article 17.1 de la Loi sur la fête nationale (L.R.Q., chapitre F-1.1);

11° de l'article 20 et du deuxième alinéa de l'article 200 de la Loi sur la fiscalité municipale (L.R.Q., chapitre F-2.1);

12° du deuxième alinéa de l'article 65, du quatrième alinéa de l'article 66 et du troisième alinéa de l'article 67 de la Loi sur la fonction publique (L.R.Q., chapitre F-3.1.1);

13° du deuxième alinéa de l'article 256 de la Loi sur les forêts (L.R.Q., chapitre F-4.1);

14° du deuxième alinéa de l'article 47 de la Loi sur les jurés (L.R.Q., chapitre J-2);

15° des articles 86.1, 123.4, 123.9, 123.12 et 126 de la Loi sur les normes du travail (L.R.Q., chapitre N-1.1);

SCHEDULE I
PROCEEDINGS BROUGHT UNDER OTHER ACTS

In addition to the proceedings brought under this Code, the Commission shall hear and decide proceedings under

(1) the second paragraph of section 45, the second paragraph of section 46 and the third paragraph of section 137.1 of the Charter of the French language (R.S.Q., chapter C-11);

(2) the second paragraph of section 72 of the Cities and Towns Act (R.S.Q., chapter C-19);

(3) the second paragraph of article 267.0.2 and the third paragraph of article 678.0.2.6 of the Municipal Code of Québec (R.S.Q., chapter C-27.1);

(4) the fourth paragraph of paragraph *g* of section 48 of the Act respecting the Commission municipale (R.S.Q., chapter C-35);

(5) the first paragraph of section 30.1 of the Act respecting collective agreement decrees (R.S.Q., chapter D-2);

(6) the second paragraph of section 88.1 and the first paragraph of section 356 of the Act respecting elections and referendums in municipalities (R.S.Q., chapter E-2.2);

(7) section 205 of the Act respecting school elections (R.S.Q., chapter E-2.3);

(8) the second paragraph of section 144 and the first paragraph of section 255 of the Election Act (R.S.Q., chapter E-3.3);

(9) sections 104 to 107, 110, 112 and 121, the second paragraph of section 109 and the third paragraph of section 111 of the Pay Equity Act (R.S.Q., chapter E-12.001);

(10) section 17.1 of the National Holiday Act (R.S.Q., chapter F-1.1);

(11) section 20 and the second paragraph of section 200 of the Act respecting municipal taxation (R.S.Q., chapter F-2.1);

(12) the second paragraph of section 65, the fourth paragraph of section 66 and the third paragraph of section 67 of the Public Service Act (R.S.Q., chapter F-3.1.1);

(13) the second paragraph of section 256 of the Forest Act (R.S.Q., chapter F-4.1);

(14) the second paragraph of section 47 of the Jurors Act (R.S.Q., chapter J-2);

(15) sections 86.1, 123.4, 123.9, 123.12 and 126 of the Act respecting labour standards (R.S.Q., chapter N-1.1);

16° des articles 176.1, 176.6, 176.7 et 176.11 de la Loi sur l'organisation territoriale municipale (L.R.Q., chapitre O-9);

17° du deuxième alinéa de l'article 49 de la Loi sur la protection des personnes et des biens en cas de sinistre (L.R.Q., chapitre P-38.1);

18° de l'article 61.4, du premier alinéa de l'article 65, du deuxième alinéa de l'article 74, du deuxième alinéa de l'article 75, du troisième alinéa de l'article 93 et du quatrième alinéa de l'article 105 de la Loi sur les relations du travail, la formation professionnelle et la gestion de la main-d'oeuvre dans l'industrie de la construction (L.R.Q., chapitre R-20);

19° du deuxième alinéa de l'article 5.2 de la Loi sur les tribunaux judiciaires (L.R.Q., chapitre T-16);

20° du deuxième alinéa de l'article 154 de la Loi sur la sécurité incendie (L.R.Q., chapitre S-3.4);

21° du deuxième alinéa de l'article 73 et du septième alinéa de l'article 265.1 de la Loi sur la Communauté métropolitaine de Montréal (L.R.Q., chapitre C-37.01);

22° du deuxième alinéa de l'article 64 de l'annexe VI et du septième alinéa de l'article 229 de l'annexe VI de la Loi portant réforme de l'organisation territoriale municipale des régions métropolitaines de Montréal, de Québec et de l'Outaouais (2000, chapitre 56);

23° du deuxième alinéa de l'article 73 de la Loi sur les sociétés de transport en commun (L.R.Q., chapitre S-30.01);

24° du sixième alinéa de l'article 57 de la Loi modifiant diverses dispositions législatives concernant les municipalités régionales de comté (2002, chapitre 68).

*24° du troisième alinéa de l'article 43 de la Loi sur les services préhospitaliers d'urgence et modifiant diverses dispositions législatives (2002, chapitre 69).

2001, c. 26, a. 70; 2002, c. 28, a. 36; 2002, c. 68, a. 9; 2002, c. 69, a. 126; 2002, c. 80, a. 78.

(16) sections 176.1, 176.6, 176.7 and 176.11 of the Act respecting municipal territorial organization (R.S.Q., chapter O-9);

(17) the second paragraph of section 49 of the Act respecting the protection of persons and property in the event of disaster (R.S.Q., chapter P-38.1);

(18) section 61.4, the first paragraph of section 65, the second paragraph of section 74, the second paragraph of section 75, the third paragraph of section 93 and the fourth paragraph of section 105 of the Act respecting labour relations, vocational training and manpower management in the construction industry (R.S.Q., chapter R-20);

(19) the second paragraph of section 5.2 of the Courts of Justice Act (R.S.Q., chapter T-16);

(20) the second paragraph of section 154 of the Fire Safety Act (R.S.Q., chapter S-3.4);

(21) the second paragraph of section 73 and the seventh paragraph of section 265.1 of the Act respecting the Communauté métropolitaine de Montréal (R.S.Q., chapter C-37.01);

(22) the second paragraph of section 64 of Schedule VI and the seventh paragraph of section 229 of Schedule VI to the Act to reform the municipal territorial organization of the metropolitan regions of Montréal, Québec and the Outaouais (2000, chapter 56);

(23) the second paragraph of section 73 of the Act respecting public transit authorities (R.S.Q., chapter S-30.01);

(24) the sixth paragraph of section 57 of the Act to amend various legislative provisions concerning regional county municipalities (2002, chapter 68).

*(24) of the third paragraph of section 43 of the Act respecting pre-hospital emergency services and amending various legislative provisions (2002, chapter 69).

---

* Deux paragraphes 24° ont été ajoutés à l'annexe I par 2002, c. 68, a. 9 et 2002, c. 69, a. 126. Cette erreur de concordance sera corrigée ultérieurement.

* Two paragraphs (24) have been added to Schedule I by 2002, c. 68, s. 9 and 2002, c. 69, s. 126. This error of concordance shall be rectified later on.

c. C-27, r. 1

RÈGLEMENT SUR L'ACCRÉDITATION DANS LES EXPLOITATIONS FORESTIÈRES ET SUR LES PERMIS D'ACCÈS À DES CAMPEMENTS FORESTIERS

Code du travail
(L.R.Q., c. C-27, a. 138)

SECTION I

PERMIS

1. Un permis de passage et d'accès à un campement forestier selon l'article 8 du Code du travail (L.R.Q., c. C-27), doit faire l'objet d'une demande écrite au commissaire général du travail et porter les mentions suivantes:

a) le nom et l'adresse de l'association de salariés requérante;

b) le nom du concessionnaire forestier et celui de l'employeur s'il ne s'agit pas de la même personne;

c) le groupe de salariés intéressé;

d) le territoire visé;

e) le nombre approximatif de campements de l'exploitation forestière.

Cette demande doit être signée par un représentant autorisé de l'association de salariés requérante.

2. Le permis d'accès aux campements forestiers doit mentionner:

a) le nom de l'association de salariés représentée;

b) le nom du concessionnaire forestier et celui de l'employeur s'il ne s'agit pas de la même personne;

c) le groupe de salariés intéressé;

d) la date d'entrée en vigueur et d'expiration du permis.

3. L'exercice du permis est personnel et à cette fin, le permis doit être auparavant signé par le commissaire général du travail et contresigné par le représentant désigné par l'association de salariés représentée.

Le commissaire général du travail peut, à la demande de l'association de salariés qui désire changer un représentant, délivrer immédiatement un nouveau permis dont la

c. C-27, r. 1

REGULATION RESPECTING CERTIFICATION IN LOGGING OPERATIONS AND RIGHT OF ACCESS PERMITS TO FORESTRY CAMPS

Labour Code
(R.S.Q., c. C-27, s. 138)

DIVISION I

PERMIT

1. Any permit to pass and have access to a forestry camp, pursuant to section 8 of the Labour Code (R.S.Q., c. C-27), must be the subject of a written application to the labour commissioner-general and shall mention the following:

(a) the name and address of the petitioning association of employees

(b) the limit holder's name and the employer's name, if the limit holder is not also the employer;

(c) the group of employees involved;

(d) the territory concerned;

(e) the approximate number of camps in the logging operation.

The application must be signed by an authorized representative of the petitioning association of employees.

2. The permit to have access to forestry camps shall mention:

(a) the name of the association of employees represented;

(b) the limit holder's name and the employer's name, if the limit holder is not also the employer;

(c) the group of employees involved;

(d) the effective date and the expiry date of the permit.

3. The exercise of the permit is personal and for this purpose, the permit must be signed beforehand by the labour commissioner-general and countersigned by the representative appointed by the representative employees' association.

Upon the request of the association of employees wishing to change representatives, the labour commissioner-general may immediately issue a new permit, whose issue shall

délivrance rend caduc l'ancien permis. Le nouveau permis vaut jusqu'à la date d'expiration du permis qu'il remplace. Le commissaire général du travail informe de ce changement le concessionnaire forestier et l'employeur s'il ne s'agit pas de la même personne.

4. Le commissaire général du travail donne au concessionnaire forestier, et à l'employeur s'il ne s'agit pas de la même personne, un avis d'au moins 5 jours avant l'entrée en vigueur du permis.

5. Toute association de salariés a droit à 2 permis s'il y a 100 salariés ou moins visés par une demande de permis. De plus, elle a droit à un permis supplémentaire pour chaque autre centaine de salariés ou fraction de ce nombre.

Le commissaire général du travail vérifie auprès de l'employeur le nombre de salariés visés.

6. Les représentants d'une association accréditée, autorisés par convention collective, n'entrent pas dans le calcul du nombre total de permis établi selon les normes fixées à l'article 5.

7. Sur réception d'une plainte dénonçant des désordres graves, le commissaire général du travail doit dépêcher immédiatement un agent d'accréditation sur les lieux pour faire enquête sur la plainte et lui faire rapport.

8. Sur réception d'un rapport circonstancié, le commissaire général du travail peut suspendre l'exercice du permis du représentant qu'il considère responsable du désordre; il peut aussi prolonger cette suspension pour le temps qu'il détermine.

9. Dans le cas de suspension d'un permis, l'association peut désigner un remplaçant. L'article 3 s'applique, compte tenu des changements nécessaires.

SECTION II
RÉGIME D'ACCRÉDITATION

10. Une association de salariés peut, aux conditions prévues à l'article 1, obtenir en

render the previous permit null and void. The new permit shall be valid until the expiry date of the permit it replaces. The labour commissioner-general shall make this change known to the limit holder and to the employer, if the limit holder is not also the employer.

4. The labour commissioner-general shall give the limit holder and likewise the employer, if the limit holder is not also the employer, a notice of at least 5 days before the effective date of the permit.

5. Any employees' association is entitled to 2 permits if there are 100 employees or less contemplated by an application for a permit. Moreover, it is entitled to one additional permit for any other group of one hundred employees or of any fraction of such number.
The labour commissioner-general shall verify with the employer the number of employees concerned.

6. The representatives of a certified association, authorized by collective agreement, do not count in the calculation of the total number of permits, established according to the standards determined in section 5.

7. Upon receipt of a complaint denouncing serious disturbances, the labour commissioner-general shall immediately dispatch a certification agent to the spot to carry out an investigation regarding the complaint and report to him thereon.

8. Upon receipt of a circumstantial report, the labour commissionner-general may suspend the exercise of the permit of the representative he considers responsible for the disturbances; he may also extend this suspension for the time he determines.

9. When a permit is suspended, the association may appoint a substitute. Section 3 applies, while taking into account necessary changes.

DIVISION II
CERTIFICATION SYSTEM

10. Any association of employees may, under the conditions mentioned in section 1,

tout temps un permis d'accès à un campement à l'égard d'un groupe de salariés qui n'est pas représenté par une association accréditée. Le permis ainsi délivré est valable pour 30 jours à compter de la date qui y est indiquée.

En pareil cas, le permis ne peut être renouvelé au profit de la même association de salariés qu'une fois dans les 12 mois qui suivent la date de délivrance du permis initial.

11. Lorsqu'une association de salariés est déjà accréditée pour représenter un groupe de salariés et qu'une convention collective liant ces salariés se termine entre le 1er février et le 31 juillet, une autre association ne peut faire son recrutement que durant le mois de septembre précédent; lorsqu'une convention collective se termine entre le 1er août et le 31 janvier, le recrutement est autorisé durant le mois de juillet précédent. Dans les cas où un permis en forêt est délivré il ne l'est que pour la période appropriée.

12. Lorsqu'une requête en accréditation donne lieu à une ordonnance d'un vote au scrutin secret, le permis est automatiquement reconduit à compter de la date de réception de cette décision jusqu'à la 36e heure précédant l'heure fixée pour la tenue du vote.

13. Durant toute période où une association a droit de faire du recrutement en vertu de l'article 11 et dans les 3 jours juridiques qui suivent, l'association de salariés peut déposer une requête en accréditation au bureau du commissaire général du travail ou la mettre à la poste, par courrier recommandé ou certifié, selon le cas.

14. Pour établir le caractère représentatif d'une association de salariés, le commissaire du travail ne tient compte que des adhésions données durant la période appropriée mentionnée à l'article 11; toute démission à une association doit lui être transmise durant cette période.

15. Le vote doit être tenu entre le 15e et le 30e jour qui suit l'ordonnance du commissaire du travail le décrétant. Toutefois, ce dernier retardera son ordonnance si le vote devait être tenu entre le 15 décembre et le 15 juin.

obtain at any time a permit to pass and have access to a camp for a group of employees not represented by a certified association. The permit so issued is valid for 30 days as of the date mentioned on it.

In such a case, the permit may not be renewed for the benefit of the same association of employees more than once within the 12 months following the issue date of the initial permit.

11. When an association of employees is already certified to represent a group of employees and when a collective agreement binding these employees expires between 1 February and 31 July, another association may recruit only during the preceding month of September; when a collective agreement expires between 1 August and 31 January, recruiting is permitted during the preceding month of July. When a forestry camp permit is issued, it is valid only for the appropriate period.

12. When a petition for certification entails the ordering of a vote by secret ballot, the permit is automatically renewed as of the 36th hour prior to the hour established for the holding of the vote.

13. During any period when an association is entitled to recruit pursuant to section 11 and within the 3 juridical days that follow, the association of employees may file a petition for certification with the office of the labour commissioner-general or forward it, by registered or certified mail, as the case may be.

14. To establish the representative character of an association of employees, the labour commissioner takes into account only memberships given during the appropriate period mentioned in section 11; any resignation from an association must be reported to him during this period.

15. Voting shall be held between the 15th and the 30th day following the labour commissioner's order to hold the vote. However, the latter will delay his order for voting if the voting is to be held between 15 December and 15 June.

16. La liste des votants contient le nom des salariés qui au jour du vote ont reçu une rémunération durant la période de 15 jours précédant la date du vote de même que les salariés qui ont eu une autorisation d'absence au cours de cette période. Les parties s'entendent sur la liste des votants; à défaut d'entente, le commissaire du travail décide.

17. S'il y a en présence plusieurs associations dont l'une est déjà accréditée et qu'aucune n'obtient, à l'occasion du scrutin, la majorité absolue requise pour avoir droit à l'accréditation, l'association déjà accréditée conserve son accréditation.

18. Les dispositions du Règlement sur l'exercice du droit d'association conformément au Code du travail (c. C-27, r. 3), non incompatibles avec le présent règlement, continuent de s'appliquer.

16. The voters' list contains the names of employees who, as of the voting day, have received wages during the 15-day period prior to the voting date and the names of employees who are on an authorized leave of absence during this period. The parties agree upon the voters' list; lacking agreement, the labour commissioner decides.

17. When there are several associations one of which is already certified and when none of them obtains, during the ballot, the absolute majority required to be entitled to certification, the association already certified keeps its certification.

18. The provisions of the Regulation respecting the exercise of the right of association under the Labour Code (c. C-27, r. 3), not inconsistent with this Regulation, shall continue to apply.

R.R.Q., 1981, c. C-27, r. 1.

R.R.Q., 1981, c. C-27, r. 1.

c. C-27, r. 2

RÈGLEMENT SUR LE DÉPÔT D'UNE SENTENCE ARBITRALE ET LES RENSEIGNEMENTS RELATIFS À LA DURÉE DES ÉTAPES DE LA PROCÉDURE SUIVIE POUR L'ARBITRAGE

Code du travail
(L.R.Q., c. C-27, a. 138)

SECTION I
DÉPÔT D'UNE SENTENCE ARBITRALE

1. Le greffier du bureau du commissaire général du travail transmet à l'arbitre de différend ou à l'arbitre de grief, selon le cas, une attestation indiquant la date de réception d'une sentence arbitrale déposée selon les articles 89 et 101.6 du Code du travail (L.R.Q., c. C-27). Une attestation semblable peut être transmise à tout intéressé qui en fait la demande par écrit.

R.R.Q., 1981, c. C-27, r. 2, a. 1; D. 493-85, a. 1.

SECTION II
RENSEIGNEMENTS QUE DOIT FOURNIR L'ARBITRE DE GRIEF

2. L'arbitre de grief doit, en même temps qu'il dépose une sentence arbitrale suivant l'article 101.6 du Code du travail, faire une déclaration écrite conformément à l'article 3.

R.R.Q., 1981, c. C-27, r. 2, a. 2; D. 493-85, a. 3.

3. La déclaration visée à l'article 2 doit contenir les mentions suivantes:

a) le nom et l'adresse de l'arbitre de grief et s'il y a lieu de ses assesseurs;

b) le mode et la date de nomination de l'arbitre de grief;

c) la mention de l'article du Code du travail en vertu duquel l'arbitre de grief est intervenu;

d) le nature du grief et la date où il a été déposé;

e) les noms et adresse de l'association de salariés et de l'employeur;

c. C-27, r. 2

REGULATION RESPECTING THE FILING OF AN ARBITRATION AWARD AND THE INFORMATION CONCERNING THE DURATION OF ARBITRATION PROCEDURES

Labour Code
(R.S.Q., c. C-27, s. 138)

DIVISION I
FILING OF AN ARBITRATION AWARD

1. The clerk of the office of the labour commissioner-general shall forward to the disputes arbitrator or to the grievances arbitrator, as the case may be, an attestation showing the date of reception of an arbitration award filed in accordance with sections 89 and 101.6 of the Labour Code (R.S.Q., c. C-27). A similar attestation may be forwarded to any interested party who makes a written request.

DIVISION II
INFORMATION TO BE GIVEN BY THE GRIEVANCES ARBITRATOR

2. The grievances arbitrator must, at the same time as he files an arbitration award under section 101.6 of the Labour Code, make a written declaration in accordance with section 3.

3. The declaration in section 2 must contain the following particulars:

(a) the name and address of the grievances arbitrator and, as the case may be, of his accessors;

(b) the manner and date of appointment of the grievances arbitrator;

(c) mention of the section of the Labour Code in virtue of which the grievances arbitrator intervened;

(d) the nature of the grievance and the date it was filed;

(e) the name and address of the employee's association and the employer's association;

f) le secteur dans lequel l'entreprise exerce son activité;

g) la date du règlement ou du désistement du grief et la date du constat par l'arbitre de grief de ce règlement ou désistement avant le début de l'enquête;

h) les dates d'audition;

i) la date de réception des mémoires des parties, le cas échéant;

j) la date des séances de délibéré si l'arbitre de grief est assisté de un ou deux assesseurs;

k) la date où la sentence a été rendue;

l) la date d'expédition de la sentence aux fins de dépôt.

R.R.Q., 1981, c. C-27, r. 2, a. 3; D. 493-85, a. 4.

(*f*) the sector in which the enterprise carries out its activities;

(*g*) the date of the award or withdrawal of the grievance and the date of the report by the grievances arbitrator of the said award or withdrawal before the beginning of the inquiry;

(*h*) the hearing dates;

(*i*) the date of receipt of the factums of the parties, as the case may be;

(*j*) the date of sittings if the grievances arbitrator is assisted by one or two assessors;

(*k*) the date the award was rendered;

(*l*) the date the award was sent to be filed.

R.R.Q., 1981, c. C-27, r. 2;
D. 493-85, (1985) 117 G.O. 2, 1747 (eev 85-04-06).

R.R.Q., 1981, c. C-27, r. 2;
O.C. 493-85, (1985) 117 G.O. 2, 1184 (eev 85-04-06).

c. C-27, r. 3

RÈGLEMENT SUR L'EXERCICE DU DROIT D'ASSOCIATION CONFORMÉMENT AU CODE DU TRAVAIL

Code du travail
(L.R.Q., c. C-27)

SECTION I
GÉNÉRALITÉS

§ 1. *Dispositions introductives*

1. Dans le présent règlement, «partie» signifie toute personne désignée ou reconnue comme telle devant le commissaire général du travail et tout commissaire du travail ou agent d'accréditation ou cherchant légitimement à être reconnue de droit comme telle.

2. Sous réserve du Code du travail (L.R.Q., c. C-27), les délais imposés par le présent règlement sont de rigueur. Néanmoins, avec l'accord des parties, un commissaire du travail peut les proroger pour une raison valable.

§ 2. *Règles applicables aux actes de procédure*

3. Un document adressé au commissaire général du travail doit être transmis à son bureau de Québec ou à celui de Montréal.

R.R.Q., 1981, c. C-27, r. 3, a. 3; D. 494-85, a. 1.

3.1 Sur réception d'une requête ou d'une plainte, le commissaire général du travail en transmet une copie aux parties intéressées.

D. 494-85, a. 2.

4. Abrogé.

D. 494-85, a. 3.

5. Aux fins de l'article 27 du Code du travail, les bureaux de Québec et de Montréal desservent les régions administratives décrites à l'annexe I.

c. C-27, r. 3

REGULATION RESPECTING THE EXERCISE OF THE RIGHT OF ASSOCIATION UNDER THE LABOUR CODE

Labour Code
(R.S.Q., c. C-27)

DIVISION I
GENERAL SCOPE

§ 1. *Introductory provisions*

1. In this Regulation, "party" means any person designated or recognized as such by the labour commissioner-general, any labour commissioner or any certification agent or legitimately seeking to be recognized as such by rights.

2. Subject to the Labour Code (R.S.Q., c. C-27), the time limits prescribed by this Regulation are mandatory. However, a labour commissioner may extend them for any valid reason, provided the parties agree thereto.

§ 2. *Rules applicable to all proceedings*

3. Any document brought before the labour commissioner-general must be forwarded to his Québec City or Montréal office.

3.1 Upon receipt of a petition or complaint, the labour commissioner-general shall forward a copy thereof to the interested parties.

4. Repealed.

5. For the purposes of section 27 of the Labour Code, the Québec City and Montréal offices serve the administrative regions described in Schedule I.

6. Le commissaire général du travail, le commissaire général adjoint du travail ou un commissaire du travail peut demander à une partie de produire tout document ou d'exposer par écrit, dans le délai qu'il indique, les faits et ses représentations à l'égard d'une plainte ou d'une requête.

Une partie qui refuse ou néglige de donner suite à cette demande dans le délai imparti est réputée avoir renoncé, le cas échéant, à se faire entendre en audition.

R.R.Q., 1981, c. C-27, r. 3, a. 6; D. 494-85, a. 4.

7. Le commissaire général du travail ou un commissaire du travail peut faire signifier tout document:

a) selon tout mode ordinaire de signification prévu par le Code de procédure civile (L.R.Q., c. C-25);

b) par l'envoi, par courrier recommandé ou certifié, de la copie à son destinataire, à la dernière adresse connue de sa résidence ou de son établissement;

c) si les circonstances l'exigent, le commissaire général du travail peut, de sa propre initiative ou sur requête à cet effet, autoriser la signification d'un document par avis public dans les journaux;

d) le commissaire général du travail ou un commissaire du travail peut faire signifier tout document par l'intermédiaire d'un agent d'accréditation.

§ 3. Enquête

8. Toute enquête du commissaire du travail doit être enregistrée par magnétophone et peut être prise en sténographie. Le commissaire du travail décide du lieu de l'enquête et peut tenir compte à cet effet de la région de l'entreprise visée.

R.R.Q., 1981, c. C-27, r. 3, a. 8; D. 494-85, a. 5.

8.1 Une remise ne peut être accordée que pour des motifs sérieux et hors du contrôle de la partie qui la requiert.

Aucune remise n'est accordée du seul fait du consentement des parties.

D. 494-85, a. 6.

6. The labour commissioner-general, the assistant labour commissioner-general or any labour commissioner may require a party to produce any document or to state in writing, within the time allotted by him, any facts and representations concerning a complaint or petition.

Any party who refuses or neglects to follow up such request within the allotted time is considered to have renounced the right to be heard during a hearing, if applicable.

7. The labour commissioner-general or a labour commissioner may have any document served:

(a) according to all regular methods for making service provided for in the Code of Civil Procedure (R.S.Q., c. C-25);

(b) by forwarding a copy by registered or certified mail, to the addressee at his last known home or business address;

(c) if circumstances so warrant, the labour commissioner-general may, on his own or upon request, authorize that a document be served by means of a public notice in newspapers;

(d) the labour commissioner-general or a labour commissioner may have any document served through a certification agent.

§ 3. Investigation

8. Any investigation carried out by the labour commissioner shall be tape-recorded and may be taken down in shorthand. The labour commissioner decides where the investigation is to take place and may take into consideration to this effect the region where the entreprise concerned is located.

8.1 A postponement shall be granted only on serious grounds and in circumstances unforeseeable by the party requiring such postponement.

No postponement shall be granted with the sole consent of the parties.

8.2 Le bref d'assignation d'un témoin doit être signifié au moins cinq jours francs avant la convocation. Toutefois, en cas d'urgence, le commissaire peut réduire le délai de signification.

D. 494-85, a. 6.

8.2 The writ of summons shall be served at least 5 clear days before appearance. However, in case of emergency, the commissioner may reduce such period.

SECTION II

REQUÊTE EN ACCRÉDITATION ET VOTE

DIVISION II

PETITION FOR CERTIFICATION AND VOTE

§ 1. Requête en accréditation

§ 1. Petition for certification

9. Une requête en accréditation doit être accompagnée d'une copie certifiée conforme de la résolution prévue à l'article 25 du Code du travail et contenir les renseignements suivants:

a) le nom de l'association requérante et, le cas échéant, l'organisme auquel elle est affiliée;

b) une description de l'unité de négociation recherchée;

c) le nom de l'employeur et l'adresse du ou des établissements visés.

R.R.Q., 1981, c. C-27, r. 3, a. 9; D. 494-85, a. 7.

9. Any petition for certification shall be accompanied by a certified true copy of the resolution provided for in section 25 of the Labour Code and shall contain the following informations:

(a) the name of the petitioning association and, if applicable, the body to which it is affiliated;

(b) a description of the bargaining unit sought;

(c) the employer's name and the address of the establishment(s) concerned.

10. Le commissaire général du travail envoie une copie des requêtes en accréditation à tout organisme qui en fait la demande.

L'employeur doit afficher la liste des salariés prévue à l'article 25 du Code du travail pendant 5 jours.

R.R.Q., 1981, c. C-27, r. 3, a. 10; D. 494-85, a. 9; Erratum, 1987 G.O. 2, 2063.

10. The labour commissioner-general shall forward a copy of all petitions for certification to any organization that submits a request to this effect.

The employer shall post the list of employees provided for in section 25 of the Labour Code for 5 days.

11. Abrogé.

D. 494-85, a. 9.

11. Repealed.

§ 2. Vote

§ 2. Vote

12. Abrogé.

D. 494-85, a. 9.

12. Repealed.

13. Lorsqu'un commissaire du travail ordonne la tenue d'un scrutin, le commissaire général du travail désigne un président de scrutin. Lorsque le scrutin est décrété par l'agent d'accréditation selon les paragraphes *b* et *c* de l'article 28 du Code du travail, ce dernier agit à titre de président du scrutin.

13. When a labour commissioner orders a vote to be taken, the labour commissioner-general appoints a returning officer. The certification agent who orders a vote to be taken under paragraphs *b* and *c* of section 28 of the Labour Code, acts as returning officer.

Ce scrutin est tenu conformément aux articles 13 à 25.

Voting is governed by sections 13 to 25.

R.R.Q., 1981, c. C-27, r. 3, a. 13; D. 494-85, a. 10.

14. Le président du scrutin convoque le plus tôt possible les parties intéressées et il fixe l'ordre du jour de cette réunion.

14. The returning officer convenes the interested parties as soon as possible and determines the agenda for such meeting.

15. Aux fins du scrutin, l'employeur doit préparer la liste des salariés selon l'unité de négociation convenue entre les parties ou, le cas échéant, selon la décision du commissaire du travail. Cette liste doit contenir les nom, prénom et adresse de ces salariés.

15. For the purposes of voting, the employer shall draw up a list of employees according to the bargaining unit agreed upon by the parties or, if necessary, according to the decision of the labour commissioner. The list shall contain the family name, given name and address of the said employees.

16. L'employeur fournit au président du scrutin autant de copies que ce dernier désire pour la bonne marche du scrutin.

16. The employer gives the returning officer as many copies as the latter wishes for the smooth running of the voting.

17. Le procès-verbal doit faire mention de tout sujet de désaccord entre les parties ainsi que du refus de signer le procès-verbal.

Le président du scrutin transmet copie de ce procès-verbal au commissaire du travail chargé du dossier pour décision.

17. The minutes shall mention any topic of disagreement between the parties as well as any refusal to sign the minutes.

The returning officer transmits a copy of the said minutes to the labour commissioner responsible for the file, for decision.

18. Sont habiles à voter les personnes dont les noms sont inscrits sur la liste des votants et qui sont encore salariés au jour du scrutin.

18. Only those persons on the voters' list and still employees on the voting day may vote.

19. Le salarié qui a été congédié, suspendu ou déplacé et dont la réintégration a été ordonnée en vertu du Code du travail a droit de vote, à moins qu'il n'ait refusé de reprendre son emploi après avoir été dûment rappelé au travail.

Le salarié qui a soumis une plainte en vertu de l'article 16 du Code du travail a droit de vote, mais son vote n'est compté que s'il peut influer sur le caractère représentatif et si le salarié obtient ultérieurement une ordonnance de réintégration.

19. Any employee who has been dismissed, suspended or transferred and whose reinstatement has been ordered under the Labour Code may vote, unless he has refused to resume his duties after having been duly called back to work.

Any employee who has filed a complaint under section 16 of the Labour Code may vote, but such vote is counted only if it can influence the representative character and if the employee subsequently obtains a reinstatement order.

R.R.Q., 1981, c. C-27, r. 3, a. 19; D. 494-85, a. 11.

20. Toute forme de propagande est interdite aux parties dans les 36 heures qui précèdent l'ouverture des bureaux de scrutin et jusqu'à la fermeture de ces derniers.

20. The parties are forbidden to engage in any type of propaganda (electering) 36 hours prior to the opening and until the closing of the polls.

R.R.Q., 1981, c. C-27, r. 3, a. 20; D. 494-85, a. 12.

21. L'affichage de l'avis de scrutin prévu à l'annexe II et d'une liste des noms et prénoms des votants doit se faire par le président du scrutin ou son délégué dans un ou des endroits visibles pour les salariés, au plus tard 48 heures avant l'ouverture du scrutin.

R.R.Q., 1981, c. C-27, r. 3, a. 21; D. 494-85, a. 13.

22. Chaque partie intéressée dans un scrutin nomme au maximum 2 représentants par bureau de scrutin. Ces représentants doivent être mandatés par leur association respective pour assister au scrutin; si un représentant a été remplacé, il ne peut revenir en cette qualité pendant les heures du scrutin. Ces représentants ne doivent en aucune circonstance communiquer de quelque façon avec le votant.

23. Avant de procéder au vote, le président du scrutin ou son délégué doit en présence des représentants dûment mandatés des parties:

a) vérifier les bulletins de vote;

b) vérifier chaque boîte de scrutin, puis la fermer à clé;

c) remettre à chacun des représentants une liste des salariés habiles à voter;

d) préparer un isoloir pour le vote;

e) voir à la conduite ordonnée du scrutin. S'il y a désordre, il peut mettre fin au scrutin sur-le-champ. Il dresse alors un procès-verbal qu'il transmet immédiatement en double exemplaire au commissaire général du travail ou au commissaire du travail saisi du dossier.

24. Le président du scrutin ou son délégué doit procéder au vote de la façon suivante:

a) dresser une liste numérotée de tous les votants à mesure qu'ils se présentent;

b) donner un bulletin de vote à chacune des personnes habiles à voter qui se présentent;

c) parapher l'endos du bulletin de vote de façon que les initiales soient visibles lorsque le bulletin de vote plié lui sera remis après votation;

d) voir à ce que le votant vote avec toute la liberté nécessaire et l'assister si le votant le lui demande;

21. The returning officer or his deputy shall post the voting notice provided for in Schedule II, and a list of the voters' names and surnames in one or more conspicuous places for employees, at least 48 hours before the polls open.

22. Each party involved in a vote appoints no more than 2 representatives for each poll. These representatives shall be authorized by their respective association to be present at the vote; if a representative has been substituted, he may not return in such capacity during voting hours. Such representatives may under no circumstances communicate with a voter.

23. Before voting begins, the returning officer or his deputy shall, in the presence of the duly-authorized representatives of the parties:

(a) check the ballots;

(b) check and lock each ballot box;

(c) supply each representative with a list of employees' who have the right to vote;

(d) prepare a voting booth;

(e) see that the vote takes place in an orderly manner. Should there be any disorder, he can immediately halt the vote. He shall then prepare minutes and transmit them immediately, in duplicate, to the labour commissioner-general or to the labour commissioner before whom the matter was referred.

24. The returning officer or his deputy shall handle the vote as follows:

(a) draw up a numbered list of voters as they appear;

(b) give a ballot to each person eligible to vote as he appears;

(c) initial the back of the ballot so that the initials may be seen when the ballot has been folded after voting;

(d) see that the voter cast his ballot with all the freedom required and assist the voter, if requested;

e) reprendre le bulletin de vote plié et le placer dans la boîte à scrutin à la vue de tous.

25. Lorsque le vote est terminé, le président du scrutin ou son délégué doit en présence des représentants des parties:

a) recevoir toutes les boîtes de scrutin;

b) procéder au dépouillement du scrutin en divisant les bulletins selon le vote donné et en écartant les bulletins irréguliers;

c) permettre à un représentant de chaque partie de vérifier sous sa surveillance les bulletins de chaque catégorie;

d) placer des bulletins de chaque catégorie dans des enveloppes différentes avec mention de son contenu sur celles-ci;

e) placer les bulletins non utilisés dans une enveloppe avec mention de son contenu sur celle-ci;

f) dresser un procès-verbal du scrutin, y consigner les objections faites et le faire signer par les représentants des parties;

g) placer toutes les enveloppes contenant les bulletins dans une grande enveloppe, y inclure le procès-verbal, y indiquer les noms des parties sur chaque enveloppe, la sceller et la faire signer par les représentants des parties.

(e) take back the folded ballot and place it in the ballot box in full view of all.

25. Once ballots have been cast the returning officer or his deputy shall, in the presence of the representatives of the parties:

(a) receive all the ballot boxes;

(b) count the vote by dividing the ballots according to whom they favour and discarding all irregular ballots;

(c) allow a representative of each party to check, under his supervision, the ballots of each category;

(d) place the ballots of each category in separate envelopes and label each as to its contents;

(e) place the unused ballots in an envelope and label same as to its contents;

(f) draw up the minutes of the vote, recording therein all objections brought forth and have the minutes signed by the parties' representatives;

(g) place all the envelopes containing ballots into a large envelope, enclose the minutes, write the names of the parties on each envelope, seal the envelope and have it signed by the representatives of the parties.

SECTION III
PLAINTES

DIVISION III
COMPLAINTS

§ *1. Plainte en vertu de l'article 12 du Code du travail*

§ *1. Complaint under section 12 of the Labour Code*

26. Toute plainte portée en vertu de l'article 12 du Code du travail doit:

a) mentionner le nom et l'adresse du plaignant;

b) mentionner le nom des personnes et de l'employeur ou de l'association de salariés contre qui la plainte est portée;

c) exposer succinctement les faits sur lesquels elle s'appuie.

26. Any complaint lodged under section 12 of the Labour Code shall:

(a) mention the plaintiff's name and address;

(b) specify the name of the persons and of the employer or employee association against whom the complaint is being lodged;

(c) concisely state the facts on which it rests.

27. Abrogé.

27. Repealed.

D. 494-85, a. 14.

§ *2. Plainte en vertu des articles 15 et suivants du Code du travail*

§ *2. Complaint under section 15 et seq. of the Labour Code*

28. Toute plainte portée en vertu des articles 15 et suivants du Code du travail doit être adressée au commissaire général du travail et contenir:

a) le nom et l'adresse du plaignant;

b) le nom et l'adresse de l'employeur contre qui la plainte est portée;

c) l'indication de la date de la sanction ou de la mesure visée par la plainte;

d) une déclaration du plaignant alléguant qu'il croit avoir été illégalement l'objet de la sanction ou de la mesure visée par la plainte à cause de l'exercice par lui d'un droit qui lui résulte du Code du travail.

28. Any complaint lodged under section 15 *et seq.* of the Labour Code shall be forwarded to the labour commissioner-general and shall mention:

(a) the plaintiff's name and address;

(b) the name and address of the employer against whom the complaint is being lodged;

(c) the date of the sanction or measure referred to in the complaint;

(d) a statement of the plaintiff claiming that he believes to have been illegally subjected to the sanction or measure referred to in the complaint because he has exercised a right conferred upon him by the Labour Code.

R.R.Q., 1981, c. C-27, r. 3, a. 28; D. 494-85, a. 15.

29. Abrogé.

29. Repealed.

D. 494-85, a. 16.

SECTION IV

DEMANDES DIVERSES

DIVISION IV

MISCELLANEOUS PETITIONS

§ *1. Requête en révocation de l'accréditation en vertu de l'article 41 du Code du travail*

§ *1. Petition for repeal of certificate under section 41 of the Labour Code*

30. Lorsqu'une requête en révocation d'accréditation soumise en vertu de l'article 41 du Code du travail donne lieu à une vérification du caractère représentatif de l'association, l'article 36.1 du Code du travail s'applique, compte tenu des changements nécessaires.

30. When a petition for repeal of certification submitted under section 41 of the Labour Code, entails revising the representative character of the association, section 36.1 of the Labour Code applies, taking into consideration any necessary changes.

§ *2. Requête d'attestation d'association conformément à l'article 60 du Code de procédure civile*

§ *2. Petition attesting an association's status, pursuant to article 60 of the Code of Civil Procedure*

31. Une association de salariés qui désire obtenir le certificat prévu par l'article 60 du Code de procédure civile, doit s'adresser par écrit au commissaire général du travail.

31. An employee association wishing to obtain the certificate provided for in article 60 of the Code of Civil Procedure shall apply in writing to the labour commissioner-general.

§ 3. Requête pour suspendre les négociations en vertu de l'article 42 du Code du travail

§ 3. Petition for suspending negotiations under section 42 of the Labour Code

32. Lorsqu'une partie désire obtenir la suspension de la négociation collective et des délais de négociation collective et empêcher le renouvellement d'une convention collective en vertu de l'article 42 du Code du travail, elle doit:

a) s'adresser au commissaire général du travail ou au commissaire du travail saisi de l'affaire en exposant les motifs qui donnent ouverture à sa requête;

b) transmettre sous pli recommandé ou certifié une copie de sa requête aux parties et en faire mention au commissaire général du travail ou, selon le cas, au commissaire du travail saisi de l'affaire.

R.R.Q., 1981, c. C-27, r. 3, a. 32; D. 494-85, a. 17

32. When a party wishes to have negotiations or the time limits for collective bargaining suspended and prevent the renewal of a collective agreement in pursuance of section 42 of the Labour Code, it shall:

(a) apply to the labour commissioner-general or the labour commissioner before whom the matter was referred, and state the grounds for its petition;

(b) forward by registered or certified mail, a copy of its petition to the parties and advise thereof the labour commissioner-general or the labour commissioner before whom the matter was referred.

33. Toute contestation de telle requête doit être adressée au commissaire général du travail ou, selon le cas, au commissaire du travail saisi de l'affaire, dans les 10 jours de la réception de la copie de la requête.

S'il n'y a pas de contestation dans le délai prévu, le commissaire du travail dispose immédiatement de la requête.

33. Any objection to such petition shall be filed with the labour commissioner-general or, as the case may be, to the labour commissioner before whom the matter was referred, within the 10 days following receipt of the copy of the petition.

Should there be no objection within the established time limit, the labour commissioner shall process the petition immediately.

34. Il appartient au commissaire du travail d'apprécier si les faits et circonstances de chaque cas exigent une convocation des parties en audition; l'audition doit être tenue sans délai.

34. The labour commissioner shall decide whether or not the facts and circumstances warrant that the parties be convened for a hearing; such hearing shall be held as soon as possible.

§ 4. Permis d'accès à des campements miniers en vertu de l'article 9 du Code du travail

§ 4. Permit to pass or have access to mining camps under section 9 of the Labour Code

35. Un permis de passage et d'accès à des campements miniers selon l'article 9 du Code du travail, doit être demandé par écrit et mentionner le nom du propriétaire ou concessionnaire, ou le nom du ou des sous-traitants, les motifs pour lesquels il est recherché, pour quel territoire il est demandé, quelle association le requérant représente. Il doit de plus, indiquer s'il y a des salariés logés sur des terrains auxquels le propriétaire est en mesure d'interdire l'accès.

35. A permit to pass or to have access to mining camps under section 9 of the Labour Code must be applied for in writing and must mention the name of the owner or mining concession holder, or the name of the subcontractor(s), the reasons for applying for the permit, the territory for which it is sought and the association represented by the applicant. Moreover, the said permit shall mention whether employees are living on lands under the owner's control.

36. Un permis, lorsqu'il est délivré, indique le nom du représentant, le nom de l'association représentée, le territoire visé et sa durée.

Ce permis n'est valable que s'il est contresigné par le représentant.

37. Le commissaire général du travail informe sans délai le propriétaire, le concessionnaire ou le sous-traitant visé par le permis et lui en expédie une copie.

§ 5. Modification

38. Un commissaire du travail peut permettre à une partie de modifier une requête, une plainte ou ses prétentions au temps et aux conditions qu'il détermine.

Un agent d'accréditation peut également permettre à une partie de modifier au temps et aux conditions qu'il détermine une requête pour autant que cette modification concerne les paragraphes *a*, *b* ou *c* de l'article 9 et que cette modification soit acceptée par les parties.

R.R.Q., 1981, c. C-27, r. 3, a. 38; D. 494-85, a. 18.

SECTION V
DIVERS

§ 1. Appel

39. Abrogé.

D. 494-85, a. 19.

§ 2. Formules

40. Les parties peuvent utiliser aux fins du Code du travail et du présent règlement les formules fournies par le commissaire général du travail. Ces formules sont proposées comme modèles, mais leur usage n'est pas obligatoire.

§ 3. Dossier

41. Abrogé.

D. 494-85, a. 20.

36. When issued, a permit shall state the name of the representative, the name of the association represented, the territory concerned and the term for which it is issued.

The permit is valid only when countersigned by the representative.

37. The labour commissioner-general shall forthwith advise the owner, the mining concession holder or the subcontractor referred to in the permit and send him a copy thereof.

§ 5. Amendment

38. A labour commissioner may allow a party to amend a petition, a complaint or its claims; the labour commissioner shall determine when and how it may be done.

A certification agent may also allow a party to amend a petition; the certification agent shall determine when and how it may be done. However, such amendment may only concern paragraphs *a*, *b* or *c* of section 9 and must be accepted by the parties concerned.

DIVISION V
MISCELLANEOUS

§ 1. Appeal

39. Repealed.

§ 2. Forms

40. For the purposes of the Labour Code and of this Regulation, the parties may use the forms supplied by the labour commissioner-general. Such forms are only suggested models and their use is not mandatory.

§ 3. Files

41. Repealed.

42. La convention collective pour dépôt en vertu de l'article 72 du Code du travail est acceptée lorsque les conditions suivantes sont remplies:

a) le nom de l'association et celui de l'employeur sont les mêmes que ceux qui apparaissent dans l'accréditation;

b) les exemplaires ou les copies conformes à l'original de la convention collective sont signés par l'association et par l'employeur et les annexes y sont jointes;

c) la convention collective est datée;

d) la convention collective est rédigée dans la langue officielle.

42. The collective agreement to be filed, pursuant to section 72 of the Labour Code, is accepted when the following conditions are met:

(a) the names of the association and the employer are the same as those appearing in the certification;

(b) the copies or the true copies of the collective agreement are signed by the association and by the employer and the schedules are added thereto;

(c) the collective agreement is dated;

(d) the collective agreement is written in the official language.

R.R.Q., 1981, c. C-27, r. 3, a. 42; D. 494-85, a. 21; D. 931-94, a. 1.

43. Le bureau du commissaire général du travail délivre un certificat attestant le dépôt d'une convention collective; le cas échéant, il avise la partie qui a déposé la convention collective de la raison du refus du dépôt.

L'association accréditée doit faire connaître au commissaire général du Travail, dans les 15 jours ouvrables suivant la délivrance du certificat, son affiliation avec une autre organisation syndicale.

L'employeur doit communiquer dans le même délai au commissaire général du Travail les renseignements suivants:

a) le type de ses activités;

b) le nombre de salariés, par catégorie de personnel, qui sont visés par la convention collective;

c) le nombre de salariés de sexe masculin et de sexe féminin qui sont visés par la convention collective;

d) le nombre de salariés de sexe masculin et de sexe féminin qui sont visés par la convention collective et qui travaillent à temps partiel.

L'association accréditée et l'employeur peuvent utiliser les formulaires reproduits à l'annexe III pour fournir ces renseignements.

43. The office of the labour commissioner-general issues a certificate attesting to the filing of a collective agreement; if necessary, it informs the party that has filed the collective agreement of the reason for the refusal of the filing.

Any certified association shall inform the labour commissioner-general of its affiliation with another union organization, within the 15 working days following the issuing of the certification.

The employer shall forward to the labour commissioner-general, within the same time limit, the following particulars:

(a) his type of operations;

(b) the number of employees contemplated by the collective agreement according to their occupational category;

(c) the number of male and female employees contemplated by the collective agreement;

(d) the number of male and female employees contemplated by the collective agreement who work on a part-time basis.

The certified association and the employer may use the forms reproduced in Schedule III for recording such particulars.

R.R.Q., 1981, c. C-27, r. 3, a. 43; D. 253-87, a. 1.

44. Lors du dépôt d'une convention collective identique conclue entre une association d'employeurs et une association de salariés, l'article 72 du Code du travail est considéré comme ayant été respecté pour chaque employeur couvert par cette convention, si ce dernier autorise, par écrit, son association à signer et à déposer cette convention et indique son adresse, son numéro de dossier et le nombre de ses salariés intéressés.

44. When an identical collective agreement concluded between an employers' association and an employees association is filed, section 72 of the Labour Code is considered as having been respected by each employer governed by this agreement, if the said employer has authorized, in writing, his association to sign and to file this agreement and if it includes his address, his file number and the number of employees concerned.

ANNEXE I
(a. 5)

SCHEDULE I
(s. 5)

BUREAUX DE QUÉBEC ET DE MONTRÉAL

QUÉBEC AND MONTRÉAL OFFICES

Aux fins de l'article 27 du Code du travail (L.R.Q., c. C-27), les bureaux de Québec et de Montréal desservent respectivement les régions administratives suivantes:

For the purposes of section 27 of the Labour Code (R.S.Q., c. C-27), the Québec and Montréal offices respectively serve the following administrative regions:

Bureaux de Québec

Québec offices

Région n° 1:
Bas-Saint-Laurent et Gaspésie

Region No. 1:
Bas-Saint-Laurent and Gaspésie (Lower St. Lawrence and the Gaspé Region)

sous-région 01: Gaspé
sous-région 03: Sainte-Anne-des-Monts

sub-region 01: Gaspé
sub-region 03: Sainte-Anne-des-Monts

Région n° 2:
Saguenay-Lac-Saint-Jean

Region No. 2:
Saguenay-Lac-Saint-Jean

sous-région 01: Chicoutimi
sous-région 04: Roberval

sub-region 01: Chicoutimi
sub-region 04: Roberval

Région n° 3:
Québec

Region No. 3:
Québec

sous-région 01: Rivière-du-Loup
sous-région 03: Québec
sous-région 04: Chaudière

sub-region 01: Rivière-du-Loup
sub-region 03: Québec
sub-region 04: Chaudière

Région n° 4:
Trois-Rivières

Region No. 4:
Trois-Rivières

sous-région 01: Bois-Francs
sous-région 03: Mauricie

sub-region 01: Bois-Francs
sub-region 03: Mauricie

Région n° 9:
Côte-Nord

Region No. 9:
Côte-Nord (North Coast)

sous-région 01: Saguenay
sous-région 03: Mingan

sub-region 01: Saguenay
sub-region 03: Mingan

Bureaux de Montréal

Montréal offices

Région n° 5:
Cantons de l'Est

Region No. 5:
Cantons de l'Est (Eastern Townships)

Région n° 6:
Montréal

Region No. 6:
Montréal

    sous-région 01: Granby

    sub-region 01: Granby

    sous-région 02: Saint-Jean

    sub-region 02: Saint-Jean

    sous-région 03: Beauharnois

    sub-region 03: Beauharnois

    sous-région 04: Saint-Hyacinthe

    sub-region 04: Saint-Hyacinthe

    sous-région 06: Agglomération montréa-
        laise

    sub-region 06: Greater Montréal

    sous-région 07: Richelieu

    sub-region 07: Richelieu

    sous-région 08: Joliette

    sub-region 08: Joliette

    sous-région 09: Terrebonne

    sub-region 09: Terrebonne

Région n° 7:
Outaouais

Region No. 7:
Outaouais (Ottawa Valley)

    sous-région 01: Hull

    sub-region 01: Hull

    sous-région 03: Labelle

    sub-region 03: Labelle

Région n° 8:
Nord-Ouest

Region No. 8:
Nord-Ouest (North-West)

    sous-région 01: Rouyn-Noranda

    sub-region 01: Rouyn-Noranda

    sous-région 03: Abitibi

    sub-region 03: Abitibi

Région n° 10:
Nouveau-Québec.

Region No. 10:
Nouveau-Québec (New Québec).

ANNEXE II

SCHEDULE II

AVIS DE SCRUTIN

VOTING NOTICE

Le Bureau du commissaire général du travail tiendra un scrutin dans le but de désigner l'association qui représentera les salariés dont les noms apparaissent sur la liste ci-contre.

The office of the labour commissioner-general will hold a ballot in order to determine who will become bargaining representative for the employees whose names appear on the list posted herewith.

SCRUTIN SECRET

Le vote sera au scrutin secret. Les votants exerceront leur vote sans intervention, contrainte ou coercition. Toute propagande est interdite dans le bureau de scrutin approprié ou ses environs. Le président du scrutin remettra à chaque votant un bulletin de vote dans le bureau de scrutin approprié. Le votant fera alors secrètement son choix dans un des cercles, par une croix (+), un (X), une coche (√) ou un trait (—), pliera son bulletin et le remettra au président du scrutin.

Le votant NE DOIT PAS SIGNER son bulletin de vote ni faire de marque qui pourrait l'identifier.

SECRET BALLOT

The vote will be held by secret ballot. Voters will be free to vote without any interference, constraint or coercion. All propoganda is forbidden at or in the vicinity of the polls. The returning officer will hand a ballot to each voter at his proper voting place. The voter will then mark his ballot in secret in one of the circles with a cross (+), an (X), a notch (√) or a dash (—), fold it and give it back to the returning officer.

The voter MUST NOT SIGN nor make any kind of identifying mark on his ballot.

REPRÉSENTANTS

Des représentants de toutes les parties intéressées seront désignés pour chaque bureau de scrutin. Leurs fonctions consistent à:

1. Aider à l'identification des votants.
2. Assister au dépouillement du scrutin en qualité de témoins.

REPRESENTATIVES

Representatives of all parties concerned will be designated for each poll. Their functions are as follows:

1. To help in the identification of voters.
2. To act as witnesses at the counting of the ballots.

VOTANTS

TOUT SALARIÉ DONT LE NOM APPARAÎT SUR LA LISTE DES VOTANTS EST TENU DE VOTER, À MOINS D'UNE EXCUSE LÉGITIME (art. 38 du Code du travail).

VOTERS

EVERY EMPLOYEE WHOSE NAME APPEARS ON THE VOTING LIST MUST VOTE, UNLESS HE HAS A LEGITIMATE EXCUSE (sec. 38 of the Labour Code).

DATE, HEURE ET LIEU DU VOTE

Le vote aura lieu le _____ à _____ à
                     (date)   (heure)
l'adresse suivante: _____

TIME AND PLACE OF VOTE

The vote will be held on _____at _____
                     (date)   (time)
at the following address:_____

SPÉCIMEN DU BULLETIN DE VOTE

SAMPLE BALLOT

Le président du scrutin.

Returning Officer.

D. 494-85, a. 22.

SCHEDULE III

(s. 43)

Gouvernement du Québec
**Ministère du
Travail**

**INQUIRY CONCERNING UNION MEMBERSHIP
— CERTIFIED ASSOCIATION**

1. Identification

In case of inaccurate or incomplete data concerning your certified association, fill in the opposite spaces. ⟶

1. Please use this number in all correspondence: _____

2. Name

_____
_____
_____
_____
_____

3. Division   **4.** Local

5. Address

_____
_____
_____
_____

6. Postal code

_____

7. Name and address of the employer concerned

2. Affiliation

- Check the appropriate space to indicate whether your certified association is affiliated to a central labour body. If so, which one?

8. Our association is not affiliated to a central labour body. ☐

9. Our association is affiliated to the following central labour body:

☐ CLC only   ☐ QFL   ☐ CEQ
☐ CCU   ☐ CSD   ☐ CNTU
☐ UPA   ☐ ALF-CIO only   ☐ CFL

☐ Other   (specify) _____

- Check the appropriate space to indicate whether your certified association is affiliated to a federation, union, brotherhood, etc. If so, which one?

10. Our association is not affiliated to a federation, union, brotherhood, etc. ☐

11. Our association is affiliated to the following federation, union, brotherhood, etc.:

_____
_____

ANNEXE III
(a. 43)

Gouvernement du Québec
**Ministère du
Travail**

**DEMANDE D'INFORMATIONS SUR LES EFFECTIFS
SYNDICAUX — ASSOCIATION ACCRÉDITÉE**

1. Identification

En cas de renseignements inexacts ou incomplets
portant sur votre association accréditée, rectifiez
dans les cases ci-contre _____ ➔

1. Inscrivez ce numéro lors de toute correspondance : _____

2. Nom

_____

_____

_____

_____

3. Section   4. Local

_____   _____

5. Adresse

_____

_____

_____

6. Code postal

_____

7. Nom et adresse de l'employeur visé

2. Affiliation

- **Indiquez, en cochant la case appropriée, si votre association accréditée est affiliée à une centrale. Si oui, laquelle ?**

8. Notre association n'est affiliée à aucune centrale. ☐

9. Notre association est affiliée à la centrale suivante :

☐ C.T.C. seulement	☐ F.T.Q.	☐ C.E.Q.
☐ C.S.C.	☐ C.S.D.	☐ C.S.N.
☐ U.P.A.	☐ F.A.T. C.O.I. seulement	☐ F.C.T.

☐ Autre   (Précisez) _____

- **Indiquez, en cochant la case appropriée, si votre association accréditée est affiliée à une fédération, union, fraternité, etc. Si oui, laquelle ?**

10. Notre association n'est affiliée à aucune fédération, union, fraternité, etc. ☐

11. Notre association est affiliée à la fédération, union, fraternité, etc., suivante :

_____

_____

_____

3. Transmission of data

- In accordance with the *Regulation respecting the exercise of the right of association*, the required data must be forwarded within 15 days.
- The following details concerning the person who filled this form are required for future reference.

12. Name

Title or position

Address

Postal Code   (Reg. code)   Yr   M   D

Phone Nº   Date

3. Transmission des informations

- Conformément au Règlement sur l'exercice du droit d'association, le délai de transmission des informations demandées est de 15 jours ouvrables.
- Les coordonnées de la personne qui a rempli ce formulaire sont exigées aux fins de référence.

12. Nom

_____

Titre ou fonction

_____

Adresse

_____

_____

Code postal   (Ind. rég.)   An   Mois   Jour

_____   Téléphone _____   Date _____

Gouvernement du Québec
Ministère du
Travail

INQUIRY CONCERNING UNION
MEMBERSHIP-EMPLOYER

1. Identification

In case of inaccurate or incomplete data, fill in the opposite spaces _____

1. Please use this number in all correspondence _____

2. Name
_____
_____
_____
_____

3. Address
_____
_____

4. Postal Code
_____

5. Name and address of the certified association concerned:

2. Type of operations •   **Describe the nature of major operations in your establishment and, by checking the appropriate space, indicate the economic sector under which your establishment should be classified.**

6. The nature of major operations (type of production) in your establishment should be classified as follows:
_____

7. The economic sector under which your establishment should be classified is:

7.1 Primary sector

☐ Agriculture   ☐ Forestry   ☐ Hunting and fishing   ☐ Mines

7.2 Secondary sector

☐ Food and beverages   ☐ Tabacco   ☐ Rubber   ☐ Leather   ☐ Textile   ☐ Hosiery

☐ Clothing   ☐ Woodworking   ☐ Furniture   ☐ Paper   ☐ Printing   ☐ Basic processing of metal

☐ Manufacturing of metal products   ☐ Manufacturing of machines   ☐ Manufacturing of transportation equipment   ☐ Manufacturing of electrical products   ☐ Manufacturing of non metallic mineral products

☐ Manufacturing of petroleum products   ☐ Chemicals   ☐ Miscellaneous manufacturing industries   ☐ Building and publics works

7.3 Tertiary sector

☐ Transportation and storing   ☐ Communications   ☐ Electricity gas and water   ☐ Wholesale trade   ☐ Retail trade   ☐ Finance insurance and real estate

☐ Teaching   ☐ Medical social services   ☐ Entertainment and leisure   ☐ Services provided to firms   ☐ Personal services housing and catering

☐ Miscellaneous services and cultural organizations   ☐ Public administration

Gouvernement du Québec
Ministère du Travail

DEMANDE D'INFORMATIONS SUR LES EFFECTIFS SYNDICAUX — EMPLOYEUR

1. Identification

En cas de renseignements inexacts ou incomplets, rectifiez dans les cases ci-contre. ⟶

1. Inscrivez ce numéro lors de toute correspondance. _____

2. Nom
_____
_____
_____

3. Adresse
_____
_____

4. Code postal
_____

5. Nom et adresse de l'association accréditée visée :

2. Type d'activités • Décrivez la nature des activités principales de votre établissement et, en cochant la case appropriée, indiquez le secteur d'activité économique dans lequel vous classeriez votre établissement.

6. La nature des activités principales (type de production) de votre établissement se décrit ainsi :
_____

7. Le secteur d'activité économique dans lequel pourrait être classé votre établissement est le suivant :

7.1 Secteur primaire
☐ Agriculture   ☐ Sylviculture   ☐ Chasse et pêche   ☐ Mines

7.2 Secteur secondaire

☐ Aliments et boissons   ☐ Tabac   ☐ Caoutchouc   ☐ Cuir   ☐ Textile   ☐ Bonneterie

☐ Habillement   ☐ Bois   ☐ Meubles   ☐ Papier   ☐ Imprimerie   ☐ Première transformation des métaux

☐ Fabrication de produits en métal   ☐ Fabrication de machines   ☐ Fabrication d'équipements de transport   ☐ Fabrication de produits électriques   ☐ Fabrication de produits minéraux non métalliques

☐ Fabrication de produits du pétrole   ☐ Industrie chimique   ☐ Industries manufacturières diverses   ☐ Bâtiment et travaux publics

7.3 Secteur tertiaire

☐ Transports et entreposage   ☐ Communications   ☐ Électricité gaz et eau   ☐ Commerce en gros   ☐ Commerce de détail   ☐ Finances assurances et immeubles

☐ Enseignement   ☐ Services médicaux et sociaux   ☐ Divertissement et loisirs   ☐ Services fournis aux entreprises   ☐ Services personnels hébergement et restauration

☐ Services divers et organisations culturelles   ☐ Administration publique

3. General data • **Give only data related to employees governed by the collective agreement.**

8. The number of employees governed by the collective agreement is divided according to category, sex and job status as follows :

Personel category	Number of employees	Sex	Number of full-time employees	Number of part-time employees (less than 30 h week)	Total
Professional	_____				
Technician	_____	Male	_____	_____	_____
Clerical	_____				
Production	_____	Female	_____	_____	_____
Other (specify)	_____				
Total	_____	Total	_____	_____	_____

4. Transmission of data

• **In accordance with the *Regulation respecting the exercise of the right of association*, the required data must be forwarded within 15 days.**
• **The following details concerning the person who filled this form are required for future reference.**

9. Name

_____

Title or position

_____

Address

_____

_____

Postal Code   (Reg. code)   Yr   M   D

_____   Phone N° _____ Date _____

O.C. 253-87, s. 2.

R.R.Q., 1981, c. C-27, r. 3;
O.C. 272-82, Supplement 1982, 292 (cf 82-03-13);
O.C. 494-85, (1985) 117 G.O. 2, 1270 (cf 85-04-13);
O.C. 253-87, (1987) 119 G.O. 2, 1021 (cf 87-03-26);
O.C. 931-94, (1994) 126 G.O. 2, 2376 (cf 94-07-13).

3. Informations générales   • Donnez les informations qui sont reliées uniquement aux salariés salariées assujetti(e)s à la convention collective.

8. L'ensemble des salariés salariées assujetti(e)s à la convention est réparti par nombre selon la catégorie, le sexe et le statut de l'emploi comme suit :

Catégorie de personnel	Nombre de salariés/ salariées	Sexe	Nombre de salariés/ salariées à temps plein	Nombre de salariés/ salariées à temps partiel (moins de 30 h sem.)	Total
Professionel	_____				
Technique	_____	Masculin	_____	_____	_____
De bureau	_____				
De production	_____	Féminin	_____	_____	_____
Autre (précisez)	_____				
Total	_____	Total	_____	_____	_____

4. Transmission des informations

• Conformément au Règlement sur l'exercice du droit d'association, le délai de transmission des informations demandées est de 15 jours ouvrables.
• Les coordonnées de la personne qui a rempli ce formulaire sont exigées aux fins de référence.

9. Nom

Titre ou fonction

Adresse

Code postal   (Ind. rég.)   An   Mois   Jour

Téléphone   Date _____

D. 253-87, a. 2.

R.R.Q., 1981, c. C-27, r. 3;
D. 272-82, Supplément 1982, 292 (eev 82-03-13);
D. 494-85, (1985) 117 G.O. 2, 1864 (eev 85-04-13);
D. 253-87, (1987) 119 G.O. 2, 1540 (eev 87-03-26);
Erratum, (1987) 119 G.O. 2, 2063.
D. 931-94, (1994) 126 G.O. 2, 3574 (eev 94-07-13).

c. [C-27, r. 3.01]

c. [C-27, r. 3.01]

RÈGLEMENT SUR LA PROCÉDURE DE RECRUTEMENT ET DE SÉLECTION DES PERSONNES APTES À ÊTRE NOMMÉES COMMISSAIRES À LA COMMISSION DES RELATIONS DU TRAVAIL ET SUR CELLE DE RENOUVELLEMENT DU MANDAT DE CES COMMISSAIRES

REGULATION RESPECTING THE PROCEDURE FOR THE RECRUITING AND SELECTION OF PERSONS DECLARED TO BE QUALIFIED FOR APPOINTMENT AS COMMISSIONERS TO THE COMMISSION DES RELATIONS DU TRAVAIL AND FOR THE RENEWAL OF THEIR TERM OF OFFICE

Code du travail
(L.R.Q., c. C-27, a. 137.13, 137.15, 137.16; 2001, c. 26, a. 63)

Labour Code
(R.S.Q., c. C-27, ss. 137.13, 137.15, 137.16; 2001, c. 26, s. 63)

SECTION I

DIVISION I

AVIS DE RECRUTEMENT

NOTICE OF RECRUITMENT

1. Lorsqu'il y a lieu de constituer une liste de personnes aptes à être nommées commissaires à la Commission des relations du travail, le secrétaire général associé responsable des emplois supérieurs au ministère du Conseil exécutif publie un avis de recrutement dans une publication circulant ou diffusée dans tout le Québec qui invite les personnes intéressées à soumettre leur candidature à la fonction de commissaire de la Commission.

1. Where it is expedient to draw up a list of persons declared to be qualified for appointment as commissioners to the Commission des relations du travail, the Associate Secretary General for Senior Positions of the Ministère du Conseil exécutif shall publish a notice of recruitment in a publication circulated throughout Québec, inviting interested persons to apply for the position of commissioner of the Commission.

2. L'avis de recrutement donne:
1° une description sommaire des fonctions de commissaire;
2° l'indication du lieu où le commissaire peut être appelé à exercer principalement ses fonctions;
3° en substance, les conditions et critères de sélection prévus par la loi et le présent règlement et, le cas échéant, les exigences professionnelles, de formation ou d'expériences particulières recherchées compte tenu des besoins de la Commission;
4° en substance, le régime de confidentialité applicable dans le cadre de la procédure de sélection et une indication de la possibilité pour le comité de sélection de faire des consultations relativement aux candidatures;
5° la date avant laquelle une candidature doit être soumise et l'adresse où elle doit être transmise.

2. The notice shall give
(1) a brief description of the duties of a commissioner;
(2) the main place where a commissioner could be assigned to perform his duties;
(3) in essence, the selection conditions and criteria prescribed by the Act and this Regulation and, where applicable, the professional qualifications, training and particular experience sought by the Commission;
(4) in essence, the system of confidentiality applicable to the selection procedure and an indication that the selection committee may hold consultations about the applications; and
(5) the deadline and address for applying.

3. Une copie de l'avis est transmise au ministre du Travail et au président de la Commission.

3. A copy of the notice shall be sent to the Minister of Labour and to the president of the Commission.

SECTION II
CANDIDATURE

4. La personne qui désire soumettre sa candidature transmet son curriculum vitae et les renseignements suivants:

1° son nom ainsi que l'adresse et le numéro de téléphone de sa résidence et, le cas échéant, de son lieu de travail;

2° sa date de naissance;

3° la nature des activités qu'elle a exercées et qu'elle considère lui avoir permis d'acquérir l'expérience pertinente requise;

4° le cas échéant, la preuve qu'elle possède les qualités indiquées dans l'avis, la date à laquelle elle a acquis ces qualités et le nombre d'années durant lesquelles elle a oeuvré en ces qualités;

5° le cas échéant, le fait d'avoir été déclarée coupable d'un acte ou d'une infraction criminels ou d'avoir fait l'objet d'une décision disciplinaire ainsi que l'indication de l'acte, de l'infraction ou du manquement en cause et de la peine ou de la mesure disciplinaire imposée;

6° le cas échéant, le fait d'avoir été déclarée coupable d'une infraction pénale, ainsi que l'indication de l'infraction en cause et de la peine imposée, s'il est raisonnable de croire qu'une telle infraction serait susceptible de mettre en cause l'intégrité ou l'impartialité de la Commission ou du candidat, d'affecter sa capacité de remplir ses fonctions ou de détruire la confiance du public envers le titulaire de la charge;

7° le cas échéant, le nom de ses employeurs ou de ses associés au cours des 10 dernières années;

8° le cas échéant, le fait d'avoir, dans les trois années précédentes, présenté sa candidature à la fonction de commissaire de la Commission;

9° un exposé démontrant son intérêt à exercer les fonctions de commissaire de la Commission.

Cette personne doit également transmettre un écrit par lequel elle accepte qu'une vérification soit faite à son sujet, notamment auprès d'un organisme disciplinaire, d'un ordre professionnel dont elle est ou a été membre, de ses employeurs des 10 dernières années et des autorités policières et que, le cas échéant, des consultations soient faites auprès des personnes ou sociétés mentionnées à l'article 14.

DIVISION II
APPLICATIONS

4. A person who wishes to apply shall forward his résumé and the following information:

(1) his name, home address and telephone number and, if applicable, office address and telephone number;

(2) his date of birth;

(3) the nature of the activities that he has carried out and through which he has acquired the relevant experience;

(4) where applicable, proof that he has the qualifications indicated in the notice, when they were acquired and the years of experience the person worked in such qualifications;

(5) any condemnation for a criminal or indictable offence or any disciplinary decision, as well as the nature of the offence or fault in question and the imposed sentence or disciplinary penalty;

(6) any condemnation for a penal offence, the nature of the offence in question and the sentence imposed and whether one can reasonably believe that such offence is likely to question the integrity or impartiality of the Commission or of the applicant, to interfere with his ability to perform his duties or to ruin the trust of the public in the office holder;

(7) where applicable, the names of his employers or partners over the past ten years;

(8) where applicable, whether he has applied for a position of commissioner of the Commission in the past three years;

(9) a summary of the reasons for his interest in performing the duties of commissioner of the Commission.

The person shall also provide a written statement in which he agrees to a verification with a disciplinary body, any professional order of which he is or was a member, his employers over the last ten years, police authorities and, where applicable, in which he agrees that the persons or partnerships referred to in section 14 may be consulted.

SECTION III
FORMATION D'UN COMITÉ DE SÉLECTION

5. À la suite de la publication de l'avis de recrutement, le secrétaire général associé responsable des emplois supérieurs au ministère du Conseil exécutif forme un comité de sélection dont il désigne le président, en y nommant:

1° le président de la Commission ou, après consultation de celui-ci, un autre commissaire de la Commission;

2° une personne du milieu juridique;

3° deux personnes du milieu des relations du travail.

6. Un membre du comité doit se récuser à l'égard d'un candidat lorsque son impartialité pourrait être mise en doute, notamment lorsqu'il:

1° en est ou en a déjà été le conjoint;

2° en est le parent ou l'allié, jusqu'au degré de cousin germain inclusivement;

3° en est ou en a déjà été l'employeur, l'employé ou l'associé, au cours des 10 dernières années; toutefois, le membre qui est à l'emploi de la fonction publique n'a l'obligation de se récuser à l'égard d'un candidat que s'il est ou a été sous sa direction immédiate ou s'il en est ou en a déjà été le supérieur immédiat.

Lorsqu'un membre du comité se récuse, est absent ou empêché, la décision est prise par les autres membres.

7. Avant d'entrer en fonction, les membres du comité prêtent serment comme suit: «Je (prénom et nom) déclare sous serment que je ne révélerai ni ne ferai connaître, sans y être dûment autorisé, quoi que ce soit dont j'aurai eu connaissance dans l'exercice de ma charge.».

Cette obligation est exécutée devant un membre du personnel du ministère du Conseil exécutif ou du ministère du Travail habilité à recevoir le serment.

L'écrit constatant le serment est transmis au secrétaire général associé.

8. Une personne peut être nommée membre de plusieurs comités simultanément.

DIVISION III
FORMATION OF A SELECTION COMMITTEE

5. Following publication of the notice of recruitment, the Associate Secretary General for Senior Positions of the Ministère du Conseil exécutif shall form a selection committee, designate a chair and appoint to it

(1) the chair of the Commission or, after consulting him, another commissioner of the Commission;

(2) a person of the legal community; and

(3) two persons of the labour relations community.

6. Where his impartiality could be questioned, a member of the committee shall withdraw in respect of an applicant, particularly in the following situations:

(1) the member is or was the applicant's spouse;

(2) the member is related to the applicant by birth or marriage, to the degree of first cousin inclusively;

(3) the member is or was an employer, employee or a partner of the applicant in the last ten years; notwithstanding the foregoing, a member who is in the public service shall withdraw in respect of an applicant only if he is or was the employee or immediate superior of the applicant.

Where a member of the committee has withdrawn, is absent or unable to act, the decision shall be made by the other members.

7. Before taking office, the members of the committee shall take the following oath: "I, (full name), declare under oath that I will neither reveal nor make known, without due authorization to do so, anything whatsoever of which I may gain knowledge in the exercise of my office.".

The oath shall be taken before a member of the staff of the Ministère du Conseil exécutif or the Ministère du Travail empowered to administer oaths.

The writing evidencing the oath shall be sent to the Associate Secretary General.

8. A person may be appointed to more than one committee at the same time.

9. Les frais de voyage et de séjour des membres du comité sont remboursés conformément au décret n° 2500-83 du 30 novembre 1983 concernant les règles sur les frais de déplacement des présidents, vice-présidents et membres d'organismes gouvernementaux compte tenu des modifications qui y ont été ou qui pourront y être apportées.

Outre le remboursement des frais, les membres du comité qui ne sont pas commissaires de la Commission ou à l'emploi d'un ministère ou d'un organisme du gouvernement ont droit à des honoraires de 100 $ par demi-journée de séance à laquelle ils participent.

9. Travel and accommodation expenses of the committee members shall be reimbursed in accordance with Décret 2500-83 concerning les règles sur les frais de déplacement des présidents, vice-présidents et membres d'organismes gouvernementaux, dated 30 November 1983, as amended.

In addition to the reimbursement of their expenses, the committee members who are neither commissioners of the Commission nor employees of a government department or agency are entitled to fees of $100 per half-day of sitting.

SECTION IV
FONCTIONNEMENT DU COMITÉ DE SÉLECTION

DIVISION IV
OPERATION OF THE SELECTION COMMITTEE

10. La liste des candidats et leurs dossiers sont transmis au président du comité de sélection.

10. The list of applicants and their records shall be sent to the chair of the selection committee.

11. Le comité analyse les dossiers des candidats et retient la candidature de ceux qui, à son avis, répondent aux conditions d'admissibilité et, le cas échéant, satisfont aux mesures d'évaluation auxquelles il peut en outre les soumettre, compte tenu des postes à combler ou du nombre élevé de candidats.

11. The committee shall analyze the applicants' records and shall retain those who, in its opinion, meet the eligibility requirements and any additional evaluative measures applied in consideration of the positions to be filled or the large number of applicants.

12. Le président du comité informe les candidats jugés admissibles à cette étape de la date et de l'endroit où le comité les rencontrera et informe les autres candidats que leur candidature n'a pas été retenue et que, ce faisant, ils ne seront pas convoqués.

12. The chair of the committee shall inform the short-listed applicants of the date and place of their interview with the committee and shall inform the other applicants that they were turned down and, as a result, will not be called to a meeting.

13. Le rapport du comité fait état des candidatures rejetées à cette étape et en donne les motifs.

13. The committee's report shall list the applicants that were turned down, giving reasons therefor.

SECTION V
CONSULTATIONS ET CRITÈRES DE SÉLECTION

DIVISION V
CONSULTATIONS AND SELECTION CRITERIA

14. Le comité peut, sur tout élément du dossier d'un candidat ou sur tout autre aspect relatif à une candidature ou à l'ensemble des candidatures, consulter notamment:

14. The committee may, on any matter in an applicant's record or any aspect of an application or of the applications as a whole, consult with

1° toute personne qui, au cours des 10 dernières années, a été un employeur, un associé ou un supérieur immédiat ou hiérarchique du candidat;

2° toute personne morale, société ou association professionnelle dont un candidat est ou a été membre.

15. Les critères de sélection dont le comité tient compte pour déterminer l'aptitude d'un candidat sont:

1° les qualités personnelles et intellectuelles du candidat;

2° l'expérience que le candidat possède et la pertinence de cette expérience à l'exercice des fonctions de la Commission;

3° le degré de connaissance et d'habileté du candidat, compte tenu des exigences professionnelles, de formation ou d'expériences particulières indiquées dans l'avis de recrutement;

4° les habiletés à exercer des fonctions juridictionnelles;

5° la capacité de jugement du candidat, son ouverture d'esprit, sa perspicacité, sa pondération, son esprit de décision et la qualité de son expression;

6° la conception que le candidat se fait des fonctions de commissaire de la Commission.

SECTION VI
RAPPORT DU COMITÉ DE SÉLECTION

16. Les décisions du comité sont prises à la majorité des membres. En cas d'égalité, le président du comité a une voix prépondérante.

17. Le comité soumet avec diligence et au plus tard 30 jours après que le secrétaire général associé responsable des emplois supérieurs au ministère du Conseil exécutif lui en fait la demande, un rapport:

1° qui indique les noms des candidats que le comité a rencontrés et qu'il déclare aptes à être nommés commissaires à la Commission, leur profession et les coordonnées relatives à leur lieu de travail;

2° qui contient tout commentaire que le comité juge opportun de faire notamment à l'égard des caractéristiques ou compétences particulières des candidats jugés aptes.

(1) any person who has been, in the last ten years, an employer, partner, immediate superior or first-line superior of the applicant;

(2) any legal person, partnership or professional association of which the applicant is or was a member.

15. The selection criteria that the committee shall take into account in determining an applicant's qualifications are

(1) the applicant's personal and intellectual qualities;

(2) the applicant's experience and the relevancy of that experience in relation to the duties of the Commission;

(3) the extent of the applicant's knowledge or skills in view of the required professional qualifications, training or particular experience stated in the notice of recruitment;

(4) the applicant's ability to carry out judicial functions;

(5) the applicant's judgment, open-mindedness, perceptiveness, level-headedness, decision-making and expressive abilities;

(6) the applicant's conception of the duties of a commissioner of the Commission.

DIVISION VI
REPORT OF THE SELECTION COMMITTEE

16. Committee decisions shall be made by a majority vote of its members. In case of a tie-vote, the chair of the committee shall have a casting vote.

17. Promptly and not later than 30 days after an application therefor by the Associate Secretary General for Senior Positions of the Ministère du Conseil exécutif, the committee shall submit a report including

(1) the names of the applicants with whom the committee met and whom it declared qualified to be appointed as commissioners to the Commission, their profession and the particulars concerning their work place;

(2) any comments that the committee considers expedient, especially with respect to the particular characteristics or qualifications of the applicants considered qualified.

Ce rapport est soumis au secrétaire général associé et au ministre du Travail.

That report shall be submitted to the Associate Secretary General and to the Minister of Labour.

18. À moins qu'il ne puisse y parvenir, le comité déclare aptes un nombre de candidats correspondant normalement au moins au double du nombre de postes à combler, le cas échéant.

18. The committee shall declare qualified a number of applicants normally corresponding to at least twice the number of vacant positions, unless it cannot do so.

19. Un membre du comité peut inscrire sa dissidence à l'égard de l'ensemble ou d'une partie du rapport.

19. A member of the committee may register his dissent with respect to all or part of the report.

SECTION VII

TENUE DU REGISTRE DES DÉCLARATIONS D'APTITUDES

DIVISION VII

REGISTER OF CERTIFICATES OF QUALIFICATIONS

20. Le secrétaire général associé responsable des emplois supérieurs au ministère du Conseil exécutif écrit aux candidats pour les informer qu'ils ont ou non été déclarés aptes à être nommés commissaires à la Commission.

20. The Associate Secretary General for Senior Positions of the Ministère du Conseil exécutif shall write to the applicants to inform them whether or not they have been declared qualified to be appointed as commissioners to the Commission.

21. Le secrétaire général associé tient à jour le registre des déclarations d'aptitude et y inscrit la liste des personnes déclarées aptes à être nommées commissaires à la Commission.

21. The Associate Secretary General shall keep the register of certificates of qualifications up-to-date and shall enter therein the list of the persons declared qualified to be appointed as commissioners to the Commission.

La déclaration d'aptitude est valide pour une période de trois ans à compter de son inscription au registre.

A certificate of qualifications shall be valid for a period of three years from the date it is entered in the register.

Il radie une inscription à l'expiration de la période de validité de la déclaration d'aptitude, ou lorsque la personne est nommée commissaire à la Commission, décède ou demande que son inscription soit retirée du registre.

The Associate Secretary General shall strike out an entry upon the expiry of the validity period of the certificate of qualifications, or where the person is appointed as commissioner to the Commission, dies or asks to be withdrawn from the register.

SECTION VIII

RECOMMANDATION

DIVISION VIII

RECOMMENDATION

22. Dès qu'il est informé qu'un poste est à combler, le secrétaire général associé responsable des emplois supérieurs au ministère du Conseil exécutif transmet une copie de la liste à jour des personnes déclarées aptes au ministre du Travail.

22. As soon as he is notified of a vacant position, the Associate Secretary General for Senior Positions of the Ministère du Conseil exécutif shall forward a copy of the updated list of persons declared qualified to the Minister of Labour.

23. Si le ministre du Travail estime que, dans le meilleur intérêt du bon accomplissement des fonctions de la Commission, il ne peut, compte tenu de la liste des personnes aptes à être nommées commissaires, recommander la nomination d'une personne, il demande alors au secrétaire général associé de faire publier, conformément à la section I, un avis de recrutement.

Le comité chargé d'évaluer l'aptitude des candidats dont la candidature est soumise à la suite d'un autre avis de recrutement et de faire rapport au secrétaire général associé et au ministre peut être formé de personnes ayant déjà été désignées pour agir au sein d'un comité précédent.

24. Le ministre du Travail, après avoir consulté les associations de travailleurs et les associations d'employeurs les plus représentatives, recommande au gouvernement le nom d'une personne ayant été déclarée apte à être nommée commissaire à la Commission.

SECTION VIII.1
RENOUVELLEMENT DES MANDATS

24.1 Dans les 12 mois précédant la date d'échéance du mandat d'un commissaire, le secrétaire général associé responsable des emplois supérieurs au ministère du Conseil exécutif demande à ce commissaire de lui fournir les renseignements mentionnés aux paragraphes 5° et 6° de l'article 4 et de lui transmettre un écrit par lequel il accepte qu'une vérification soit faite à son sujet, notamment auprès d'un organisme disciplinaire, d'un ordre professionnel dont il est ou a été membre et des autorités policières et que, le cas échéant, des consultations soient faites auprès des personnes ou sociétés mentionnées à l'article 14.

D. 872-2003, a. 2.

24.2 Le secrétaire général associé forme, pour examiner le renouvellement du mandat de ce commissaire, un comité dont il désigne le président.

Le comité est formé d'un représentant du milieu juridique, d'une personne retraitée ayant exercé une fonction juridictionnelle au sein d'un organisme de l'ordre administratif et de deux personnes du milieu des

23. If the Minister of Labour is of the opinion that he cannot recommend an appointment, considering the list of persons qualified to be appointed as commissioners and in the best interest of carrying out the duties of the Commission, he shall then ask the Associate Secretary General to have a notice of recruitment published, in accordance with Division I.

The committee in charge of assessing the qualifications of applicants who applied after the publication of another notice and of reporting to the Associate Secretary General and to the Minister may be composed of persons previously designated to sit on a preceding committee.

24. The Minister of Labour shall recommend to the Government the name of a person who has been declared qualified to be appointed as commissioner to the Commission, after consultation with the most representative associations of workers and employers' associations.

DIVISION VIII.1
RENEWAL OF TERMS OF OFFICE

24.1 In the 12 months preceding the expiry of a commissioner's term of office, the Associate Secretary General for Senior Positions of the Ministère du Conseil exécutif shall require the commissioner to provide the information referred to in subparagraphs 5 and 6 of section 4 and a written statement in which the commissioner agrees to a verification with, *inter alia*, a disciplinary body, any professional order of which the commissioner is or was a member, and police authorities and, where applicable, in which the commissioner agrees that the persons or partnerships referred to in section 14 be consulted.

24.2 The Associate Secretary General shall establish a committee to examine the renewal of the commissioner's term of office and shall designate the chair thereof.

The committee shall be composed of a representative of the legal community, a retired person who has exercised adjudicative functions in an administrative body, and two persons from the labour relations community

relations du travail qui ne font pas partie de l'administration gouvernementale au sens de la Loi sur l'administration publique (L.R.Q., c. A-6.01) ni ne la représentent.

Les articles 6 à 9 s'appliquent alors.

who neither belong to nor represent the Administration within the meaning of the Public Administration Act (R.S.Q., c. A-6.01).

Sections 6 to 9 then apply.

D. 872-2003, a. 2.

24.3 Le comité vérifie si le commissaire satisfait toujours aux critères établis à l'article 15, considère les évaluations annuelles de son rendement et tient compte des besoins de la Commission. Le comité peut, sur tout élément du dossier, effectuer les consultations prévues à l'article 14.

24.3 The committee shall determine whether the commissioner continues to fulfil the criteria set out in section 15, consider annual performance appraisals, and take into account the needs of the Commission. The committee may hold the consultations provided for in section 14 on any matter in the commissioner's record.

D. 872-2003, a. 2.

24.4 Les décisions du comité sont prises à la majorité des membres. En cas d'égalité, le président du comité a une voix prépondérante. Un membre peut inscrire sa dissidence.

Le comité transmet sa recommandation au secrétaire général associé et au ministre du Travail.

24.4 Committee decisions shall be made by a majority vote of its members. In case of a tie-vote, the chair of the committee shall have a casting vote. A member may register his or her dissent.

The committee shall forward its recommendation to the Associate Secretary General and to the Minister of Labour.

D. 872-2003, a. 2.

24.5 Le secrétaire général associé est l'agent habilité à notifier au commissaire l'avis de non-renouvellement.

24.5 The Associate Secretary General is the agent authorized to notify the commissioner of the non-renewal of a term of office.

D. 872-2003, a. 2.

SECTION IX
CONFIDENTIALITÉ

DIVISION IX
CONFIDENTIALITY

25. Le nom des candidats, les rapports des comités de sélection ou de renouvellement de mandats, le registre, la liste des candidats déclarés aptes à être nommés commissaires à la Commission ainsi que tout renseignement ou document se rattachant à une consultation ou à une décision d'un comité sont confidentiels.

Toutefois, le commissaire dont le mandat n'est pas renouvelé peut consulter la recommandation du comité de renouvellement qui le concerne.

25. The names of applicants, the reports of selection or renewal committees, the register, the list of applicants declared qualified to be appointed as commissioners to the Commission, as well as any information or document relating to a consultation or decision by a committee, are confidential.

However, a commissioner whose term of office is not renewed may consult the recommendation of the renewal committee in his or her respect.

D. 500-2002, a. 25; D. 872-2003, a. 3.

26. Omis.

26. Omitted.

D. 500-2002, (2002) 134 G.O. 2, 2969 (eev 2002-05-23).
D. 872-2003, (2003) 135 G.O. 2, 3977 (eev 2003-09-18).
Erratum, (2003) 135 G.O. 2, 4299.

O.C. 500-2002, (2002) 134 G.O. 2, 2319 (cf 2002-05-23).
O.C. 872-2003, (2003) 135 G.O. 2, 2728 (cf 2003-09-18).

c. [C-27, r. 3.1]

**RÈGLES DE PROCÉDURE DU
TRIBUNAL DU TRAVAIL**

Code du travail
(L.R.Q., c. C-27, a. 138, al. 2)

Code de procédure pénale
(L.R.Q., c. C-25.1, a. 368 et 370)

SECTION 1

DISPOSITIONS GÉNÉRALES

§ *1. Greffe du tribunal*

1. Les bureaux du greffe du tribunal sont sis à Montréal au 255, boulevard Crémazie Est, 7e étage, H2M 1L5, et à Québec à l'édifice n° 1 du Samuel-Holland, 1245, chemin Sainte-Foy, bureau 340, G1S 4W7. Ils sont ouverts les jours juridiques du lundi au vendredi de 8 h 30 à 16 h 30.

2. Ils desservent les régions administratives décrites en annexe.

3. Le greffier doit tenir à jour les registres, index et fichiers dans lesquels il doit consigner, pour chaque cause, les indications suivantes:
1° Quant à l'exercice de la compétence administrative:
a) le numéro du dossier;
b) le nom des parties et de leurs représentants;
c) la nature et la date d'entrée de tout acte de procédure;
d) la date d'audience;
e) la date où la cause est reportée dans le cas d'ajournement;
f) la date où la cause a été prise en délibéré;
g) la date et la nature de tout jugement;

h) la date de signification, la nature et le numéro de dossier de tout recours exercé à l'encontre d'un jugement du tribunal.
2° Quant à l'exercice de la compétence pénale:
a) le numéro du constat d'infraction;

b) le nom de la Cour;

c. [C-27, r. 3.1]

**RULES OF PROCEDURE OF THE
LABOUR COURT**

Labour Code
(R.S.Q., c. C-27, s. 138, 2nd par.)

Code of Penal Procedure
(R.S.Q., c. C-25.1, arts. 368 and 370)

DIVISION 1

GENERAL

§ *1. Office of the Court*

1. The offices of the Court shall be located at 255, boulevard Crémazie Est, 7e étage, Montréal (Québec), H2M 1L5, and at Édifice n° 1 du Samuel-Holland, 1245, chemin Sainte-Foy, bureau 340, Québec (Québec), G1S 4W7. They shall be open on juridical days from Monday to Friday, between the hours of 8:30 a.m. and 4:30 p.m.

2. They shall serve the administrative regions described in the Schedule to these Rules.

3. The clerk shall keep up-to-date registers, indexes and records in which he shall record the following information for each case:
(1) with respect to the exercise of administrative jurisdiction:
(*a*) the number of the record;
(*b*) the names of the parties and of their representatives;
(*c*) the nature and date of receipt of all proceedings;
(*d*) the date of the hearing;
(*e*) the date on which the case is postponed in the event of adjournment;
(*f*) the date on which the case was taken under advisement;
(*g*) the date and nature of any judgment; and
(*h*) the date of service, the nature and the record number of any recourse exercised against a judgment of the Court;
(2) with respect to the exercise of penal jurisdiction:
(*a*) the number of the statement of offence;
(*b*) the name of the Court;

c) le nom du juge qui a accompli un acte de procédure ou devant qui il a été posé;
d) les nom et adresse du poursuivant;

e) le nom ou la description du défendeur;

f) la description de l'infraction;
g) la date de la signification du constat d'infraction;
h) la manière dont le constat d'infraction a été signifié;
i) la date des ajournements;
j) une note succincte des autres actes de procédure;
k) la nature du jugement et, le cas échéant, de la peine imposée;
l) la date de la déclaration de culpabilité, de l'acquittement, du dépôt du jugement et, le cas échéant, de l'imposition de la peine;
m) le montant des frais imposés à l'égard de chaque infraction;
n) le montant du cautionnement;
o) l'ordre d'emprisonner le défendeur pour défaut de paiement de l'amende.

4. Toute personne peut, pendant les heures de bureau, avoir accès aux registres, index et fichiers du greffe, de même qu'aux dossiers du tribunal, sauf à ce qui est confidentiel suivant le Code du travail. Toutefois, un dossier ne peut être consulté qu'en présence du greffier. S'il ne peut assister à la consultation, une reconnaissance écrite de cette dernière est exigée et déposée au dossier.

Toute copie d'un document peut être obtenue contre le paiement requis en vertu, selon le cas, du Tarif des frais judiciaires en matière civile et des droits de greffe édicté par le décret 738-86 du 28 mai 1986 ou du Tarif judiciaire en matière pénale édicté en vertu du décret 1412-93 du 6 octobre 1993.

§ 2. L'audience

5. Les audiences de l'avant-midi et de l'après-midi débutent respectivement à 9 h 30 et 14 h.

6. Le greffier dresse un procès-verbal d'audience où il note:
1° le nom du juge présidant l'audience;

2° la date, le lieu et l'heure de l'audience;

(c) the name of the judge who completed a proceeding or before whom it was brought;
(d) the full name and address of the prosecutor;
(e) the name or description of the defendant;
(f) a description of the offence;
(g) the date of service of the statement of offence;
(h) the manner in which the statement of offence was served;
(i) the dates of adjournments;
(j) a brief note concerning other proceedings;
(k) the nature of the judgment and, where applicable, the sentence imposed;
(l) the date of the conviction or of the acquittal, of the filing of the judgment and, where applicable, of the sentencing;
(m) the amount of the costs imposed in respect of each offence;
(n) the amount of the bail bond; and
(o) the order to imprison the defendant for failure to pay the fine.

4. During office hours, any person may have access to all registers, indexes and records of the office of the Court, as well as to all records of the Court, with the exception of anything that is confidential under the Labour Code. A record may be consulted only in the presence of the clerk. If the clerk is unable to be present during such consultation, a written acknowledgement of consultation shall be obtained and filed in the record.

Copies of documents may be obtained upon payment of the fees or costs determined in the Tariff of Court Fees in Civil Matters and of Court Office Fees, made by Order in Council 738-86 dated 28 May 1986, or in the Tariff of court costs in penal matters, made by Order in Council 1412-93 dated 6 October 1993, whichever is applicable.

§ 2. The hearing

5. Morning and afternoon hearings shall begin at 9:30 a.m. and 2 p.m. respectively.

6. The clerk shall draw up the minutes of the hearing in which shall be recorded
(1) the name of the judge presiding over the hearing;
(2) the date, time and place of the hearing;

3° les diverses étapes de la séance;
4° l'identité des parties, de leurs représentants et des témoins;
5° les pièces produites;
6° les conclusions des ordonnances et des décisions rendues séance tenante.

7. Est interdit tout ce qui porte atteinte au bon ordre de l'audience.

8. Aucun ajournement n'est accordé du seul fait du consentement des parties.

SECTION 2
EXERCICE DE LA COMPÉTENCE ADMINISTRATIVE

§ *1. Signification et avis*

9. Tout acte de procédure doit être signifié par voie d'huissier, par poste recommandée ou certifiée, par messager avec accusé de réception ou par attestation de réception.

Un juge peut, sur requête motivée et si les circonstances le justifient, autoriser la signification d'une autre manière.

10. Le jugement verbal a pour date celle du jour où il est prononcé.

11. Le jugement écrit porte la date de son dépôt au greffe du tribunal. Celui-ci est constaté par l'estampille du greffe.

12. Dès le dépôt du jugement, une copie est transmise aux parties.

13. Toute demande d'ajournement d'audience soumise verbalement avant l'audience doit être immédiatement suivie d'un écrit énonçant les raisons invoquées au soutien de cette demande, avec copie aux autres parties.

14. La requête pour permission d'appel nécessite un avis de présentation. En toute autre matière, le tribunal fixe la date de l'audience et convoque les parties.

15. En matière de permission d'appel et d'appel le juge peut, avec l'accord des parties, remplacer l'audience par une argumentation

(3) the various steps of the sitting;
(4) the identity of the parties, their representatives and the witnesses;
(5) the exhibits produced; and
(6) the conclusions of the orders made and decisions rendered during the hearing.

7. Anything which disrupts the hearing is prohibited.

8. No adjournment may be granted by the sole fact that the parties consent thereto.

DIVISION 2
EXERCISE OF ADMINISTRATIVE JURISDICTION

§ *1. Service and notices*

9. All proceedings shall be served by bailiff, by registered or certified mail, by messenger service with a delivery receipt or by an acknowledgment of receipt.

Upon a motion with reasons and if the circumstances so warrant, a judge may authorize another mode of service.

10. A judgment rendered orally is deemed rendered on the date it is pronounced.

11. A judgment rendered in writing shall bear the date on which it is filed at the office of the Court. Such filing shall be acknowledged by means of the stamp of the office of the Court.

12. A copy of the judgment shall be sent to the parties as soon as it is filed.

13. Any application to adjourn the hearing submitted orally before the hearing shall immediately be followed by a writing setting out the reasons relied on in support of such application. A copy of the writing shall be given to the other parties.

14. A notice of presentation shall be given for a motion for leave to appeal. In any other matter, the Court shall fix the date of the hearing and shall call the parties.

15. In matters of leave to appeal and in matters of appeal, the judge may, with the agreement of the parties, replace the hear-

écrite ou par une conférence téléphonique.

16. Sur réception de l'avis de convocation, les parties doivent communiquer au greffier le nom, l'adresse et le numéro de téléphone de leurs représentants.

§ *2. Documents*

17. Sur réception d'une requête selon l'article 47.4 du Code du travail, le greffier transmet aux parties une copie de la requête ainsi que la plainte au ministre du Travail, s'il y a lieu.

18. Si la preuve faite devant le commissaire du travail, la Régie du bâtiment ou une municipalité visée à l'article 132 de la Loi sur le bâtiment (L.R.Q., c. B-1.1) a été l'objet d'une transcription par sténographe officielle à la demande d'une partie et que celle-ci veut l'utiliser devant le tribunal, cette transcription doit être produite sans délai au greffe du tribunal dès la signification de la requête en appel.

§ *3. Appels en vertu de la Loi sur le bâtiment (L.R.Q., c. B-1.1) et de la Loi sur les relations du travail, la formation professionnelle et la gestion de la main-d'oeuvre dans l'industrie de la construction (L.R.Q., c. R-20)*

19. La requête pour en appeler d'une décision de la Régie du bâtiment ou d'une municipalité visée à l'article 132 de la Loi sur le bâtiment (L.R.Q., c. B-1.1) doit indiquer:
1° le numéro de dossier;
2° le nom et le domicile du requérant;
3° la date et la nature de la décision de la Régie ou de la municipalité;
4° le nom de la municipalité s'il y a lieu;

5° le motif de l'appel;
6° les conclusions recherchées.

20. L'appel d'une décision du président de la Commission de la construction du Québec, en vertu de l'article 93 de la Loi sur les relations du travail, la formation professionnelle et la gestion de la main-d'oeuvre dans l'industrie de la construction (L.R.Q., c. R-20) est formé dans les délais prévus à cet article, de la même façon que l'appel fait en vertu de

ing with arguments in writing or with a telephone conference.

16. Upon receipt of the notice of hearing, the parties shall communicate the name, address and telephone number of their representatives to the clerk.

§ *2. Documents*

17. Upon receipt of an application submitted under section 47.4 of the Labour Code, the clerk shall send to the parties a copy of the application, together with the complaint to the Minister of Labour, where applicable.

18. If the evidence before the labour commissioner, the Régie du bâtiment or a municipality contemplated in section 132 of the Building Act (R.S.Q., c. B-1.1) was made the subject of an official stenographic transcript at the request of a party and if that party wishes to use it in court, such transcript shall be immediately filed at the office of the Court upon service of the motion to appeal.

§ *3. Appeals under the Building Act (R.S.Q., c. B-1.1) and under the Act respecting labour relations, vocational training and manpower management in the construction industry (R.S.Q., c. R-20)*

19. A motion to appeal from a decision of the Régie du bâtiment or a municipality contemplated in section 132 of the Building Act (R.S.Q., c. B-1.1) shall indicate
(1) the number of the record;
(2) the name and domicile of the applicant;
(3) the date and nature of the decision of the Régie or the municipality;
(4) the name of the municipality, where applicable;
(5) the grounds for the appeal; and
(6) the conclusions sought.

20. An appeal from a decision of the chairman of the Commission de la construction du Québec under section 93 of the Act respecting labour relations, vocational training and manpower management in the construction industry (R.S.Q., c. R-20) shall be brought within the time limits provided for in that section and in the same manner as an appeal

l'article 108.3 de la même loi, à savoir, au moyen d'un avis énonçant:

1° le numéro de dossier;

2° le nom et le domicile du requérant;

3° la date et la nature de la décision du président de la Commission;

4° les faits pertinents;

5° les conclusions recherchées.

§ *4. Conservation des enregistrements et disposition des dossiers*

21. Les audiences sont enregistrées au moyen d'un magnétophone, de tout autre dispositif analogue, de la sténographie ou de la sténotypie; les rubans d'enregistrement sont conservés pendant les 2 années qui suivent le jugement du tribunal ou jusqu'à jugement final d'un recours exercé contre ce jugement.

Une copie de ces rubans peut être obtenue contre le paiement requis en vertu, selon le cas, du Tarif judiciaire en matière pénale édicté en vertu du décret 1412-93 du 6 octobre 1993 ou du Règlement sur le tarif des honoraires pour la prise et la transcription des dépositions des témoins édicté en vertu du décret 2253-83 du 1er novembre 1983.

22. Après 3 mois de la décision du Tribunal, la partie ayant produit des pièces peut les reprendre au greffe du Tribunal. Après 2 ans de la décision du Tribunal, le greffier peut disposer des pièces non réclamées.

§ *5. Instruction*

23. Les appels relatifs aux requêtes en accréditation et aux plaintes en vertu de l'article 16 du Code du travail sont tenus pour urgents.

24. Une demande de préséance d'instruction peut être accordée sur requête adressée au juge en chef du tribunal.

25. Avant de procéder à l'instruction d'une cause, le juge saisi du dossier peut convoquer les parties ou leurs représentants à une rencontre préliminaire pour conférer des moyens propres à simplifier ou à abréger l'audience. Le juge peut alors s'enquérir

brought under section 108.3 of that Act, namely, by way of a notice setting out

(1) the number of the record;

(2) the name and domicile of the applicant;

(3) the date and nature of the decision of the chairman of the Commission;

(4) the relevant facts; and

(5) the conclusions sought.

§ *4. Keeping of recordings and disposal of records*

21. Hearings shall be recorded by means of a tape recorder or similar device, or by means of stenography or stenotypy; tapes shall be kept for 2 years after the judgment of the Court is rendered or until the final judgment is rendered in the event that recourse is exercised against such judgment.

A copy of such tapes may be obtained upon payment of the fees and costs determined in the Tariff of court costs in penal matters, made by Order in Council 1412-93 dated 6 October 1993, or in the Regulation respecting the tariff of fees for the taking down and transcription of depositions of witnesses, made by Order in Council 2253-83 dated 1 November 1983, whichever is applicable.

22. Any party that filed exhibits may claim them from the office of the Court 3 months after the Court renders its decision. The clerk may dispose of unclaimed exhibits 2 years after the Court renders its decision.

§ *5. The trial*

23. Appeals relating to applications for certification and complaints under section 16 of the Labour Code shall be considered urgent.

24. An application for precedence may be granted upon a motion brought before the Chief Judge of the Court.

25. Before hearing a case, the judge in charge of the record may call the parties or their representatives to a preliminary meeting to discuss means by which the hearing may be simplified or shortened. At such meeting, the judge may ask whether all pos-

si toute possibilité de règlement à l'amiable a été explorée.

26. Advenant un désistement ou autre règlement d'une affaire, les parties doivent en aviser sans délai le greffier.

SECTION 3

EXERCICE DE LA COMPÉTENCE PÉNALE

27. Les date, lieu et heure de présentation de toute demande orale sujette à un préavis de même que de toute demande écrite doivent être préalablement convenus entre le greffier et la partie qui soumet la demande.

28. Lorsque semblable demande est présentée dans un district judiciaire autre que celui de Montréal ou de Québec, la partie qui la fait doit transmettre au greffe de Montréal ou de Québec selon le district dont il s'agit, au moins 5 jours francs avant la date de présentation, copie des documents signifiés à la partie adverse.

29. Le défendeur qui, préalablement à l'instruction, décide de changer sa réponse à l'acte d'accusation doit en aviser sans délai, en fonction du district judiciaire, soit le greffe de Montréal soit celui de Québec.

30. Pour l'application des articles 32, 55 par. 2 et 169 du Code de procédure pénale, le greffe du tribunal est celui mentionné dans les dispositions générales des présentes règles en ce qui concerne les districts judiciaires de Montréal et de Québec. Pour les autres districts judiciaires, il est établi au greffe de la Cour du Québec de chaque chef-lieu.

ANNEXE

I. Régions administratives desservies par le greffe de Québec

Région 01 Bas-Saint-Laurent, comprend les municipalités régionales de comté suivantes:

Matane
La Matapédia
La Mitis
Rimouski-Neigette

sibilities for an out-of-court settlement have been explored.

26. Should there be a withdrawal or some other settlement of a matter, the parties shall so inform the clerk immediately.

DIVISION 3

EXERCISE OF PENAL JURISDICTION

27. The date, time and place for filing any oral application subject to prior notice, as well as any application in writing, shall be agreed to in advance by the clerk and the party presenting the application.

28. Where a similar application is filed in a judicial district other than the judicial district of Montréal or Québec, the party filing the application shall send to the office of the Court in the judicial district of Montréal or Québec, as the case may be, at least 5 clear days before the date of filing, a copy of the documents served on the opposing party.

29. A defendant who, prior to the trial, decides to change his plea in response to the indictment shall immediately so inform the office of the Court in the judicial district of Montréal or Québec, as the case may be.

30. For the purposes of article 32, article 55, par. 2 and article 169 of the Code of Penal Procedure, the office of the Court shall be that mentioned in the general provisions of these Rules with respect to the judicial districts of Montréal and Québec. For the other judicial districts, it shall be established as the office of the Court of Québec in each chief place.

SCHEDULE

I — Administrative regions served by the office of the court in the judicial district of Québec

Region 01 Bas-Saint-Laurent, which is comprised of the following regional county municipalities:

Matane
La Matapédia
La Mitis
Rimouski-Neigette

Les Basques
Rivière-du-Loup
Témiscouata
Kamouraska

Les Basques
Rivière-du-Loup
Témiscouata
Kamouraska

Région 02 **Saguenay – Lac-Saint-Jean**, comprend les municipalités régionales de comté suivantes:

Region 02 **Saguenay – Lac-Saint-Jean**, which is comprised of the following regional county municipalities:

Le Domaine-du-Roy
Lac-Saint-Jean-Est
Maria-Chapdelaine
Le Fjord-du-Saguenay

Le Domaine-du-Roy
Lac-Saint-Jean-Est
Maria-Chapdelaine
Le Fjord-du-Saguenay

Région 03 **Québec**, comprend la Communauté urbaine de Québec et les municipalités régionales de comté suivantes:

Region 03 **Québec**, which is comprised of the Communauté urbaine de Québec and the following regional county municipalities:

Charlevoix-Est
Charlevoix
La Côte-de-Beaupré
L'Île-d'Orléans
La Jacques-Cartier
Portneuf

Charlevoix-Est
Charlevoix
La Côte-de-Beaupré
L'Île-d'Orléans
La Jacques-Cartier
Portneuf

Région 04 **Mauricie – Bois-Francs**, comprend les municipalités régionales de comté suivantes:

Region 04 **Mauricie – Bois-Francs**, which is comprised of the following regional county municipalities:

Le Haut-Saint-Maurice
Mékinac
Le Centre-de-la-Mauricie
Maskinongé
Francheville
Nicolet-Yamaska
Bécancour
Arthabaska
L'Érable

Le Haut-Saint-Maurice
Mékinac
Le Centre-de-la-Mauricie
Maskinongé
Francheville
Nicolet-Yamaska
Bécancour
Arthabaska
L'Érable

La municipalité régionale de comté de Drummond relève des bureaux de Montréal.

The Municipalité régionale de comté de Drummond shall be served by the Montréal offices.

Région 09 **Côte-Nord**, comprend les municipalités régionales de comté suivantes:

Region 09 **Côte-Nord**, which is comprised of the following regional county municipalities:

Caniapiscau
La Haute-Côte-Nord
Manicouagan
Sept-Rivières
Minganie

Caniapiscau
La Haute-Côte-Nord
Manicouagan
Sept-Rivières
Minganie

et la municipalité Côte-Nord-du-Golfe-Saint-Laurent.

and the Municipalité Côte-Nord-du-Golfe-Saint-Laurent.

Région 11 Gaspésie – Îles-de-la-Madeleine, comprend les municipalités régionales de comté suivantes:

Denis-Riverin
La Côte-de-Gaspé
Pabok
Bonaventure
Avignon
Les Îles-de-la-Madeleine

Region 11 Gaspésie – Îles-de-la-Madeleine, which is comprised of the following regional county municipalities:

Denis-Riverin
La Côte-de-Gaspé
Pabok
Bonaventure
Avignon
Les Îles-de-la-Madeleine

Région 12 Chaudière-Appalaches, comprend les municipalités régionales de comté suivantes:

L'Islet
Montmagny
Bellechasse
Les Etchemins
Desjardins
Les Chutes-de-la-Chaudière
La Nouvelle-Beauce
Robert-Cliche
Beauce-Sartigan
Lotbinière
L'Amiante

Region 12 Chaudière-Appalaches, which is comprised of the following regional county municipalities:

L'Islet
Montmagny
Bellechasse
Les Etchemins
Desjardins
Les Chutes-de-la-Chaudière
La Nouvelle-Beauce
Robert-Cliche
Beauce-Sartigan
Lotbinière
L'Amiante

II. Régions administratives desservies par le greffe de Montréal

II — Administrative regions served by the office of the Court in the judicial district of Montréal

Région 04 La municipalité régionale de comté de Drummond seulement

Region 04 The Municipalité régionale de comté de Drummond only

Région 05 Estrie, comprend les municipalités régionales de comté suivantes:

Le Granit
Asbestos
Le Haut-Saint-François
Le Val-Saint-François
Sherbrooke
Coaticook
Memphrémagog

Region 05 Estrie, which is comprised of the following regional county municipalities:

Le Granit
Asbestos
Le Haut-Saint-François
Le Val-Saint-François
Sherbrooke
Coaticook
Memphrémagog

Région 06 Montréal, comprend la Communauté urbaine de Montréal

Region 06 Montréal, which is comprised of the Communauté urbaine de Montréal

Région 07 Outaouais, comprend la Communauté urbaine de l'Outaouais et les municipalités régionales de comté suivantes:

La Vallée-de-la-Gatineau
Les Collines-de-l'Outaouais
Papineau
Pontiac

Région 08 Abitibi-Témiscamingue, comprend les municipalités régionales de comté suivantes:

Abitibi-Ouest
Abitibi
Vallée-de-l'Or
Témiscamingue
Rouyn-Noranda

Région 10 Nord-du-Québec, comprend tout le territoire non constitué en municipalités régionales de comté situé au nord des municipalités régionales de comté d'Abitibi-Ouest, d'Abitibi, de Vallée-de-l'Or, du Haut-Saint-Maurice, du Domaine-du-Roy, de Maria-Chapdelaine, du Fjord-du-Saguenay et de Caniapiscau, soit en particulier:

la municipalité de la Baie-James;
les villes enclaves de Matagami, Lebel-sur-Quévillon, Chibougamau et Chapais;
les communautés cries;
les municipalités de villages nordiques de la région de Kativik;
les communautés locales de Beaucanton, Villebois et Val Paradis.

Région 13 Laval, comprend la municipalité régionale de comté de Laval.

Région 14 Lanaudière, comprend les municipalités régionales de comté suivantes:

Matawinie
D'Autray
Joliette

Region 07 Outaouais, which is comprised of the Communauté urbaine de l'Outaouais and the following regional county municipalities:

La Vallée-de-la-Gatineau
Les Collines-de-l'Outaouais
Papineau
Pontiac

Region 08 Abitibi-Témiscamingue, which is comprised of the following regional county municipalities:

Abitibi-Ouest
Abitibi
Vallée-de-l'Or
Témiscamingue
Rouyn-Noranda

Region 10 Nord-du-Québec, which is comprised of the entire territory not organized into regional county municipalities located north of the regional county municipalities of Abitibi-Ouest, Abitibi, Vallée-de-l'Or, Le Haut-Saint-Maurice, Le Domaine-du-Roy, Maria-Chapdelaine, Le Fjord-du-Saguenay and Caniapiscau, namely,

the Municipalité de la Baie-James;
the towns of Matagami, Lebel-sur-Quévillon, Chibougamau and Chapais;
the Cree communities;
the northern village municipalities in the Kativik region;

the local communities of Beaucanton, Villebois and Val-Paradis

Region 13 Laval, which is comprised of the Municipalité régionale de comté de Laval

Region 14 Lanaudière, which is comprised of the following regional county municipalities:

Matawinie
D'Autray
Joliette

Montcalm	Montcalm
L'Assomption	L'Assomption
Les Moulins	Les Moulins

Région 15 **Les Laurentides,** comprend les municipalités régionales de comté suivantes:

Region 15 **Laurentides**, which is comprised of the following regional county municipalities:

Les Laurentides	Les Laurentides
Les Pays-d'en-haut	Les Pays-d'en-Haut
La Rivière-du-Nord	La Rivière-du-Nord
Thérèse-de-Blainville	Thérèse-De Blainville
Deux-Montagnes	Deux-Montagnes
Argenteuil	Argenteuil
Antoine-Labelle	Antoine-Labelle
Mirabel	Mirabel

Région 16 **La Montérégie,** comprend les municipalités régionales de comté suivantes:

Region 16 **Montérégie**, which is comprised of the following regional county municipalities:

Acton	Acton
La Haute-Yamaska	La Haute-Yamaska
Brome-Missisquoi	Brome-Missisquoi
Le Bas-Richelieu	Le Bas-Richelieu
Les Maskoutains	Les Maskoutains
Rouville	Rouville
Le Haut-Richelieu	Le Haut-Richelieu
La Vallée-du-Richelieu	La Vallée-du-Richelieu
Lajemmerais	Lajemmerais
Champlain	Champlain
Vaudreuil-Soulanges	Vaudreuil-Soulanges
Beauharnois-Salaberry	Beauharnois-Salaberry
Le Haut-Saint-Laurent	Le Haut-Saint-Laurent
Roussillon	Roussillon
Les Jardins-de-Napierville	Les Jardins-de-Napierville

D. 1203-94, (1994) 126 G.O. 2, 5248 (eev 94-08-27).

O.C. 1203-94, (1994) 126 G.O. 2, 3768 (cf. 94-08-27).

c. [C-27, r. 3.2]

RÈGLES DE RÉGIE INTERNE DE LA COMMISSION DES RELATIONS DU TRAVAIL

Code du travail
(L.R.Q., c. C-27, a. 137.38; 2001, c. 26, a. 63)

SECTION I
DISPOSITIONS GÉNÉRALES

1. Les affaires administratives de la Commission des relations du travail sont conduites par un bureau de direction composé du président, des deux vice-présidents et du secrétaire et directeur général.

2. Le bureau de direction se réunit à l'initiative du président aussi souvent que l'exige la conduite des affaires de la Commission. Il se réunit cependant au moins quatre fois par année.

3. À moins que tous les membres ne soient présents et n'y consentent, toute réunion doit être convoquée au moins 48 heures avant sa tenue; la convocation peut être faite par courrier électronique, par télécopieur, par message laissé dans la boîte vocale ou par tout autre moyen de transmission.

No English version

4. L'ajournement à une date précise d'une réunion dûment convoquée ne nécessite aucune nouvelle convocation.

5. Sur demande de deux membres du bureau de direction accompagnée d'un projet d'ordre du jour, le président est tenu de convoquer et de tenir une réunion dans les 5 jours qui suivent.

6. Les réunions du bureau de direction peuvent être tenues par tout moyen y compris la visioconférence et la conférence téléphonique.

7. Le quorum à toute réunion du bureau de direction est de trois membres. Il est réduit à deux si l'un des membres du bureau de direction est absent pour plus d'un mois.

8. Le président ou le membre du bureau de direction désigné par le président préside toutes les réunions.

9. Les résolutions de la Commission sont prises par le bureau de direction et sont approuvées par le président.

10. Un membre du bureau de direction doit déclarer toute situation où il pourrait se trouver en conflit d'intérêts et il doit s'abstenir de participer à la discussion sur cette question.

11. Le secrétaire et directeur général, lorsqu'il est présent, rédige les procès-verbaux des réunions et tient un registre des résolutions adoptées par le bureau de direction. En l'absence du secrétaire et directeur général, le président désigne la personne qui rédige le procès-verbal de la réunion et les résolutions prises sont transmises au secrétaire et directeur général sans délai pour être ajoutées au registre des résolutions.

12. Une résolution signée par tous les membres du bureau de direction a la même valeur et le même effet que si elle avait été adoptée lors d'une réunion du bureau de direction dûment convoquée et régulièrement constituée. Toute résolution est portée au procès-verbal de la réunion qui suit la date de la résolution et ajoutée au registre des résolutions.

13. Toute entente que la Commission se propose de conclure doit être approuvée par une résolution du bureau de direction; celui-ci peut cependant prévoir une autorisation générale pour la conclusion d'ententes dont le montant est inférieur au montant mentionné au document d'autorisation ou au plan de délégation de décision et de signature, le cas échéant.

No English version

SECTION II
FONCTIONS DES MEMBRES DU BUREAU DE DIRECTION

14. Les fonctions de chacun des membres du bureau de direction sont celles décrites dans leur description de tâches respective ainsi que, dans le cas des vice-présidents et du secrétaire et directeur général, toutes fonctions additionnelles que le président peut décider de leur confier conformément aux dispositions du Code du travail (L.R.Q., c. C-27).

SECTION III
SIGNATURE DES DOCUMENTS

15. Le bureau de direction peut adopter un plan de délégation de décision et de signature dans toutes les matières qu'il détermine par résolution notamment, en matière de ressources humaines, financières, matérielles et informationnelles.

16. Ce plan indique les documents de la Commission qui peuvent être signés par les personnes désignées et le montant des ententes qu'elles sont autorisées à conclure, le cas échéant.

17. Tout document signé ou certifié conforme par une personne autorisée en vertu du plan est considéré comme un document authentique émanant de la Commission.

18. Toute entente signée par une personne pour un montant égal ou inférieur à sa limite d'autorisation lie la Commission.

19. La Commission peut, aux conditions qu'elle fixe, permettre qu'un fac-similé d'une signature requise soit gravé, lithographié ou imprimé; dans ce cas le fac-similé a la même valeur que la signature elle-même.

No English version

SECTION IV
CONSULTATION ET RÉUNION

20. Le président de la Commission consulte les commissaires afin de dresser la liste des personnes éligibles à faire partie d'un comité d'enquête constitué aux fins d'examiner une plainte formulée contre un commissaire ou de déterminer si un commissaire est atteint d'une incapacité permanente, le tout conformément aux articles 137.24 et 137.25 du Code du travail, édictés par l'article 63 du chapitre 26 des lois de 2001 et, en ce qui concerne l'article 137.24, modifié par l'article 33 du chapitre 22 des lois de 2002. Le président consulte à nouveau les commissaires lorsqu'il estime opportun de modifier la liste.

21. Le président consulte les commissaires avant de choisir le membre de la Commission qui siégera au Conseil de la justice administrative, le tout conformément aux dispositions de l'article 167 de la Loi sur la justice administrative (L.R.Q., c. J-3).

22. Les commissaires adoptent à la majorité simple, un règlement édictant des règles de preuve et de procédure et un règlement concernant les modalités de transmission et dépôt de documents, le tout conformément au deuxième alinéa de l'article 138 du Code du travail, édicté par l'article 64 du chapitre 26 des lois de 2001. Il en est de même pour toute modification à ces règlements.

23. Le bureau de direction consulte les commissaires, les agents de relations du travail ou les autres membres du personnel de la Commission sur toute question lorsqu'il l'estime approprié.

No English version

SECTION V

ENTRÉE EN VIGUEUR

24. Omis.

D. 1317-2002, (2002) 134 G.O. 2, 8047 (eev 2002-11-12).

c. [C-27, r. 4.3]

RÈGLEMENT SUR LA RÉMUNÉRATION DES ARBITRES

Code du travail
(L.R.Q., c. C-27, a. 103; 2001, c. 26, a. 57)

1. Le présent règlement s'applique aux arbitres de grief et de différend.

Il ne s'applique pas à l'arbitrage d'un grief impliquant une association de salariés au sens du Code du travail (L.R.Q., c. C-27) et le gouvernement ou un ministère, un organisme du gouvernement dont le personnel est nommé suivant la Loi sur la Fonction publique (L.R.Q., c. F-3.1.1), un collège ou une commission scolaire visés dans la Loi sur le régime de négociation des conventions collectives dans les secteurs public et parapublic (L.R.Q., c. R-8.2).

2. L'arbitre a droit à des honoraires de 120 $ pour chaque heure d'une séance d'arbitrage, pour chaque heure de délibéré avec les assesseurs et, sous réserve de l'article 4, pour chaque heure de délibéré et de rédaction de la sentence.

Il a droit, pour chaque journée d'audience, à une rémunération minimale équivalant à trois heures d'honoraires au taux fixé par le premier alinéa.

*3. L'arbitre de grief a également droit à des honoraires au taux fixé par l'article 2 pour chaque heure d'une conférence préparatoire.

4. Pour le délibéré et la rédaction de la sentence, l'arbitre de grief a droit aux honoraires au taux fixé par l'article 2 pour un maximum de 14 heures pour une journée d'audience, de 22 heures pour deux journées d'audience et, lorsqu'il y a trois journées d'audience ou plus, de 22 heures pour les deux premières journées et de 5 heures pour chaque journée subséquente.

---

c. [C-27, r. 4.3]

REGULATION RESPECTING THE REMUNERATION OF ARBITRATORS

Labour Code
(R.S.Q., c. C-27, s. 103; 2001, c. 26, s. 57)

1. This Regulation applies to arbitrators of grievances and disputes.

It does not apply to the arbitration of a grievance involving an association of employees within the meaning of the Labour Code (R.S.Q., c. C-27) and the Government or a department, a government agency the personnel of which is appointed or remunerated under the Public Service Act (R.S.Q., c. F-3.1.1), a college or school board referred to in the Act respecting the process of negotiation of the collective agreements in the public and parapublic sectors (R.S.Q., c. R-8.2).

2. An arbitrator is entitled fo fees of $120 for each hour of arbitration hearing, for each hour of deliberation with the assessors and, subject to section 4, for each hour of deliberation and drafting of an award.

An arbitrator is entitled, for each day of hearing, to a minimum remuneration equivalent to three hours of fees at the rate set by the first paragraph.

*3. A grievances arbitrator is also entitled to fees at the rate set by section 2 for each hour of a pre-hearing conference.

4. For deliberation and the drafting of awards, a grievances arbitrator is entitled to fees at the rate set by section 2 up to a maximum of 14 hours per day of hearing, 22 hours for two days of hearing and, where there are three days of hearing or more, 22 hours for the first two days and 5 hours for each subsequent day.

---

*   Concernant l'entrée en vigueur de l'article 3, voir l'article 24 de ce Règlement.

*   Concerning the coming into force of section 3, see section 24 of this Regulation.

L'arbitre de différend a droit aux honoraires au taux fixé par l'article 2 pour un maximum de 14 heures pour une journée d'audience, de 22 heures pour deux journées d'audience, de 27 heures pour trois journées d'audience et, lorsqu'il y a quatre journées d'audience ou plus, de 27 heures pour les trois premières journées et de 3 heures pour chaque journée subséquente.

L'arbitre a droit aux honoraires au taux fixé par l'article 2 pour un maximum de 14 heures s'il ne tient aucune séance d'arbitrage.

5. Pour tous les frais inhérents à l'arbitrage notamment les frais d'ouverture de dossier, les conversations téléphoniques, la correspondance, la rédaction et le dépôt des exemplaires ou des copies de la sentence arbitrale, l'arbitre a également droit à une heure d'honoraires au taux fixé par l'article 2.

6. Les frais de transport, de repas et de logement d'un arbitre lui sont remboursés conformément à la Directive sur les frais remboursables lors d'un déplacement et autres frais inhérents (C.T. 194603 du 30 mars 2000) telle qu'elle se lit au moment où elle s'applique.

7. L'arbitre a droit à une allocation de déplacement lorsqu'il exerce ses fonctions à l'extérieur d'un rayon de 80 kilomètres de son bureau.

Le montant de cette allocation correspond au montant obtenu en multipliant le taux de 80 $ par le nombre d'heures nécessaires pour effectuer l'aller et le retour par le moyen de transport le plus rapide.

8. À titre d'indemnité en cas de désistement ou de règlement total d'un dossier plus de 30 jours avant la date de l'audience, l'arbitre a droit à une heure d'honoraires au taux fixé par l'article 2.

En cas de désistement, de règlement total ou de remise à la demande d'une partie, 30 jours ou moins avant la date de l'audience, l'arbitre a droit à trois heures d'honoraires au taux fixé par l'article 2 mais n'a pas droit aux frais inhérents à l'arbitrage prévus à l'article 5.

A disputes arbitrator is entitled to fees at the rate set by section 2 up to a maximum of 14 hours per day of hearing, 22 hours for two days of hearing, 27 hours for three days of hearing and, where there are four days of hearing or more, 27 hours for the first three days and 3 hours for each subsequent day.

An arbitrator is entitled to fees at the rate set by section 2 up to a maximum of 14 hours if no arbitration hearing is held.

5. For all expenses related to arbitration, namely fees for opening files, telephone calls, correspondence and the drafting and filing of duplicates or copies of the arbitration award, an arbitrator is also entitled to one hour of fees at the rate set by section 2.

6. An arbitrator's transportation costs and meal and accommodation expenses shall be reimbursed in accordance with the *Directive sur les frais remboursables lors d'un déplacement et autres frais inhérents* (C.T. 194603 dated 30 March 2000) as it reads at the time it applies.

7. An arbitrator is entitled to a travel allowance when performing duties outside an 80-kilometre radius from the office.

The amount of the allowance corresponds to the amount obtained by multiplying the rate of $80 by the number of hours required for a round trip using the fastest means of transportation.

8. When a case is discontinued or fully settled more than 30 days before the hearing date, an arbitrator is entitled to one hour of fees at the rate set by section 2 as indemnity.

When a case is discontinued, fully settled or postponed at the request of a party 30 days or less before the date of the hearing, an arbitrator is entitled to three hours of fees at the rate set by section 2 but is not entitled to the expenses related to arbitration provided for in section 5.

9. L'arbitre a droit au remboursement des frais réels de location de salle engagés pour une audience.

10. Sauf dans la mesure prévue aux articles 11, 15, 16 et 17, l'arbitre ne peut réclamer aucuns honoraires, frais, allocation ou indemnité autres que ceux fixés par les articles 2 à 9.

11. L'arbitre choisi et rémunéré par les parties ou par l'une d'elles peut réclamer une rémunération différente de celle fixée par les articles 2 à 8. Il ne peut toutefois, pour le délibéré et la rédaction de la sentence, réclamer une rémunération pour un nombre d'heures supérieur à ce que prévoit l'article 4.

Il doit, à cette fin, déclarer au ministre du Travail, un tarif de rémunération comprenant le taux horaire qu'il entend réclamer en vertu des articles 2 à 5, le montant des frais, allocations et indemnités visés aux articles 6 à 8 ainsi que les modalités d'application de ce taux horaire et de ces montants.

D. 851-2002, a. 11; D. 1303-2002, a. 1.

12. Le tarif de rémunération doit être déclaré au moyen du formulaire proposé par le ministère du Travail pendant la période comprise entre le 15 avril et le 15 mai de chaque année.

13. La rémunération prévue au tarif ne peut être réclamée qu'à l'égard du grief ou du différend soumis à l'arbitre à compter du 1er juillet qui suit la période visée à l'article 12.

14. Le tarif de rémunération demeure en vigueur tant qu'il n'est pas modifié suivant les dispositions de l'article 12. L'article 13 s'applique au tarif de rémunération modifié.

15. L'arbitre dont le nom est inscrit sur la liste des arbitres visée à l'article 77 du Code du travail après la période visée à l'article 12 peut néanmoins déclarer son tarif de rémunération dans les 30 jours qui suivent la date de cette inscription.

9. An arbitrator is entitled to reimbursement of the actual costs incurred in renting a room for a hearing.

10. Except as provided for in sections 11, 15, 16 and 17, an arbitrator may not claim any fees, expenses, allowances or indemnities other than those set by sections 2 to 9.

11. An arbitrator chosen and remunerated by the parties or by any one of them may claim a remuneration that differs from that set by sections 2 to 8. For deliberation and drafting of an award, an arbitrator may not claim remuneration for a number of hours greater than that provided for in section 4.

To that end, an arbitrator must declare to the Minister of Labour a tariff of remuneration that includes the hourly rate that the arbitrator will claim under sections 2 to 5, the amount of the expenses, allowances and indemnities referred to in sections 6 to 8 and the conditions for the application of that hourly rate and of those amounts.

12. The tariff of remuneration must be declared using the form proposed by the Ministère du Travail from 15 April to 15 May of each year.

13. The remuneration provided for in the tariff may be claimed only in respect of a grievance or dispute submitted to an arbitrator as of 1 July that follows the period referred to in section 12.

14. The tariff of remuneration remains in effect as long as it is not modified in accordance with section 12. Section 13 applies to the modified tariff of remuneration.

15. An arbitrator whose name is entered on the list of arbitrators referred to in section 77 of the Labour Code after the period referred to in section 12 may nonetheless declare the tariff of remuneration within 30 days following the date of that entry.

Malgré les dispositions de l'article 13, la rémunération prévue au tarif déclaré en vertu du premier alinéa ne peut être réclamée qu'à l'égard du grief ou du différend soumis à l'arbitre à compter de la date à laquelle le ministre l'avise que le tarif déclaré a été inscrit sur la liste visée à l'article 18.

Notwithstanding section 13, the remuneration provided for in the tariff declared under the first paragraph may be claimed only in respect of a grievance or dispute submitted to an arbitrator from the date on which the Minister notifies the arbitrator that the declared tariff was entered on the list referred to in section 18.

16. Lorsqu'il est membre d'un groupement d'arbitres, l'arbitre rémunéré par les parties ou par l'une d'elles peut, dans la mesure prévue au présent article, réclamer, à titre de rémunération, le montant forfaitaire prévu au tarif du groupement à l'égard du grief ou du différend qui lui a été soumis par ce groupement.

Le groupement d'arbitres doit être constitué suivant une forme juridique prévue par la loi et régi par une procédure d'arbitrage accéléré prévoyant notamment un tarif de rémunération commun à tous les membres.

Le tarif doit préciser, parmi les actes rémunérés et les frais visés aux articles 2 à 8, les actes et les frais compris dans le montant forfaitaire qu'il prévoit et les modalités d'application de ce montant.

Le tarif de rémunération doit être déclaré au ministre du Travail par le groupement d'arbitres et les dispositions des articles 12 à 14 s'appliquent, compte tenu des adaptations nécessaires.

Le groupement d'arbitres doit de plus transmettre une copie de son acte constitutif, de la liste de ses membres et de sa procédure d'arbitrage accéléré.

16. Where an arbitrator belongs to a group of arbitrators, the arbitrator remunerated by the parties or by one of them may, to the extent provided for in this section, claim as remuneration, the lump sum provided for in the group tariff in respect of the grievance or dispute that was submitted to the arbitrator by the group.

The group of arbitrators must be constituted according to a juridical form prescribed by law and governed by an expedited arbitration process that prescribes in particular a common tariff of remuneration for all members.

The tariff must specify, among the remunerated acts and expenses referred to in sections 2 to 8, the acts and expenses included in the lump sum provided and the conditions for the application of the amount.

The tariff of remuneration must be declared to the Minister of Labour by the group of arbitrators and sections 12 to 14 apply, adapted as required.

The group of arbitrators must also send a copy of its deed of incorporation, the list of its members and of its expedited arbitration process.

17. L'arbitre de grief agissant à titre de membre du Tribunal d'arbitrage procédure allégée (TAPA) est rémunéré selon le tarif établi par les dispositions de la procédure allégée d'arbitrage de griefs administrée par ce tribunal.

17. A grievances arbitrator acting as a member of the Tribunal d'arbitrage procédure allégée (TAPA) shall be remunerated in accordance with the tariff established by the provisions of the expedited arbitration of grievances process administered by that court.

18. Le ministre du Travail dresse la liste des tarifs de rémunération déclarés en vertu des articles 11, 15 et 16, en transmet une copie au Conseil consultatif du travail et de la main-d'oeuvre et en assure périodiquement la mise à jour et la diffusion notamment auprès des associations d'arbitres, de salariés et d'employeurs les plus représentatives.

18. The Minister of Labour shall draw up a list of tariffs of remuneration declared under sections 11, 15 and 16, send a copy thereof to the Conseil consultatif du travail et de la main-d'oeuvre and ensure periodically the updating and distribution thereof in particular with the most representative associations of arbitrators, employees and employers.

Il met une copie de cette liste à la disposition du public par tout moyen qu'il juge approprié.

The Minister shall put a copy of that list at the disposal of the public by any means deemed appropriate.

19. Sauf disposition contraire à la convention collective, les parties assument conjointement et à parts égales le paiement des honoraires, frais, allocations et indemnités de l'arbitre de grief.

19. Unless otherwise provided for in the collective agreement, the parties shall assume jointly and equally payment of the fees, expenses, allowances and indemnities of a grievances arbitrator.

Les parties assument conjointement et à parts égales le paiement des honoraires, frais, allocations et indemnités de l'arbitre lorsqu'il s'agit d'un différend déféré en vertu de l'article 75 du Code du travail ou lorsque la convention collective prescrit que le différend est déféré à l'arbitrage.

The parties shall assume jointly and equally payment of the fees, expenses, allowances and indemnities of an arbitrator in the case of a dispute referred under section 75 of the Labour Code or where the collective agreement prescribes that the dispute be referred to arbitration.

Le ministre du Travail assume le paiement des honoraires, frais, allocations et indemnités de l'arbitre d'un différend déféré en vertu des articles 93.3 et 97 de ce code.

The Minister of Labour shall assume payment of the fees, expenses, allowances and indemnities of the arbitrator of a dispute referred under sections 93.3 and 97 of the Labour Code.

20. L'arbitre doit présenter un compte d'honoraires ventilé permettant d'en vérifier le bien-fondé pour chaque jour où des honoraires, frais, allocations ou des indemnités sont réclamés.

20. An arbitrator shall submit a detailed account of fees, making it possible to verify the validity of the fees, expenses, allowances and indemnities claimed per day.

21. Le présent règlement remplace le Règlement sur la rémunération des arbitres édicté par le décret numéro 1486-96 du 27 novembre 1996.

21. This Regulation replaces the Regulation respecting the remuneration of arbitrators made by Order in Council 1486-96 dated 27 November 1996.

22. Les dispositions du Règlement sur la rémunération des arbitres telles qu'elles se lisaient avant d'être remplacées par le présent règlement continuent de s'appliquer à l'égard des griefs et des différends soumis à l'arbitrage avant le 1er décembre 2002.

22. The provisions of the Regulation respecting the remuneration of arbitrators as they read before being replaced by this Regulation continue to apply in respect of the grievances and disputes submitted to arbitration before 1 December 2002.

23. Pour les griefs et différends soumis à compter du 1er décembre 2002, l'arbitre visé à l'article 11 et l'arbitre membre d'un groupement d'arbitres visé à l'article 16 peuvent réclamer une rémunération différente de celle fixée par les articles 2 à 8 dans la mesure où l'arbitre visé à l'article 11 et le groupement d'arbitres transmettent au ministre du Travail, pendant la période du 1er septembre au 30 septembre 2002, leur tarif de rémunération comprenant les éléments mentionnés au deuxième alinéa de l'article 11 et au premier alinéa de l'article 16.

23. For grievances and disputes submitted as of 1 December 2002, the arbitrator referred to in section 11 and the arbitrator belonging to a group of arbitrators referred to in section 16 may claim a remuneration that differs from the remuneration set by sections 2 to 8 insofar as the arbitrator referred to in section 11 and the group of arbitrators transmit to the Minister of Labour, between 1 September and 30 September 2002, their tariff of remuneration which includes the elements referred to in the second paragraph of section 11 and in the first paragraph of section 16.

24. Le présent règlement entre en vigueur le 1er décembre 2002, à l'exception de l'article 3 qui entre en vigueur, selon l'échéance la plus éloignée, le 1er décembre 2002 ou à la date d'entrée en vigueur de l'article 49 (25 novembre 2002) de la Loi modifiant le Code du travail, instituant la Commission des relations du travail et modifiant d'autres dispositions législatives (2001, c. 26) et de l'article 23 qui entre en vigueur le 25 juillet 2002.

24. This Regulation comes into force on 1 December 2002, except for section 3 which comes into force, whichever is later, on 1 December 2002 or on the date of coming into force of section 49 (25 November 2002) of the Act to amend the Labour Code, to establish the Commission des relations du travail and to amend other legislative provisions (2001, c. 26) and section 23 which comes into force on the 25 July 2002.

D. 851-2002, (2002) 134 G.O. 2, 4860 (eev 2002-12-01 sauf a. 3 eev selon l'échéance la plus éloignée le 2002-12-01 ou à la date d'entrée en vigueur de 2001, c. 26, a. 49 et a. 23 eev 2002-07-25.)

D. 1303-2002, (2002) 134 G.O. 2, 7735 (eev 2002-12-01.)

O.C. 851-2002, (2002) 134 G.O. 2, 3809 (cf 2002-12-01 exc. s. 3 cf whichever is later on 2002-12-01 or the date of the coming into force of 2001, c. 26, s. 49 and s. 23 cf 2002-07-25.)

O.C. 1303-2002, (2002) 134 G.O. 2, 5849 (cf 2002-12-01.)

c. [C-27, r. 6]

RÈGLEMENT SUR LA RÉMUNÉRATION ET LES AUTRES CONDITIONS DE TRAVAIL DES COMMISSAIRES DE LA COMMISSION DES RELATIONS DU TRAVAIL

Code du travail
(L.R.Q., c. C-27, a. 137.27; 2001, c. 26, a. 63; 2002, c. 22, a. 34)

SECTION I

TRAITEMENT

1. L'échelle de traitement applicable aux commissaires de la Commission des relations du travail est celle apparaissant à l'annexe I.

Cette échelle de traitement est révisée dans le cadre de la politique arrêtée par le gouvernement pour l'ensemble des titulaires d'un emploi supérieur nommés par le gouvernement.

2. Les commissaires à temps partiel de la Commission sont rémunérés à honoraires selon un taux horaire calculé de la façon décrite à l'annexe I, pour un maximum de 7 heures de travail par jour.

Le président de la Commission peut toutefois permettre que ce nombre maximum soit dépassé lorsque des circonstances spéciales le justifient.

Pour l'application du présent règlement, les honoraires versés aux commissaires sont considérés comme étant un traitement.

3. Lors de l'entrée en fonction d'un commissaire à temps plein de la Commission, son traitement initial est déterminé en tenant compte de son expérience, de sa scolarité, du niveau du poste à combler et de ses revenus au moment de son entrée en fonction, déterminés en tenant compte des normes prescrites à l'annexe II.

Le fonctionnaire nommé commissaire à temps plein ne peut cependant recevoir un traitement inférieur au traitement régulier auquel il avait droit avant sa nomination conformément à son classement dans la fonction publique.

c. [C-27, r. 6]

REGULATION RESPECTING THE REMUNERATION AND OTHER CONDITIONS OF EMPLOYMENT OF COMMISSIONERS OF THE COMMISSION DES RELATIONS DU TRAVAIL

Labour Code
(R.S.Q., c. C-27, s. 137.27; 2001, c. 26, s. 63; 2002, c. 22, s. 34)

DIVISION I

REMUNERATION

1. The salary scale applicable to commissioners of the Commission des relations du travail is the scale in Schedule I.

The salary scale shall be revised in keeping with the policy adopted by the Government for holders of senior positions appointed by the Government.

2. Part-time commissioners of the Commission shall receive fees in accordance with the hourly rate in Schedule I, up to a maximum of seven hours' work a day.

The maximum number of work hours may be exceeded where authorized by the president of the Commission and where special circumstances warrant it.

For the purposes of this Regulation, fees paid to the commissioners of the Commission are considered to be a salary.

3. The starting salary of full-time commissioners of the Commission shall be determined by their experience and education, the level of the position and their income at the time of appointment established in accordance with the standards prescribed in Schedule II.

Civil servants appointed as full-time commissioners may not receive a salary lower than the regular salary to which they were entitled before their appointment, in accordance with their classification in the public service.

4. Un retraité du secteur public tel que défini à l'annexe III nommé commissaire à la Commission reçoit un traitement correspondant au traitement fixé selon les normes établies au présent règlement duquel est déduit un montant équivalent à la moitié de la rente de retraite qu'il reçoit de ce secteur. Cette déduction est effectuée au moment de sa nomination ou du renouvellement de son mandat. Le traitement ainsi fixé peut être inférieur, le cas échéant, au minimum normal de l'échelle de traitement applicable à ce poste.

5. Quiconque a reçu ou reçoit une allocation ou une indemnité de départ du secteur public tel que défini à l'annexe III et reçoit un traitement à titre de commissaire de la Commission pendant la période correspondant à cette allocation ou indemnité doit rembourser la partie de l'allocation ou de l'indemnité couvrant la période pour laquelle il reçoit un traitement, ou cesser de la recevoir durant cette période.

Toutefois, si le traitement qu'il reçoit à titre de commissaire est inférieur à celui qu'il recevait antérieurement, il n'a à rembourser l'allocation ou l'indemnité que jusqu'à concurrence du nouveau traitement, ou il peut continuer à recevoir la partie de l'allocation ou de l'indemnité qui excède son nouveau traitement.

La période couverte par l'allocation ou l'indemnité de départ correspond à celle qui aurait été couverte par le même montant si la personne l'avait reçue à titre de traitement dans sa fonction, son emploi ou son poste antérieur.

6. Lors du renouvellement du mandat, sous réserve de l'article 4, le traitement est le même que celui qui était versé avant ce renouvellement.

7. Le commissaire à temps plein qui, conformément au deuxième alinéa de l'article 137.29 du Code du travail (L.R.Q., c. C-27), cesse d'exercer une charge administrative au sein de la Commission, reçoit, à compter de cette date, un traitement équivalant à celui qu'il recevait sans toutefois dépasser le maximum de l'échelle de traitement applicable au poste de commissaire.

4. Retirees from the public sector defined in Schedule III and appointed commissioners of the Commission shall receive a salary equal to the salary determined in accordance with the standards of this Regulation, from which shall be deducted half the amount of the retirement pension they are receiving from the public sector. The deduction shall be established in the instrument of appointment or upon renewal of the commissioners' term of office. The salary may therefore be lower than the regular minimum of the scale applicable to the position.

5. Whoever has received or is receiving a severance pay or allowance from the public sector defined in Schedule III and receives a salary as a commissioner of the Commission during the period covered by such pay or allowance shall repay the portion of the severance pay or allowance that covers the period for which the person was receiving a salary, or shall cease to receive it during that period.

However, if the salary the person receives as a commissioner is lower than what the person was receiving prior to his or her appointment, the person shall repay only that portion of the severance pay or allowance that equals the amount of the person's new salary and may continue to receive the portion of the severance pay or allowance that exceeds his or her new salary.

The period covered by the severance pay or allowance is the same as that which would have been covered by an equal amount if it had been received as salary for the person's office, employment or previous position.

6. Upon renewal of a term of office, the salary shall remain the same as the salary paid before such renewal, subject to section 4.

7. Full-time commissioners who cease to hold an administrative office within the Commission, in accordance with the second paragraph of section 137.29 of the Labour Code (R.S.Q., c. C-27), shall receive, starting on the effective date, a salary equivalent to what they were receiving without exceeding the maximum of the salary scale for a commissioner's position.

Cependant, dans un tel cas, le fonctionnaire ne peut recevoir un traitement inférieur au traitement régulier auquel il aurait droit conformément à son classement dans la fonction publique.

8. Le traitement d'un commissaire à temps plein progresse, jusqu'à concurrence du maximum normal de l'échelle de traitement applicable, selon le pourcentage annuel correspondant au résultat de la formule suivante:

(0,1 × % octroyé pour la cote d'évaluation du rendement A) + (0,3 × % octroyé pour la cote d'évaluation du rendement B) + (0,6 × % octroyé pour la cote d'évaluation du rendement C).

Ces pourcentages sont ceux annuellement prévus pour la progression dans l'échelle de traitement dans le cadre de la politique arrêtée par le gouvernement pour l'évaluation du rendement des membres d'un organisme nommés par le gouvernement.

Lorsque le traitement d'un tel commissaire atteint le maximum, sa rémunération est ajustée d'un montant forfaitaire dont le pourcentage annuel correspond au résultat de la formule énoncée plus haut. Cependant, les pourcentages sont alors ceux annuellement prévus pour le boni au rendement dans le cadre de cette politique. Ce montant forfaitaire doit, le cas échéant, être réduit pour tenir compte du pourcentage de progression dont le commissaire a bénéficié en vertu du premier alinéa ou de l'excédent du traitement du commissaire sur le maximum normal de l'échelle de traitement qui lui est applicable.

Dans le cas d'un commissaire à temps plein qui est retraité du secteur public tel que défini à l'annexe III, le maximum normal de l'échelle qui lui est applicable est établi en tenant compte de la déduction effectuée au moment de sa nomination ou du renouvellement de son mandat conformément à l'article 4.

Le commissaire à temps plein qui a exercé ses fonctions moins de quatre mois au cours de la période servant de référence pour la progression de son traitement et l'ajustement de sa rémunération ne bénéficie pas des dispositions du présent article.

9. L'évaluation annuelle du rendement d'un commissaire est effectuée par le prési-

However, in such cases, public servants may not receive a salary lower than the regular salary to which they would be entitled in respect of their classification in the public service.

8. The salary of a full-time commissioner shall be increased, up to the regular maximum salary of the applicable scale, by the annual percentage determined according to the following formula:

(0.1 × % attributed to an "A" performance rating) + (0.3 × % attributed to a "B" performance rating) + (0.6 × % attributed to a "C" performance rating).

The percentages of increase shall be the annual percentages provided for salary advancement under the government policy on performance assessments for members of a body appointed by the Government.

Where a commissioner's salary reaches the maximum, the remuneration shall be adjusted with a lump sum the annual percentage of which is determined according to the above formula. The percentages shall be the annual percentages for performance bonuses under that policy. The lump sum shall, if applicable, be reduced to take into account the percentage of increase that the commissioner has received under the first paragraph or the portion of the salary that exceeds the regular maximum of the applicable salary scale.

For a full-time commissioner who has retired from the public sector as defined in Schedule III, the regular maximum of the applicable salary scale shall be established by taking into account the deduction made at the time of the commissioner's appointment or renewal of office in accordance with section 4.

A full-time commissioner who has been in office less than four months during the period used as reference for salary advancement and remuneration adjustment does not benefit from the provisions of this section.

9. The annual performance assessment of a commissioner shall be made by the pres-

dent de la Commission ou le vice-président qu'il désigne. Les critères et les cotes utilisés pour évaluer le rendement d'un commissaire, conformément au principe de l'indépendance dans l'exercice des fonctions juridictionnelles, sont ceux apparaissant à l'annexe IV.

L'évaluation annuelle du rendement d'un vice-président est effectuée par le président de la Commission et porte, quant à l'exercice de sa charge administrative, sur l'efficacité et l'efficience de la gestion des ressources mises à sa disposition pour réaliser la mission de la Commission. Le cas échéant, elle porte également sur l'exercice de sa fonction de commissaire et les critères et cotes utilisés pour évaluer son rendement, conformément au principe de l'indépendance dans l'exercice des fonctions juridictionnelles, sont ceux apparaissant à l'annexe IV.

L'évaluation annuelle du rendement du président de la Commission est effectuée par le ministre du Travail et porte uniquement sur l'efficacité et l'efficience de la gestion des ressources mises à sa disposition pour réaliser la mission de la Commission. Les cotes utilisées pour évaluer son rendement sont celles apparaissant à l'annexe IV.

10. Un commissaire, dont le mandat est expiré et qui termine les affaires qu'il a déjà commencé à entendre et sur lesquelles il n'a pas encore statué continue, pendant la période déterminée par le président de la Commission, à être rémunéré par la Commission au salaire annuel auquel il avait droit. Toutefois, si le président considère que sa situation nouvelle lui permet d'exercer ses fonctions à temps partiel, il peut alors être rémunéré selon un taux horaire calculé en fonction du salaire annuel qu'il recevait au moment où son mandat a pris fin. Pour l'application de cet alinéa, un commissaire est réputé travailler 35 heures par semaine.

S'il s'agit d'un commissaire à temps partiel, il continue d'être rémunéré au taux horaire auquel il avait droit.

11. Un commissaire désigné par le président de la Commission pour agir comme responsable de l'assignation de dossiers reçoit, pendant qu'il assume cette responsabilité, une rémunération additionnelle équivalant à 3% de son traitement annuel.

ident of the Commission or the vice-president designated by the president. The criteria and ratings used to assess a commissioner's performance in accordance with the principle of independence in the performance of adjudicative functions appear in Schedule IV.

The annual assessment of a vice-president's performance shall be made by the president of the Commission and shall measure, as to the performance of the vice-president's administrative duties, the efficiency and effectiveness of the vice-president's management of resources in carrying out the Commission's mission. Where applicable, it shall also pertain to the performance as commissioner and the criteria and ratings used for the assessment in accordance with the principle of independence in the performance of adjudicative functions appear in Schedule IV.

The president's performance shall be assessed annually by the Minister of Labour and shall exclusively measure the efficiency and effectiveness of the president's management of resources in carrying out the Commission's mission. The ratings used for the assessment of the president's performance appear in Schedule IV.

10. Commissioners whose term of office has expired and who are concluding the cases they have begun to hear but have yet to determine shall continue to receive, for a period to be determined by the president of the Commission, the annual salary to which they were entitled. However, if the president considers that the new situation warrants the commissioners' performing their duties part time, commissioners may be remunerated on an hourly basis calculated according to the annual salary they were receiving at the time their term of office expired. For the purposes of this paragraph, commissioners are deemed to work 35 hours a week.

If the situation applies to part-time commissioners, they shall receive the hourly rate to which they were entitled.

11. The commissioner designated by the president of the Commission as the person in charge of assigning cases shall receive, while performing that duty, an additional remuneration equivalent to 3% of the commissioner's annual salary.

Cette rémunération additionnelle n'est toutefois versée que si cette responsabilité est exercée pour une période d'au moins 45 jours consécutifs.

Cette rémunération additionnelle ne peut être versée simultanément à plus de trois commissaires.

The additional remuneration shall be paid only if the duty is performed for at least 45 consecutive days.

Such additional remuneration may not be paid to more than three commissioners at the same time.

SECTION II
AUTRES CONDITIONS DE TRAVAIL

DIVISION II
OTHER CONDITIONS OF EMPLOYMENT

§ *1. Régimes d'assurances*

§ *1. Insurance plans*

12. Les commissaires à temps plein de la Commission participent aux régimes d'assurance collective du personnel d'encadrement des secteurs public et parapublic du Québec.

Si une invalidité donnant droit à l'assurance-salaire survient au cours du mandat d'un commissaire, les prestations prévues par les régimes d'assurance-salaire de courte et de longue durée sont payables et l'exonération des cotisations aux régimes d'assurance et de retraite s'applique tant que dure la période d'invalidité, même si le mandat se termine pendant cette période.

12. Full-time commissioners shall participate in the group insurance plans for managerial staff of the Québec public and parapublic sectors.

In the case of a commissioner's disability giving entitlement to salary insurance benefits during a term of office, the benefits provided for under the long- or short-term salary insurance plans shall be paid and the commissioner shall be exempted from paying premiums to the pension and insurance plans for the duration of the period of disability, even if the commissioner's term expires during that period.

§ *2. Régimes de retraite*

§ *2. Pension plans*

13. Conformément à l'article 137.30 du Code du travail, les commissaires à temps plein de la Commission participent au régime de retraite du personnel d'encadrement ou, selon le cas, au régime de retraite des fonctionnaires.

13. In accordance with section 137.30 of the Labour Code, full-time commissioners of the Commission shall participate in the Pension Plan of Management Personnel or, as the case may be, in the Civil Service Superannuation Plan.

§ *3. Vacances annuelles*

§ *3. Annual vacation leave*

14. Les commissaires à temps plein ont droit à des vacances annuelles payées de 20 jours ouvrables, ce nombre de jours étant calculé en proportion du temps pendant lequel ils ont été en fonction au cours de l'exercice financier.

La personne en congé sans solde total de la fonction publique a droit à des vacances annuelles équivalant au nombre de jours de vacances auxquels elle aurait droit conformément à son classement dans la fonction publique.

14. Full-time commissioners shall be entitled to a paid annual vacation of 20 working days, to be calculated proportionally to the time in office during the fiscal year.

Persons on full leave without pay from the public service shall be entitled to an annual vacation equivalent to the number of days of leave they would be entitled to under their classification in the public service.

Lorsqu'il est impossible pour un commissaire de prendre tout ou partie de ses vacances annuelles au cours de l'exercice financier pour lequel elles lui sont accordées, il doit en demander le report au président de la Commission, avant la fin de cet exercice financier.

Le nombre de jours de vacances qui peuvent être ainsi reportés ne peut toutefois dépasser le nombre annuel de jours de vacances auxquels ce commissaire a droit.

§ 4. Congés fériés

15. Les commissaires à temps plein de la Commission bénéficient annuellement des mêmes congés fériés que ceux applicables dans la fonction publique.

§ 5. Frais de voyage et de séjour

16. Les commissaires de la Commission ont droit au remboursement des frais de voyage et de séjour faits dans l'exercice de leurs fonctions conformément au décret n° 2500-83 du 30 novembre 1983 concernant les règles sur les frais de déplacement des présidents, vice-présidents et membres d'organismes gouvernementaux, compte tenu des modifications qui y ont été ou qui pourront y être apportées.

17. Aux fins du remboursement de ses dépenses, le lieu principal d'exercice des fonctions d'un commissaire est celui prévu par son décret de nomination.

§ 6. Avis de démission

18. Pour l'application de l'article 137.23 du Code du travail, l'avis donné au ministre du Travail pour démissionner est expédié au président de la Commission qui en transmet copie au secrétaire général associé responsable des emplois supérieurs au ministère du Conseil exécutif.

§ 7. Congé sans solde total de la fonction publique

19. Pour l'application de l'article 137.31 du Code du travail, le fonctionnaire nommé commissaire à la Commission est, pour la durée de son mandat et dans le but d'accom-

Where part or all of the annual vacation to which a commissioner is entitled cannot be taken in a given fiscal year, a request for its carryover shall be made to the president of the Commission before the end of that fiscal year.

The number of days of annual vacation carried over may not exceed the number of days of annual vacation to which the commissioner is entitled.

§ 4. Legal holidays

15. Full-time commissioners shall have the same annual statutory holidays as those that apply to the public service.

§ 5. Travel and living expenses

16. The commissioners shall be entitled to the reimbursement of travel and living expenses incurred in the performance of their duties in accordance with Décret 2500-83 dated 30 November 1983 concernant les règles sur les frais de déplacement des présidents, vice-présidents et membres d'organismes gouvernementaux, as amended.

17. For the purposes of reimbursing expenses, the principal location for the performance of a commissioner's duties is specified in the instrument of appointment.

§ 6. Resignation notice

18. For the purposes of section 137.23 of the Labour Code, the notice of resignation given to the Minister of Labour shall be sent to the president of the Commission who shall send a copy thereof to the Associate Secretary General for Senior Positions at the Ministère du Conseil exécutif.

§ 7. Full leave without pay from the public service

19. For the purposes of section 137.31 of the Labour Code, a public servant who is appointed commissioner of the Commission shall be, for the duration of the appointment

plir les devoirs de sa fonction, en congé sans solde total du ministère du Travail.

and to discharge the duties of commissioner, on full leave without pay from the Ministère du Travail.

20. Le commissaire en congé sans solde total de la fonction publique, qui démissionne de sa fonction de commissaire de la Commission ou dont le mandat n'est pas renouvelé, est réintégré parmi le personnel du ministère du Travail au salaire qu'il avait au sein de la Commission si ce salaire est inférieur ou égal au maximum de l'échelle de traitement qui lui est applicable dans la fonction publique. Dans le cas où son salaire au sein de la Commission est supérieur, il est réintégré au salaire équivalant au maximum de l'échelle de traitement qui lui est applicable selon son classement dans la fonction publique.

20. Commissioners who are on full leave without pay from the public service and resign their office or whose term is not renewed shall be reinstated in the Ministère du Travail with the salary received at the Commission if that salary is equal to or lower than the maximum of the applicable salary scale in the public service. If the salary at the Commission was higher, commissioners shall be reinstated with a salary equal to the maximum of the salary scale applicable under their classification in the public service.

§ 8. Allocation de transition et autres mesures similaires

§ 8. Transition allowance and other similar measures

21. Un commissaire à temps plein de la Commission, autre qu'un commissaire en congé sans solde total de la fonction publique, dont le mandat n'est pas renouvelé ou qui ne sollicite pas un renouvellement de son mandat, reçoit une allocation de transition.

21. Full-time commissioners who are not on full leave without pay from the public service and whose term of office is not renewed or who do not request a renewal of their term, shall receive a transition allowance.

Cette allocation correspond à un mois de salaire au moment du départ, par année de service continu depuis son entrée en fonction comme titulaire à temps plein d'un emploi supérieur nommé par le gouvernement, sans toutefois excéder 12 mois.

The allowance at the time of departure is equal to one month's salary for each year of continuous service since the beginning of their term as full-time holders of a senior position appointed by the Government, without exceeding 12 months.

Pour toute période de service inférieure à une année, l'allocation est calculée au prorata des jours de service accomplis.

If the period is less than one year, the allowance shall be calculated proportionally to the number of days of service completed.

22. Un commissaire de la Commission ne peut recevoir d'allocation de transition s'il est destitué ou démis.

22. Commissioners who are dismissed or removed shall not receive a transition allowance.

23. Le commissaire de la Commission qui a quitté ses fonctions, qui a reçu ou qui reçoit l'allocation de transition prévue à l'article 21 et qui occupe une fonction, un emploi ou tout autre poste rémunéré dans le secteur public tel que défini à l'annexe III pendant la période correspondant à cette allocation doit rembourser la partie de l'allocation couvrant la période pour laquelle il reçoit un traitement, ou cesser de la recevoir durant cette période.

23. Commissioners who no longer perform their duties, who received or are receiving the transition allowance prescribed in section 21 and who hold an office, employment or any other remunerated position in the public sector defined in Schedule III during the period to which the allowance applies, shall either repay the portion of the allowance that covers the period for which they received a salary, or cease to receive it during that period.

Toutefois, si le traitement qu'il reçoit est inférieur à celui qu'il recevait antérieurement, il n'a à rembourser l'allocation que jusqu'à concurrence du nouveau traitement, ou il peut continuer à recevoir la partie de l'allocation qui excède son nouveau traitement.

La période couverte par l'allocation de transition correspond à celle qui aurait été couverte par le même montant si la personne l'avait reçue à titre de traitement dans sa fonction, son emploi ou son poste antérieur.

24. Le commissaire à temps plein de la Commission qui a quitté ses fonctions, qui a bénéficié de mesures dites de départ assisté ou l'équivalent et qui, dans les 2 ans qui suivent son départ, accepte une fonction, un emploi ou tout autre poste rémunéré dans le secteur public tel que défini à l'annexe III doit rembourser la somme correspondant à la valeur des mesures dont il a bénéficié jusqu'à concurrence du montant de la rémunération reçue, du fait de ce retour, durant cette période de 2 ans.

25. L'exercice à temps partiel d'activités didactiques n'est pas visé par les articles 23 et 24.

26. Omis.

However, if the salary they receive is lower than that which they were previously receiving, they shall repay the allowance that equals the amount of the new salary and may continue to receive the portion of the allowance that exceeds their new salary.

The period covered by the transition allowance is the same as that which would have been covered by an equal amount had the commissioner received it as a salary while holding an office, an employment or a previous position.

24. Full-time commissioners who no longer perform their duties, who have benefited from a departure incentive program or its equivalent and who, within the two years following their departure, return to office, an employment or any other remunerated position in the public sector defined in Schedule III shall repay an amount equal to the amount received under the program up to the amount of the remuneration received during that two-year period as a result of their return.

25. Part-time teaching activities are not included in sections 23 and 24.

26. Omitted.

ANNEXE I
(a. 1, 2)

SCHEDULE I
(ss. 1, 2)

ÉCHELLE DE TRAITEMENT APPLICABLE AUX COMMISSAIRES DE LA COMMISSION DES RELATIONS DU TRAVAIL

SALARY SCALE APPLICABLE TO COMMISSIONERS OF THE COMMISSION DES RELATIONS DU TRAVAIL

1. L'échelle applicable aux commissaires de la Commission correspond à celle établie pour les membres à temps plein d'organismes du niveau 3 en vertu du décret n° 713-2000 du 14 juin 2000, compte tenu des modifications qui y ont été ou qui pourront y être apportées.

1. The salary scale applicable to commissioners of the Commission des relations du travail is the scale established for Level 3 full-time members of bodies under Décret 713-2000 dated 14 June 2000, as amended.

2. Le taux horaire versé aux commissaires de la Commission exerçant leurs fonctions à temps partiel est calculé de la façon suivante:

2. The hourly rate paid to commissioners of the Commission performing their duties part-time is calculated as follows:

Maximum de l'échelle applicable aux membres à temps plein d'organismes du niveau 3 + 20%* | 261 jours ouvrages | 7 heures par jour ouvrable.

The maximum of the scale applicable to Level 3 full-time members of bodies + 20%* | 261 working days | 7 hours per working day.

---

* Pour compenser l'absence d'avantages sociaux.

* Compensation for the absence of fringe benefits.

ANNEXE II
(a. 3)

SCHEDULE II
(s. 3)

DÉTERMINATION DU TRAITEMENT INITIAL LORS DE L'ENTRÉE EN FONCTION D'UN COMMISSAIRE DE LA COMMISSION DES RELATIONS DU TRAVAIL

DETERMINATION OF THE STARTING SALARY OF A COMMISSIONER APPOINTED TO THE COMMISSION DES RELATIONS DU TRAVAIL

Aux fins d'établir le traitement qui doit être utilisé comme base de calcul pour déterminer le traitement initial lors de l'entrée en fonction d'un commissaire de la Commission des relations du travail, les règles suivantes s'appliquent:

For the purposes of determining the income to be used as a basis for the calculation of the starting salary of a commissioner appointed to the Commission des relations du travail, the following rules shall apply:

1. Tenir compte du traitement régulier reçu chez l'employeur précédent en exigeant une attestation de traitement de la part de ce dernier.

1. Take into account the regular salary with the previous employer, supported by a compulsory attestation by the employer.

2. Établir les revenus résultant d'un travail autonome en prenant en considération:

2. Determine self-employment income by one of the following means:

— soit un bilan de l'état financier préparé par une firme comptable;

— a financial statement prepared by an accounting firm;

— soit une copie des T4 ou relevé I faisant état des gains de la ou des dernières années de référence requises;

— a copy of the T4 or Relevé 1 slips(s) showing the income for the year(s) of reference required;

— soit un affidavit dans lequel le candidat atteste le montant de ses gains;

— an affidavit in which the candidate attests to his or her income; or

— soit toute autre preuve jugée acceptable et représentative de la situation des revenus du candidat.

— any other acceptable and accurate proof of the candidate's income.

3. Exclure des traitements, gains ou revenus fournis, tout montant qui ne revêt pas un caractère régulier tels boni, temps supplémentaire ou autres gratifications du genre.

3. Exclude from the salaries, earnings or income provided, any amount that is not of a regular nature such as premiums, overtime or other such bonuses.

4. Ne tenir compte, aux fins de la détermination du traitement, que des revenus provenant de l'emploi principal à l'exclusion des revenus provenant d'emplois occasionnels ou d'emplois effectués en dehors des heures régulières de travail.

4. Take into account, for the purposes of determining the salary, only the income from the principal employment, excluding income from casual employment or work done outside regular hours.

5. Déduire, pour les candidats à l'emploi du gouvernement du Québec à titre contractuel ou occasionnel, le pourcentage de leur traitement destiné à compenser l'absence d'avantages sociaux, lorsqu'un tel pourcentage est prévu.

5. Subtract, in the case of candidates who are contract or casual employees of the Gouvernement du Québec, the percentage of their salary compensating for the absence of fringe benefits, where such a percentage is provided.

6. Calculer sur une moyenne de quelques années les revenus qui varient sensiblement d'une année à l'autre parce que ces revenus sont sous la forme de participation aux profits ou sous toute autre forme.

6. Establish an average over a number of years where income varies considerably because of profit-sharing income or income of another type.

ANNEXE III
(a. 4, 5, 8, 23, 24)

SCHEDULE III
(ss. 4, 5, 8, 23, 24)

SECTEUR PUBLIC

PUBLIC SECTOR

The public sector includes

1. Le gouvernement et ses ministères, le Conseil exécutif et le Conseil du trésor.

1. the Government, a government department, the Conseil exécutif and the Conseil du trésor;

2. Le personnel du lieutenant-gouverneur, l'Assemblée nationale, le protecteur du citoyen, toute personne que l'Assemblée nationale désigne pour exercer une fonction qui

2. the Lieutenant-Governor's staff, the National Assembly, the Public Protector, any person designated by the National Assembly to perform duties that come under

en relève lorsque la loi prévoit que son personnel est nommé suivant la Loi sur la fonction publique (L.R.Q., c. F-3.1.1) et tout organisme dont l'Assemblée nationale ou l'une de ses commissions nomme la majorité des membres.

3. Tout organisme qui est institué par une loi, en vertu d'une loi ou par une décision du gouvernement, du Conseil du trésor ou d'un ministre et qui satisfait à l'une des conditions suivantes:

1° tout ou partie de ses crédits de fonctionnement apparaissent sous ce titre, dans les prévisions budgétaires déposées devant l'Assemblée nationale;

2° la loi ordonne que son personnel soit nommé suivant la Loi sur la fonction publique;

3° le gouvernement ou un ministre nomme au moins la moitié de ses membres ou administrateurs et au moins la moitié de ses frais de fonctionnement sont assumés directement ou indirectement par le fonds consolidé du revenu ou les autres fonds administrés par un organisme visé à l'article 1 ou 2 de la présente annexe ou les deux à la fois.

4. Le curateur public.

5. Tout organisme, autre que ceux mentionnés aux articles 1, 2 et 3 de la présente annexe, institué par une loi, en vertu d'une loi ou par une décision du gouvernement, du Conseil du trésor ou d'un ministre et dont au moins la moitié des membres ou administrateurs sont nommés par le gouvernement ou un ministre.

6. Toute société à fonds social, autre qu'un organisme mentionné à l'article 3 de la présente annexe, dont plus de 50% des actions comportant le droit de vote font partie du domaine de l'État ou sont détenues en propriété par un organisme visé aux articles 1 à 3 et 5 de la présente annexe ou par une entreprise visée au présent article.

7. Tout établissement d'enseignement de niveau universitaire visé aux paragraphes 1°

the National Assembly, where the law provides that its personnel is appointed in accordance with the Public Service Act (R.S.Q., c. F-3.1.1) and any body to which the National Assembly or one of its committees appoints the majority of the members;

3. any body that is established by an Act, pursuant to an Act, or by a decision of the Government, the Conseil du trésor or a Minister and that meets one of the following conditions:

(1) all or part of its appropriations for operating purposes appear under that heading in the budgetary estimates tabled in the National Assembly;

(2) its employees are required by law to be appointed in accordance with the Public Service Act;

(3) the Government or a Minister appoints at least half of its members or directors and at least half of its operating costs are borne directly or indirectly by the consolidated revenue fund or by other funds administered by a public body referred to in section 1 or 2 of this Schedule or by both at the same time;

4. the Public Curator;

5. any body or agency, other than those referred to in section 1, 2 or 3 of this Schedule, established by an Act, pursuant to an Act, or by a decision of the Government, the Conseil du trésor or a Minister and at least half of whose members or directors are appointed by the Government or a Minister;

6. any joint-stock company, other than a government body referred to in section 3 of this Schedule, of which more than 50% of the voting shares are part of the domain of the State or are owned by a government body referred to in sections 1 to 3 and 5 of this Schedule or by an undertaking referred to in this section;

7. any educational institution at the university level referred to in paragraphs 1 to

à 11° de l'article 1 de la Loi sur les établissements d'enseignement de niveau universitaire (L.R.Q., c. E-14.1).

11 of section 1 of the Act respecting educational institutions at the university level (R.S.Q., c. E-14.1);

8. Tout collège d'enseignement général et professionnel institué en vertu de la Loi sur les collèges d'enseignement général et professionnel (L.R.Q., c. C-29).

8. any general and vocational college established in accordance with the General and Vocational Colleges Act (R.S.Q., c. C-29);

9. Toute commission scolaire visée par la Loi sur l'instruction publique (L.R.Q., c. I-13.3) ou par la Loi sur l'instruction publique pour les autochtones cris, inuit et naskapis (L.R.Q., c. I-14), ainsi que le Conseil scolaire de l'Île-de-Montréal.

9. any school board referred to in the Education Act (R.S.Q., c. I-13.3) or the Education Act for Cree, Inuit and Naskapi Native Persons (R.S.Q., c. I-14), and the Conseil scolaire de l'Île-de-Montréal;

10. Tout établissement privé agréé aux fins de subventions en vertu de la Loi sur l'enseignement privé (L.R.Q., c. E-9.1).

10. any private institution accredited for purposes of subsidies under the Act respecting private education (R.S.Q., c. E-9.1);

11. Tout autre établissement d'enseignement dont plus de la moitié des dépenses de fonctionnement sont payées sur les crédits apparaissant aux prévisions budgétaires déposées à l'Assemblée nationale.

11. any other educational institution of which more than one-half of the operating expenses are paid out of the appropriations entered in the budgetary estimates tabled in the National Assembly;

12. Tout établissement public ou privé conventionné ainsi que toute régie régionale visés par la Loi sur les services de santé et les services sociaux (L.R.Q., c. S-4.2).

12. any public or private institution under agreement and any regional board referred to in the Act respecting health services and social services (R.S.Q., c. S-4.2);

13. Le conseil régional institué par la Loi sur les services de santé et les services sociaux pour les autochtones cris (L.R.Q., c. S-5).

13. a regional council established under the Act respecting health services and social services for Cree Native persons (R.S.Q., c. S-5);

14. Toute municipalité, tout organisme que la loi déclare mandataire ou agent d'une municipalité, tout organisme dont le conseil d'administration est composé majoritairement de membres du conseil d'une municipalité, de même que tout organisme relevant autrement de l'autorité municipale.

14. any municipality, and any body declared by law to be the mandatary or agent of a municipality, and any body whose board of directors is composed of a majority of members of a municipal council, as well as any body otherwise under municipal authority;

15. Toute communauté métropolitaine, régie intermunicipale, corporation intermunicipale de transport, tout conseil intermunicipal de transport, l'Administration régionale Kativik et tout autre organisme dont le conseil d'administration est formé majoritairement d'élus municipaux, à l'exclusion d'un organisme privé.

15. any metropolitan community, intermunicipal board, intermunicipal transit corporation, intermunicipal board of transport, Kativik Regional Government and any other body whose board of directors is composed of a majority of elected municipal officers, except a private body.

ANNEXE IV
(a. 9)

SCHEDULE IV
(s. 9)

CRITÈRES ET COTES D'ÉVALUATION DU RENDEMENT

PERFORMANCE ASSESSMENT CRITERIA AND RATINGS

L'évaluation annuelle du rendement est effectuée selon les critères suivants:

Annual performance assessments shall be based on the following criteria:

1° Critères d'évaluation d'ordre qualitatif: ces critères regroupent les facteurs et normes qui visent à apprécier les connaissances, habiletés, attitudes et comportements du commissaire dans le cadre de ses attributions, notamment en ce qui concerne:

(1) Qualitative criteria include factors and standards for assessing the knowledge, skills, attitudes and behaviour of commissioners in the exercise of their powers and duties, in particular,

a) la connaissance et l'utilisation des lois, des règlements, des règles de preuve et de procédure et de la jurisprudence par les moyens mis à sa disposition pour les maîtriser;

(a) the knowledge and use of statutes, regulations, rules of evidence and procedure, and jurisprudence acquired through the means available to commissioners;

b) la qualité de la rédaction des décisions, notamment par leur clarté, leur précision et leur concision;

(b) the written quality of decisions, in particular, clarity, precision and conciseness;

c) le comportement avec les parties, leurs témoins et leurs représentants, en particulier lors de l'audition;

(c) behaviour with respect to the parties, their witnesses and representatives, in particular during hearings;

d) le respect du code de déontologie applicable aux commissaires de la Commission;

(d) compliance with the code of ethics applicable to commissioners of the Commission des relations du travail;

e) la disponibilité et l'intérêt du travail;

(e) availability and interest in the work;

f) les communications et les relations avec la direction et le personnel de la Commission;

(f) communications and relations with the management and staff of the Commission; and

g) la participation aux comités et aux activités connexes à la fonction de commissaire de la Commission.

(g) participation in committees and activities related to a commissioner's duties.

2° Critères d'évaluation d'ordre quantitatif: ces critères visent à apprécier la contribution quantitative du commissaire au traitement des dossiers, notamment en ce qui concerne:

(2) Quantitative criteria assess the quantitative contribution of commissioners with respect to the handling of cases, in particular,

a) le nombre de dossiers fermés à la suite d'une conciliation, d'un désistement ou d'un règlement à l'amiable;

(a) the number of cases settled following conciliation, withdrawal or an amicable settlement;

b) le nombre de dossiers traités à la suite d'enquêtes et d'auditions des parties, de prises en délibéré pour évaluer les témoignages, l'argumentation et l'ensemble de la documentation relative à un dossier;

c) le nombre de décisions rendues.

L'évaluation annuelle du rendement est effectuée selon les cotes d'évaluation suivantes:

A: un rendement qui dépasse de beaucoup les normes requises

B: un rendement qui dépasse les normes requises

C: un rendement qui est équivalent aux normes requises

D: un rendement qui est inférieur aux normes requises

E: un rendement qui est grandement inférieur aux normes requises.

D. 1193-2002, (2002) 134 G.O. 2, 7175 (eev 2002-10-31).

(*b*) the number of cases handled following inquiries and hearings of the parties, and the testimonies, arguments and the entire documentation pertaining to a case taken under advisement; and

(*c*) the number of decisions rendered.

The annual performance assessment shall be in keeping with the following ratings:

A: performance that far exceeds required standards

B: performance that exceeds required standards

C: performance that meets required standards

D: performance that is below required standards

E: performance that is far below required standards.

O.C. 1193-2002, (2002) 134 G.O. 2, 5466 (cf 2002-10-31).

INDEX

Code du travail

INDEX

Labour Code

designation by parties 77
inquiry into dispute 81 to 84
list of candidates 77
powers 83, 91.1, 99.5
prohibited recourses 139, 139.1
refusal to act 80
remuneration 103
replacement 80
resignation 80
service of proceedings 87
summoning of witnesses 84
taxation of witnesses 86
temporary award 91
unable to act 80
DISSOLUTION 149
ELECTION
certified association 20.1
ELECTRICITY, UNDERTAKING
public service 111.0.16 (5)
ELIMINATION OF HOUSEHOLD GAR-
BAGE
public service 111.0.16 (6)
EMPLOYEE
arbitration of grievances, hearing 100.5
behaviour of certified association 47.2 to
47.6
certified association
activity against 63 (b)
conditions of membership 36.1
confidentiality of belonging 35
definition 1 (l)
discrimination 14, 15
dismissal
burden of proof 17
complaint 16
good and sufficient reason 14
reinstatement 15, 19
employed contrary to the collective agreement 63 (a)
indemnity 15, 19
recourses under collective agreement 69,
70
reimbursement to employer of overpayment 100.12 (b)
right of association 3
solicitation 5
strike, lock-out
maintenance of employment 110
recovery of employment 110.1
strike-breakers 109.1
EMPLOYER
bargaining unit 28 (c)
bound with collective agreement 68

contestation of report relating to the
representative nature of an association 41
conversion of the status of an employee
20.0.1
definition 1 (k)
disagreement relating to non-recall to
work 110.1
dismissal of an employee 15, 63
interfering with employees' association 12
logging operation 2
maintenance of conditions of employment
59
negotiation
bad faith 142
refusal or delay 53.1
non-observance of delays 47.6
notice of negotiation 52, 52.1
number of collective agreement per group
of employees 67
offence 141, 146.1, 146.2
proxy 150
refusal to employ a person exercising a
right arising from the Code 14
reimbursement of overpayment to an
employee 100.12 (b)
right of association 10
sale of undertaking 45 to 45.3
selection of arbitrator 100
strike-breakers
offence 142.1
prohibited practice 109.1
protection of property 109.3
utilization in certain cases 109.2
union dues 47
vote 38
EMPLOYERS' ASSOCIATION
collective agreement 68
definition 1 (c)
dissolution 149
interfering with employees' association 12
logging operation 2
refusal to employ a person exercising
rights arising from the Code 14, 15
refusal to negotiate 53.1
representation 150
threats to members 13
EMPLOYMENT
recovered 110.1
refusal to employ 14, 143
safeguarded 110
ENTERPRISE INVOLVED IN THE
COLLECTION OF BLOOD
public service 111.0.16 (7)

public and parapublic sectors, definition
111.2
SECRET BALLOT
association of employees, certification 21
certified association, election 20.1
representative nature of association of
employees 32
vote to strike 20.2
SETTLER
logging operation 8 par. 5
SOCIÉTÉ DES ALCOOLS DU QUÉBEC
111.0.16 (8)
STRIKE
apprehended 111.0.24
Conseil des services essentiels, remedial
powers 111.16, 111.17, 111.19, 111.20
definition 1 (g)
employment recovered 110.1
employment safeguarded 110
first collective agreement, end of strike 93.5
forbidden 106, 107
illegal 142
interruption of work 110
notification to Minister 58.1
policemen and firemen 105
public and parapublic sectors
list of essential services 111.12, 111.15.1
to 111.15.3
notice 111.11
prohibited 111.14
public service
essential services 111.0.17 to 111.0.24
essential services, agreement or list
111.10 to 111.12
injunction 111.0.25
notice 111.0.23
number of employees 111.10, 111.10.4
suspension of right to strike 111.0.24
right 58
strike-breakers 109.1
suspension 42, 111.0.24
vote 20.2, 20.4, 20.5
STRIKE-BREAKERS
agreement between parties 109.1 (c)(i)
investigation by Minister 109.4
offence 142.1
order of Government, public service
109.1 (c)(iii)
prohibited practice 109.1
protection of property 109.3

transmission of list, public service
109.1 (c)(ii)
utilization of employees prohibited in the
establishment of the strike or lock-
out 109.1 (c), (e), (g)
utilization in certain cases 109.2
SUBROGATION
certified association, collective agreement
61
logging operation, collective agreement
61.1
SUBWAY (TRANSPORT SERVICE)
public service 111.0.16 (4)
SUMMONING OF WITNESSES
arbitration of disputes 84
arbitration of grievances 100.6
SUPERINTENDENT
employee, definition 1(l)(1)
SUPERIOR COURT
filing for execution of decision 129
SUSPENSION OF NEGOTIATIONS 42
TAXATION
witness 86, 137.7
TELEPHONE SERVICE
public service 111.0.16 (3)
THREAT
member of an association of employees 13,
14
offence 143
TRANSMISSION OF RIGHTS AND
OBLIGATIONS 46
UNDERTAKING, ALIENATION OR
OPERATION
suspension of negotiations 42
transfer of rights and obligations 46
transfer of the operation of part of an
undertaking 45.2
validity of the certification 45
UNDERTAKING SUBJECT TO THE
CANADA LABOUR CODE, ALIEN-
ATION OR OPERATION 45.3
UNION DUE
check-off 47
logging operation
advance 8
deduction 61.1
payment 36.1 (c)
VOTE
collective agreement 20.3
cooperation of employer 38
election 20.1
obligation of employee 38
strike 20.2